사랑하고 존경하는

김정해 권사님께

2017년 10월 4일

추석 명절에

저자 이종민 목사 증정

이민자의 **5**분명상

절망을 넘어선 사람들

이종민 지음

Q 쿰란출판사

추천사

나의 형제 이종민 목사

내가 이종민 목사를 처음 만난 것은 40년 전, 신학교 시절이다. 그는 나에게 잊을 수 없는 친구이다. 신학교 기숙사의 한 방에서 몇 년을 같이 지내면서 우정은 깊어졌다. 배고팠던 시절, 그와 나는 한 방에서 군고구마를 함께 나눠 먹으며 한 형제가 되었다. 방학이 되면 헤어지기를 아쉬워하였고 친구를 향한 그리움으로 새 학기를 기다렸다. 이렇게 특별한 우정을 쌓아온 그가 미국 유학을 떠났다. 신학교 시절부터 공부를 잘했고, 특별히 외국어 실력이 뛰어났기에 하나님께서 그 길을 열어주셨다. 태평양을 사이에 두고 그리워하는 마음을 담아 펜을 들어 소식을 주고 받는 것으로 아쉬움을 달랠 수밖에 없었다. 지금은 미국과 한국이 가까워져서 곧잘 만나곤 한다. 그러면 마음은 옛날 그 시절로 돌아가 얼싸안고 좋아한다. 이 우정 그대로 천국의 주님 앞까지 가기를 바란다.

나는 이종민 목사를 좋아한다.

첫째로, 그가 순수한 정의 사람인 까닭이다. 농촌에서 태어나고 성장해서 그에게는 순수한 인간미가 있다. 처음 만난 때로부터 수십 년 세월이 흐른 지금까지 언제나 그 마음이 나를 사로잡는다. 만나면 만날수록 더욱 다정한 정감이 흐르는 친구이다. 그의 말과 글이 듣고 읽는 모든 사람의 마음을 사로잡는 것도 그 때문이리라.

둘째로, 그는 순수한 신앙의 사람이다. 그는 중심이 순수한 복음 위에 든든히 서 있다. 신학교에서 어떤 신학을 공부하든지 그것을 복음의 열정으로 용해시키는 놀라운 모습을 나는 보았다. 신앙 연륜이 짧아 신학을 이해할 수 없었던 나에게 그는 그때마다 명쾌한 재해석을 해주었다. 모든 것을 오직 예수로 해석하였다. 그가 새벽마다 자신을 위하여 기도해주시는 부모님의 이야기를 들려줄 때마다 나는 얼마나 부러웠는지 모른다. 믿음의 가정에서 태어나고 성장했기에 그에게는 부모님으로부터 받은 신앙적 은혜가 몸에 배어 있었다. 그에게서 흘러나오는 그윽한 예수님의 향기는 매번 나를 감동시켰다. 세월이 흘러도 그의 순수한 복음적 신앙은 변함이 없다.

셋째로, 그는 순수한 사명의 종이다. 그는 심령의 매임을 받아 이민목회를 시작했다. 그를 보면 오직 은혜로 복음 전하는 사명을 주께 받았다는 것이 무슨 말인지 알 수 있다. 그는 그 사명에 목숨을 걸고 살아간다. 그를 보면 사도 바울이 생각난다. 순수한 복음 신앙으로 교회를 섬기고 생명을 다해 목회하는 그의 모습은 하나님의 사랑받는 종으로 부족함이 없다.

이 목사가 이민자의 5분 명상, 「절망을 넘어선 사람들」을 출간하니 크게 기쁘다. 그의 고백에는 마음을 감동시키는 진실이 있다. 그의 언어에는 가슴을 울리는 눈물이 흐른다. 이것은 우연이 아니다. 하나님 앞에 진실하게 살아온 그의 인생과 주님을 사랑하는 마음으로 헌신한 그의 목회가 낳은 산물이다. 시카고에서 LakeView 교회를 개척하여 오늘의 대교회로 일구기까지 그가 드린 헌신과 희생은 얼마나 눈물겨운가? 또 뜨거운 민족정신으로 한국인학교를 세워 이민 2세 교육에 헌신하고 있는 그 모습은 얼마나 아름다운가? 그에게는 꺼지지 않고 타오르는 두 개의 불기둥이 있다. 하나는 순수한 복음 신앙의 열정이요 또 하나는 한국신학대학에서 물려받은 민족 사랑의 열정이다.

나는 이종민 목사가 자랑스럽다. 그리고 그가 있기에 행복하다. 그를 보고, 그에게서 듣고, 그의 글을 읽을 수 있는 것이 은혜요 기쁨이다. 방송으로 잔잔하게 들리던 그의 음성이 문자로 담겨 가슴을 울리게 되었으니 얼마나 좋은가! 사랑하는 형제 이종민 목사의 행복과 사역의 무궁한 발전을 빈다.

2002. 7. 7.
한신교회 목사 이 중 표

절망을 넘어 희망의 언덕에 오르려는 자들에게

올해로 제가 조국을 떠나 외국에 산 지가 30년 반이 되었습니다. 유학을 마치고 조국에 돌아가 하나님이 부르신 소명대로 살겠다고 마음 다지고 찾아 온 미국에서 '70년대를 지내면서 막 쏟아져 들어 오는 이민동포들과 함께 시작한 목회생활이 25년이 되었습니다. 석 사학위를 받은 후 잠깐 몸담고 있던 시카고 한인 봉사회(현 복지회) 에서 이민 동포들을 상담하면서 여러 가지 삶의 애환을 나누었습니 다. 또한 그런 이야기를 할 수 있는 기회가 1990년에 창사된 시카고 한국방송국을 통하여 열리게 되어 얼마나 기뻤는지 모릅니다.

다섯 명의 목회자들이 매주 월요일에서 금요일까지 5분명상이라 는 시간을 내보내기 시작하여 벌써 12년이 되었습니다. 1991년에 시카고한국방송국(KBI 1330AM)에서 이 다섯 분의 명상집을 함께 모아 '너 사랑하는 사람아'(작가정신사 발행)라는 타이틀로 출판하 였습니다.

본서는 바로 그 후속편이라 볼 수 있습니다. 이제는 그 다섯 분 가 운데 더러는 은퇴하시고 더러는 타 주로 목회지를 옮기시었고 저만 홀로 남아 있어 이번에는 저의 명상집만을 모아 봤습니다. 이 명상 집은 주로 1994~1995년에 한 방송 원고들을 후속편으로 발행한 것

머리말

입니다. 이전의 원고들도 많이 있고 '96년~현재의 것도 준비되어 있지만 제가 섬기는 레익뷰장로교회 25주년사를 출판하기 위하여 우리교회 사무 간사 김용숙 집사가 한국에 나가는 길에 2년분 디스켓을 가지고 나가 쿰란출판사에 출판 여부를 알아보았었는데 벌써 초고로 인쇄되었다는 소식을 듣고 이렇게 출판하게 된 것입니다.

이민 목회란 동포들과 삶의 현장에서 함께 호흡하며 영적인 면뿐만 아니라 전인적인 목양을 하는 생활입니다. 그러기에 저의 방송명상은 우리가 살고 있는 이 시대 상황 속에서 시사, 종교, 직업, 문화와 철학 등과 직접 연관된 것들로 엮어졌습니다. 그 동안 여러 청취자들과 교우들이 책 출판을 권하였습니다만 방송으로 나간 말들이 활자화 될 때 얼마나 감동을 줄 수 있을까 주저했었고 이번에 저의 자녀들이 정성을 모아서 출판을 재촉하여 부족한 글이지만 햇빛을 보게 되었습니다.

먼저 하나님께 영광을 돌리며 이 선교방송을 하도록 물심양면으로 도와주신 우리 레익뷰장로교회의 온 성도님께 진심으로 감사를 드립니다.

그리고 저를 낳으시고 오늘에 이르게 하신 부모님(아버님은 천국에 계심)께 감사를 드리며 뒤에서 눈물의 기도로 저의 목회를 동역하고 있는 사랑하는 아내에게 감사를 드립니다. 추천사를 써 주신

머리말

한신교회 이중표 목사님과 원고를 교정하여 주신 김용숙 집사님과 쿰란출판사의 대표 이형규 장로님과 편집부장 임영주 선생님께 감사를 드립니다.

I am pleased to express special gratitude to my children(Mark Youngku, Sandy and Richard Rhee, Susan and Paul Lim) who enthusiastically supported the publishing of this book.

2002년 7월 5일
시카고 레익뷰 목양실에서
이 종 민 목사

차 례

제3부 긍정적이고 유익한 사람

제4부 천국의 어린이

제5부 거기엔 먹을 것은 없습니까?

제6부 절망을 넘어선 사람들

차 례

제9부 가을 포도같이 익은

제10부 기쁨으로 단을 거두리로다

제1부
진실과 반석 위에 세운 집

38선에 그리스도의 상을

19세기가 끝나가고 20세기가 막 시작되던 때에 남미의 아르헨티나와 칠레, 이 두 나라가 국경문제로 서로 앙숙이 되어 피비린내나는 싸움을 계속하고 있었습니다.

1900년 부활절 아침, 아르헨티나의 한 주교가 예수 그리스도의 부활에 대해 설교하면서 사람과 사람, 형제와 형제, 나라와 나라 사이에 참다운 형제애를 맺어야 한다고 외치기 시작했습니다.

그 때를 기점으로 그는 아르헨티나 전역을 돌면서 '평화의 메시지'를 전했을 뿐만 아니라 국경을 넘어 칠레에까지 가서 복음을 전했습니다.

그가 다시 아르헨티나로 돌아와 온 국민에게 평화를 호소하며 서로 화해하기를 간절히 바랐습니다. 이 한 설교자의 외침으로 양국 국민들이 큰 공감대를 이루어 고조되었던 전쟁 분위기가 차츰 누그러지고 국민군의 동원과 전쟁 준비가 취소되며 평화를 갈구하는 운동이 번져갔습니다. 드디어 양국간에 평화 조약이 조인되어 다시는 그 국경에서 포성이 들려오지 않게 되었습니다.

이제는 더 이상 전쟁 무기가 필요 없게 되었습니다. 병기는 치안용으로 전용(轉用)되고, 군함은 상선으로 개조되었습니다. 양국의 무기창고는 공예학교로 개축되고 군비는 축소되었으며 공공산업들이 날로 번창해 갔습니다. 양국 국민간에는 분노가 신뢰로, 미움과 질시가 우정으로 바뀌어 갔습니다.

한편, 국경을 방어하던 대포들을 녹여 청동 그리스도 상을 주조하여 1만 3천 피트나 되는 높은 안데스 산 꼭대기에 세우기로 하였습니다. 1904년 3월 13일, 양국의 국민들과 군인들이 운집한 가운데 그리스도 상의 제막식이 성대하게 거행되었습니다.

아르헨티나의 군인들은 칠레의 천막으로 초대되고 칠레의 군인들은 아르헨티나의 막사에 초대되어 원수로 지내던 앙금을 풀고 서로 부둥켜안으며 형제처럼 뜨거운 사랑을 나눴습니다.

그날 해가 서산으로 질 무렵, 양국 국민들은 대지 위에 무릎을 꿇고 하나님께 기도를 올렸다고 합니다.

동상의 대리석에는 다음과 같은 글이 새겨져 있습니다.

"만일 구주 예수 그리스도의 발 아래서 영원히 맹세한 아르헨티나와 칠레의 평화를 깬다면 즉시 이 산의 티끌처럼 분쇄되고 말리라."

이때에 주교 '모세나 자라'는 다음과 같은 설교를 했습니다.

"오로지 아르헨티나와 칠레에서뿐만 아니라 저희들은 이 그리스도 상을 전세계에 바치는 것입니다. 이것에 의해 세계는 확실히 일반 민중에 미칠 평화에 대해 큰 교훈이 되겠지요."(권오석

엮음, 「내 젊은 날의 사색의 나날들」 pp. 155~157에서 인용)

이 글을 읽으면서 '왜 우리 조국은 남의 땅도 아닌 우리 땅에 국경 아닌 38선을 그어놓고 50년이란 긴긴 세월 동안 허리 잘린 사람마냥 숨통이 막힌 채 남과 북이 서로 반목질시하고 원수같이 지내왔는가?'를 생각하니 기가 막힌 일이 아닐 수 없었습니다.

어서 빨리 남과 북이 서로 손에 손을 잡고 통일을 이루어 모든 군사무기들, 대포, 탱크 다 녹여서 그리스도의 상을 만들어 지금 판문점, 아니 금강산 비로봉 꼭대기에 높이 세울 날이 도래해야 할 줄로 믿습니다.

구약 성경에서 이사야 선지자는 다음과 같이 그리스도의 평화를 예언하였습니다.

"그가 열방 사이에 판단하시며 많은 백성을 판결하시리니 무리가 그 칼을 쳐서 보습을 만들고 그 창을 쳐서 낫을 만들 것이며 이 나라와 저 나라가 다시는 칼을 들고 서로 치지 아니하며 다시는 전쟁을 연습하지 아니하리라"(사 2 : 4).

바로 엊그제 (1995년 2월 7일) 과거의 원수 사이였던 미국과 러시아(구 소련)가 우주에서 환상적인 '랑데부'를 연출했습니다. 미국의 '디스커버리' 우주선과 러시아의 우주 정거장 '미르'호가 '우주 블루스'를 10분간 함께 추며 랑데부하였습니다.

사랑하는 여러분!

우리 모두, 조국의 통일이 이뤄지기를 학수고대하는 마음으로 기원하지 않으시렵니까?

1995년 2월 9일

불안을 떨쳐버리고

태양이 부드럽게 와 닿는 어느 봄날, 한 사람이 그의 아름다운 시골 집을 떠나, 언덕을 감아 도는 도로를 신나게 운전하여 내려가고 있었습니다. 그는 불확실한 것들, 즉 걱정과 두려움으로 초조해 하고 있었습니다. 그는 왜 이런 두려움과 공포감이 자신을 사로잡고 있는지 자기의 생각들을 검토해 보았습니다.

그리고 그 때, 그는 소년 시절에 그랬던 것처럼 지금도 여전히 자신은 마음이 약하고 부끄러워하며 겁이 많다는 것을 깨닫게 되었습니다.

그의 어머니는 항상 그 아들에게 무언가 병이 있다고 생각했었습니다. 비록 병이 발생하지는 않았지만 그녀는 자기 아들에게 그 같은 생각을 전염시켰으며, 그리하여 항상 공포심이 그를 괴롭혔습니다. 불안이 그의 모든 생각속 어디엔가 숨어 있었던 것입니다.

그날 아침, 그는 운전하다가 조그만 시내를 따라 언덕으로 이르는 좁은 길을 우연히 발견하였습니다. 갑자기 그는 그 길로 접어들면서 그의 인생에 변화를 주게 된 사건과 맞닥뜨리고 말았습니다.

그는 약 2마일 정도 곧장 그 길을 따라가 마침내 교차로에 도착하였습니다. 그가 망설이고 있을 때 머리가 하얀 노인 한 분이 말을 타고 나타났습니다. 그는 길을 묻기 위해 그분에게 다가갔습니다. 그러나 차를 타고 가던 이 사람은 할 말을 잊고 "요즘 세상엔 참 어려운 일들이 많군요."라고 말했습니다.

"글쎄 모르지요, 하지만 요전날 나는 내가 좋아하는 어떤 글귀를 하나 보았습니다. 바로 이런 글귀였습니다. '그가 오른손을 내게 얹고 가라사대 두려워 말라.'"

그리고 그 노인은 오른손을 흔들고 떠나려 했습니다.

그 때에 차에 탄 남자가 소리쳐 물었습니다.

"여보시오, 누가 그런 말을 하였습니까?"

"성경 말씀에 있다오."

운전해 가던 남자의 머릿속에는 계속해서 그 노인이 들려준 말이 떠나지를 않았습니다. 그는 집에 돌아와 성경을 펼치고 찾아보았습니다.

그 말씀은 요한계시록 1장 17절에 있는 말씀이었습니다.

그는 그 때부터 마치 아버지가 그의 손을 자신의 고통받는 머리 위에 올려놓는 느낌을 받았습니다.

이 신기한 사건이 그로 하여금 오래된 불안 심리와 공포감을 제거시켜 주는 동기가 되었고, 그는 계속해서 성경을 애독하였습니다.

그는 성경 속에서 계속하여 삶의 놀라운 경이와 희망을 주는 말씀들을 발견하게 되었습니다.

노만 빈센트 필 박사의 「살아가는 비결」에 소개된 이야기 한 토막입니다.

그에 의하면 인간의 두려움이란, 어린 시절에 대부분 그렇듯이, 초기 인격시대에 그들의 마음을 가로지르는 한 방울의 물과 같이 아주 조그만 생각에서 연유되고, 이 두려움은 계속 자라서 마침내 그 사람의 깊숙한 희망의 통로를 끊어버리고 그것이 그 자신을 지배하게 되면 그의 건강과 미래와 가족에 대해 그가 가진 모든 생각이 공포의 깊은 수렁에 빨려 들어가 불안감을 느끼게 된다는 것입니다. 그 때부터 불안이 그의 전 생애를 퇴색시키며 또 성공적인 행동에 대해서도 방해물로 작용합니다.

그러면 어떻게 이런 불안에서 해방될 수 있을까요? 그 비결은 간단합니다. 여러분의 마음속에 한 방울의 물방울과 같은 작은 믿음과 희망과 용기를 가짐으로써 시작되는 것입니다.

사랑하는 여러분!

성경의 다음과 같은 구절을 기억하시기 바랍니다.

"두려워 말라 내가 너와 함께 함이니라 놀라지 말라 나는 네 하나님이 됨이니라 내가 너를 굳세게 하리라 참으로 너를 도와 주리라 참으로 나의 의로운 오른손으로 너를 붙들리라"(사 41 : 10).

1995년 2월 23일

진실과 반석 위에 세운 집

"외국에 나가면 애국자가 된다."라는 말대로 태평양 건너 먼 미국 땅에 와 살고 있는 우리 이민자들은 한순간도 조국에 대한 사랑을 잊을 수가 없습니다.

다른 분은 모르겠습니다만 저는 우리 나라의 국경일인 3·1절이나 8·15 광복절이 들어 있는 주일에는 예배시간에 '애국가'를 성도들과 함께 부릅니다.

"하나님이 보우하사 우리 나라 만세!"

엊그제 6·25 상기 주일에도 마침 주일이기에 예배시간에 애국가를 함께 부르며 우리 조국의 통일과 무궁한 발전을 위하여 간절한 기도를 드렸습니다.

차를 타고 고속도로를 달릴 때마다 종종 만나는 '한진' 트럭이나 앞과 옆에서 달리는 차 중에 '현대' 차가 있으면 은근히 친근감이 가고 설혹 그 운전하시는 분이 내 앞을 가로질러 달려가도

화 대신 신이 나는 것은 저만의 느낌은 아닐 줄로 앎니다.

그동안 우리 조국은 눈부시게 발전하여 '한강의 기적'을 이루었고, 또한 '88 서울 올림픽을 성공적으로 마침으로 미국을 비롯해서 서방국가들도 주시와 경계를 늦추지 않는 중진국이 되었습니다. 몇 년 전 성지 순례차 이스라엘을 갔을 때였습니다.

갈릴리 바다를 가로질러 첫 번째로 닿은 가버나움 포구에서는 이스라엘 가두 판매원들이 "베드로 고기 하나에 1달러요." 하고 분명하게 한국말을 외치는데 이를 듣고 참으로 흐뭇했습니다. 그만큼 우리 국력이 강해지고 나라가 부흥되었다는 증거가 아니겠습니까?

그런데 이 긍지와 자랑이 무색해지고 오히려 부끄럽기까지 합니다.

지난 6월 29일, 새벽기도회를 마치고 집에 도착하니 큰 딸아이가 "아빠, 서울에 있는 삼풍 백화점이 무너져 수백 명이 그 속에 묻히고 죽었어요." 하며 울상이 되어 전해 주는 것이었습니다.

삼풍 백화점은 지은 지가 6년도 채 안 되었다는 초호화 백화점이요, 최고급 외제품이 많이 진열되어 부자촌의 물질이 넉넉한 아낙네들이 몰려오는 '쇼핑 센터'라는 것입니다. 그런데 어이없게도 몇 초 만에 폭삭 주저앉았다니 기가 막힐 일이 아닐 수 없었습니다.

우리가 사는 이 시카고의 「트리뷴」지도 우리 한국 기자의 말을 인용해서 'Endless disaster, disaster, disaster' 'The Kingdom of Accidents' ('끝없는 재난, 재난, 재난' '사고의 왕국' 한국)이라고 기사화하고 있습니다.

참으로 망연자실할 일입니다.

예수님께서는 산상수훈을 말씀하신 다음 그 결론으로 "이 말씀을 들고 준행하는 자는 마치 그 집을 반석 위에 지은 지혜로운 사람 같아 비가 오고 창수가 나도 흔들리지 않고, 그렇지 않은 사람은 마치 그 집을 모래 위에 지은 어리석은 사람과 같아서 비바람이 불고 창수가 나면 그 무너짐이 심하게 될 것"이라고 가르쳐 주셨습니다.

예수님의 산상수훈의 첫 마디 말씀은 "마음이 가난한 자는 복이 있나니 천국이 저희 것이요"입니다. 우리들은 무엇이든지 더 많이 소유하여 부자가 되어야 행복한 줄로 착각하고 온갖 부정과 비리를 행해서 '모래성'을 쌓아놓고 으스댔으니 그야말로 성경말씀대로 "욕심이 잉태한즉 죄를 낳고 죄가 장성한즉 사망"을 낳은 꼴이 된 것입니다.

한국일보의 장명수 기자 칼럼에 "이 재앙은 분명히 벌이고 보복이다. 모래성을 쌓아 놓고 기적의 성이라고 자랑한 벌, 인간을 몰아내고(죽이고) 돈을 숭배한 벌, 목적만 정당하면 수단이 문제냐고 서로 부추긴 탈법, 편법의 보복을 우리는 받고 있다."라고 자성(自省)한 글에 저도 공감이 갑니다.

이제라도 우리들은 그 폐허의 더미 위에 앉아서 좌절할 것이 아니라, 겸허히 자성하며 새로운 반석 위의 집, 진실한 사회와 국가를 세워가야 하겠습니다.

1996년 7월 6일

이민자의 아들 콜린 파월, 흑인 대통령 가능할까?

금주 시사 주간지 타임지의 표지 인물은 걸프전의 영웅이요, 흑인으로서 최초로 대통령의 물망에 오른 '콜린 파월(Colin Powell)' 전 합참의장입니다. 그는 최근 「My American Journey」(나의 미국 여정)이라는 자서전을 80만 부 펴내서 미국은 물론 전세계의 이목을 집중시키고 있습니다.

뉴욕 빈민가인 '할렘으로부터 백악관까지'(From Harlem to The White House)라는 부제를 달아 타임지가 1996년도 대통령 선거의 첫 캠페인에서 인터뷰한 내용을 기사화하고 있습니다.

1990년 걸프전이 한창일 때에도 콜린 파월 대장에 대한 내용을 한번 방송으로 내보낸 기억이 있습니다.

파월은 바로 그의 부모가 자메이카로부터 1920년대 가난을 피하여 미국으로 이민온 이민자의 2세입니다. 그런 그가 미국군 최고 통수자인 합참의장직을 수행하고 드디어 미국의 대통령 후보로 최고의 지지를 받고 있는 인물이 되었다는 데 이민자인 우리들의 관심을 더욱 끌고 있는 것입니다.

그는 1938년 뉴욕 할렘의 모닝사이드가에서 1937년 자메이카에서 이민 와 공장에서 인부(Shipping Clerk)로 일하는 아버지 루터 파월(Luther Powell)과 법정에서 속기사로 있던 어머니 사이에 태어났습니다. 그는 지금은 더하지만 뉴욕의 할렘의 가난한 '게토'(바나나 켈리라 부름)에서 어린 시절을 보냈습니다. 당시 그가 살던 헌트 포인트(Hunts Point) 지역에는 유대인들과 폴리쉬, 이탈리안, 흑인, 그리고 히스패닉계가 뒤섞여 살고 있었습니다.

그는 그 때는 어떤 흑인이나 소수계 인종으로 차별을 받는다는 느낌을 모르고 자랐다고 합니다. 그러나 학교를 들어가면서 눈이 떠지고 바로 자신이 흑인으로서 인종차별의 대상이 되는 소수계에 속한 사람이란 사실을 인식하게 되었습니다. 그는 17세가 되던 해 그 지역에 있는 모리스 고등학교(Morris High School)를 졸업했습니다. 그는 착실한 학생으로 평판이 나 있었고 뉴욕 대학과 뉴욕 시립대학에 모두 입학 허가를 받았으나 당시 750달러의 학비를 내야 하는 사립인 뉴욕 대학보다 10달러의 학비만 내면 공부할 수 있는 시립대학에 들어갔습니다. 그는 기계공학을 전공했는데, ROTC를 지원한 것이 군인의 길에 들어선 계기가 되었습니다.

1958년 대학을 졸업하자마자 그는 조지아 주 포트 베닝에 가서 군사 기초 훈련을 받았습니다. 그는 특히 그곳 미국 남부에서 레이시즘(Racism), 즉 인종차별에 대해 뼈저린 경험을 했다고 합니다. 훈련을 마치고 처음으로 배정된 곳은 서독 겔르하우센(Geluhausen)에 있는 미 제48보병 사단의 소대장직이었습니다.

그는 ROTC의 의무 연한인 1961년이 되던 해, 흑인으로서 미국에서 자기의 적성을 최대로 발휘할 수 있는 곳이 바로 군대임을 깨닫고 장기 직업군인이 될 것을 지원하여 1993년 9월 30일 35년간의 군 생활을 마칠 때까지 나라에 충성을 다하였습니다.

그는 흑인으로서 그리고 ROTC 출신으로는 처음으로 대장에 승진된 사람이요 월남전을 통하여 군인으로서의 그의 재능을 인정받고 레이건 대통령에 의해 'National Security Adviser'로 등용된 인물입니다. 또 부시 대통령에 의해 미 합참의장에 올라 걸프전을 스왈츠 코프(Schwarz Koph) 대장과 함께 승리로 이끌어 미국인의 영웅이 된 사람입니다.

그는 현재 1996년 미국 대통령 선거에 미국민의 73%의 지지를 받고 있는 일인자가 되어 있습니다.

공화당 대통령 후보 제1인자인 밥돌 상원 원내 총무가 부통령 러닝 메이트로 요청을 하지만 그의 대답은 "NO"입니다.

그가 이번 「My American Journey」 자서전을 펴내, 모든 미국인들이 읽게 되면 그의 인기는 더 상승할 것입니다. 과연 그가 대통령에 출마할지는 미지수입니다.

그러나 사랑하는 여러분!

우리와 같은 이민자들에게 그리고 소수민족들에게 분명히 꿈과 희망의 나무를 심어주는 것만은 분명하다고 봅니다. 그래서 콜린 개인의 "My American Journey"가 우리들과 우리 2세들의 여정이 되기를 바랍니다.

1995년 9월 14일

아버님을 여의고서

구약 성경 창세기에 보면 야곱의 열두 아들 가운데 열한 번째 아들인 요셉이란 사람이 나옵니다. 요셉은 아버지의 사랑을 다른 형제들보다 유달리 더 많이 받으며 자랐습니다. 그런데 형들의 미움을 사서 형들에 의해 애굽 상인들에게 팔려 청소년인 나이에 먼 외국 땅에서 종살이를 하는 불행한 삶을 살게 되었습니다.

그는 하나님을 믿는 젊은이로서 주인 여자의 유혹을 뿌리친 일 때문에 오히려 감옥살이를 하기도 했습니다. 그러나 하나님께서는 그에게 은혜를 베풀어 주셔서 애굽의 총리대신이 되어 온 나라를 다스리는 영광의 자리에 오르게 된 행운아가 되기도 했습니다.

그의 신앙과 헌신을 통해 애굽의 국민들은 태평성대를 노래하게 되었습니다. 한편 요셉의 고국인 가나안 땅에는 흉년이 들어

곤핍한 삶을 살던 요셉의 가족들이, 애굽 땅에는 양식이 풍부하다는 소식을 듣게 되었습니다. 그리하여 요셉의 부친 야곱이 그의 자녀들을 애굽으로 보내어 양식을 구해 오도록 했습니다.

그런데 이게 웬일입니까? 이들 요셉의 형들은 애굽 땅에 도착하여 자기들이 애굽 상인에게 팔아먹은 요셉, 지금은 그 나라의 총리대신으로 있는 동생 요셉을 만나게 되었습니다. 요셉의 형들은 참으로 두려웠습니다. 자기들이 판 요셉에게서 어떤 보복을 당하지나 않을까 염려했습니다.

그러나 요셉은 자기의 형들에게 "형들이여 두려워 마소서. 형들이 저를 팔아 제가 이 나라에 온 것은 모두 하나님께서 하신 일입니다. 이때를 위해 하나님께서 저를 이 나라에 보내 주신 것이 아니겠습니까? 그러니 염려 마시고 안심하소서. 그리고 지금 곧바로 고국에 돌아가 아버님과 다른 형제들을 모셔오십시오. 제가 이 나라에 오게 된 것은 이때를 위하여 하나님께서, 앞서 저를 보내신 줄로 믿습니다." 하고 말했습니다.

이렇게 해서 요셉의 형제들과 홀로 계신 아버님 야곱이 애굽으로 이민 와 살게 되었던 것입니다.

요셉은 참으로 한 많은 세월을 보내었으며 이렇게 팔려와 고생하였지만 아버지 야곱과 반가운 해후를 하게 된 것입니다.

그러나 그런 행복의 날이 길지 못하고 늙으신 아버지 야곱은 외국 땅 애굽에서 돌아가셨습니다. 요셉의 슬픔이 얼마나 컸겠습니까? 그는 일국의 총리대신의 체면도 잊은 채 목을 놓아 울며 통곡하였습니다.

지난 24일 금요일 저녁, 저도 이 먼 외국 땅에서 저의 아버님을 여의는 슬픔을 당하였습니다. 저는 비록 요셉처럼 외국 땅에서 출세한 사람은 아니지만 하나님께 사명 받아 목회자가 되어 교회를 섬기고 있는 평범한 목사입니다. 그 동안 여러 성도님들의 임종예배를 인도하며 슬퍼하는 유족들을 위로하기도 했습니다.

그러나 제 자신이 아버님을 여의고 나니 목사인 체면도 잊은 채 하염없이 흐르는 눈물을 어쩔 수가 없었습니다. 1년 8개월 동안 병석에 누워 계신 아버님을 제대로 모시지도 못한 불효막심한 자식이었습니다. 잘해 드린 것은 하나도 떠오르지 않고 잘못한 것, 불효했던 일들만 생각되어 한없이 눈물이 쏟아졌습니다.

그래서 저는 아버님의 영결 예배시에 유가족을 대표한 인사를 드리면서 참석하신 교우들과 어른들께 부탁의 말씀을 드렸습니다. 부모님 살아 계신 동안 효성을 다해 드리자라고 말입니다.

정철이 남긴 회한의 시처럼 "돌아간 후면 애닲다 어이하리 평생에 고쳐 못할 일 이뿐인가 하노라"고 가슴치며 통곡하는 주인공이 되지 않도록 말입니다.

사랑하는 여러분!

우리 모두 살아 계신 동안 부모님께 효성을 다합시다. 부모님께서 이미 돌아가신 분들은 부모님 연세의 어른들께 따뜻한 사랑의 정을 보내면 이 춥고 외로운 계절에 얼마나 어르신들이 즐거워하시겠습니까?

이 자리를 빌려서 금번 저의 부친상에 따뜻한 위로를 보내 주신 성도들과 청취자 여러분들께 진심으로 감사의 말씀을 드립니다.

1995년 11월 30일

이 무서운 세상을 어떻게 살까?

　본래 11월은 '감사의 달'로 1년 동안 추수한 모든 것들을 인하여 하나님께 감사하는 달입니다. 그런데 금년 11월은 우리가 사는 이곳 시카고 주변에서 끔찍하고 무서운 사건들이 연이어 일어난 잔인한 달이었습니다.

　시카고 서쪽의 에디슨(Addison) 타운에서는 스물여덟 살 난 데보라 에반스(Debora Evans) 여인의 일가족이 잔인하게 살해된 사건이 일어났습니다. 에반스는 임산부로 해산일이 며칠 남지 않은 만삭의 여인이었는데 워드(Word)와 그의 사촌(Annette William : 28세)이 에반스를 총으로 쏘아 숨이 채 지기 전에 그녀의 자궁을 절개하여 어린아이를 빼어내는 끔찍한 사건을 저지른 것입니다. 그런 다음 에반스의 열 살 난 사만타(Samanta)를 살해하고, 또한 여덟 살짜리 아들 쟈수와(Jashua)를 납치하여 죽여버린 이 엽기적 살인 사건은 모든 시민들을 경악하게 만들었습니다.

그리고 얼마 지나지 않아 디트로이트에서는 6개월 전에 행방불명되었던 15세 소년이 자기 어머니가 마약을 사기 위해서 진 1천 달러의 빚 때문에 마약 밀매자들에게 팔려 온갖 성폭행과 창부노릇을 강요당했다가 허술한 집에서 발견되었다는 뉴스가 알려져 시민들의 분노를 터뜨리게 하였습니다. 서른세 살인 이 소년의 어머니는 마약뿐만 아니라 절도죄로 아직도 감옥살이를 하고 있다고 합니다.

원! 세상에 이럴 수가 있습니까?

아기를 가지고 싶은 욕망 때문에 임신한 여인을 죽여 그녀의 태아를 도둑질하고 그녀와 그의 자녀들을 죽이는 천인공노할 사건이 일어나는 세상, 세상이 아무리 변한다 해도 인간의 사랑 중에 제일 크고도 강한 모성애만은 변치 않으리라 생각했는데 마약에 미친 어머니가 자기의 어린(십대) 아들을 마약상에 팔아버리는 세상이 되었으니, 이것이 말세의 징조가 아니고 무엇이겠습니까?

짐승들도 제 새끼를 아끼고 사랑하는데 하물며 만물의 영장이라는 인간이 이렇게 타락을 하였으니, 이 무서운 세상을 어떻게 살아가야 합니까? 두렵고 떨리는 마음을 어찌해야 좋을지 모르겠습니다.

옛 말에 "노름하다가 돈을 잃게 되면 눈이 뒤집혀 마누라까지 잡히고 노름한다."고 하더니 이젠 자식을 팔아 마약을 사먹는 세대가 된 것입니다.

사람은 어떤 습관을 갖느냐가 중요합니다. 노름에 중독되면 노름으로 인생을 망칩니다. 어떤 사람은 피땀 흘려 일하여 손에 돈 1천 달러만 쥐게 되면 라스베이거스로 달려가 몽땅 잃고도 또 그

일을 반복한다는 L.A.교포의 하소연을 들은 적이 있습니다.

술 중독도 마찬가지입니다. 제가 갓 신학교를 졸업하고 지금 일산시가 된 일산역 근처에 있는 조그만 교회에서 전도사로 시무할 때의 일입니다. 그 교회 여집사의 남편이 20년이 넘게 경찰관 생활을 한 분인데 알코올 중독자였습니다. 정월 초하루부터 석 달 동안을 밥 한술 들지 않고 막걸리로만 연명을 하다가 결국 죽고 말았습니다.

매일 아침 이 집사님이 방 안 천장에 주전자를 고무줄에 매달아 술을 채워놓고 일을 나가면 그는 온종일 술 주전자를 끌어당겨 마시다가 자고 또 마시고 하더니 그대로 생을 마치는 것을 보았습니다.

요즘 교포사회에 골프광도 많아져 문제라는 하소연이 들려옵니다. 적당히 운동하는 것이 뭐 문제가 되겠습니까? 그러나 중독이 되면 큰일입니다.

날씨가 추워져 필드에 못 나가니 그 비싼 비행기표 사가지고 따듯한 플로리다나 애리조나, 캘리포니아 등지로 날아가 즐기는 자들이 늘어간다고 합니다. 거기엔 불경기가 없는 모양입니다.

부인과 자식들은 제쳐놓고 자기만 즐기면 그만이라는 생각을 바꾸는 것이 가정의 행복을 위한 현명한 처사입니다.

일에 중독된 사람도 문제입니다. 너무 일에 몰두한 나머지 가족도 친구도 없는 삶은 역시 고쳐야 될 나쁜 습관이라고 생각됩니다.

사랑하는 여러분!

지금은 크리스마스를 기다리는 대강절(待降節) 기간입니다. '사랑으로 오시는 예수 그리스도'를 맞이하면서 세상에 외롭고 불쌍한 이웃들과 사랑을 나누는 계절이 되면 얼마나 좋을까요?

내 아들이 이 크리스마스에 1백년형을 선고받았다면?

언제나 크리스마스가 다가오면 제 마음에 어두운 영상으로 떠오르는 사건이 있습니다. 벌써 20여 년의 세월이 흘러갔는데도 저의 뇌리에는 너무나 뚜렷이 남아 있는 아픈 사건입니다. 시카고의 강추위가 몸을 꽁꽁 얼어붙게 하던 겨울 아침, 일찍이 신문 배달을 나갔던 고등학생 아들에게 아버지는 빨리 따뜻한 국물이라도 먹이라고 아내에게 말했습니다. 그러나 일찍 등교하는 딸 뒷바라지하느라고 조금 늦게 남편의 말을 듣게 된 아내의 행동이 화근이 되어 아이들이 학교 간 사이에 이 부부가 티격태격 싸우다가 화가 치민 남편이 아내를 야구 방망이로 때려 살해한 끔찍한 사건이었습니다.

제가 봉사회에서 상담을 맡고 있던 때인지라 경찰서에서 저에게 먼저 연락을 해 왔습니다.

현장에 달려간 저의 눈앞에 죽어 누워 있는 여인의 처참한 모습, 그녀의 장례식을 치르며 그의 자녀들과 함께 울어버린 저의 가슴은 지금도 아픈 자국이 남아 있습니다.

그런데 지난 14일, 저는 다시 한번 가슴 아픈 뉴스를 접하게 되었습니다. 그것은 다름 아닌 우리 교포의 아들인 스물한 살인 앤드류 서 군의 '100년형 선고' 라는 기사 내용이었습니다.

그는 지난 1993년 9월 25일, 자기 누나 캐더린 서의 약혼자인 백인 로버트 오두베인을 살해한 혐의를 받고 2년 반여 동안의 재판을 받아 이번에 최종형이 내려진 것입니다.

이들은 1970년대에 한국에서 이민와 부모님과 단란하게 살아가던 평범한 이민 가정에서 자란 자녀들이었습니다. 그러나 1985년 아버지가 위암으로 갑자기 돌아가시고 어머니 혼자 힘겨웁게 세탁소를 경영하였습니다. 그래도 두 남매를 어떻게라도 좋은 대학에 보내어 훌륭하게 키우려 했는데 1987년에 어머니마저 의문의 죽음을 맞게 되면서 이런 비극이 싹튼 것입니다.

그 뒤 두 남매는 외로운 외국 땅에서 의지할 데 없는 천애고아로 살아가야 했습니다. 그래도 앤드류 군은 열심히 공부하여 동부의 명문인 프로비던스 대학교에 다니게 되었습니다. 그러나 누나인 케티는 술집을 경영하는 등 빗나간 생활을 하다가 동거하던 약혼자인 오두베인의 보험금을 타기 위해 이 엄청난 살인극을 꾸며 놓고 동생인 앤드류 군을 끌어들여, 끝내는 이 엄청난 살인을 저지르고 만 것입니다.

검찰은 서 군이 오두베인을 차고에서 몇 시간을 기다렸다가 살해하고 그 다음 확인 사살까지 한 행동은 용서받을 수 없는 '냉혹한 살인범' 이라는 논고를 펴면서 극형에 처해야 한다고 주장했다는 것입니다. 변호인단이 서 군의 불행했던 이민 생활과 명문 대학에서의 우등생이었다고 하며 변호를 했지만 이 재판을 주재해온 쟌 모리스 판사는 "서 군은 성인으로서 자기 누나의 요구를 거절할 선택의 기회를 잃고 이 엄청난 살인을 감행했다." 며 100년형을 선고했다는 뉴스였습니다. 불행 중 다행으로 사형은 면했지만 일생을 어두운 감옥에서 영어의 몸으로 살아야 하는 서 군을 생각하니 마음이 아파 견딜 수가 없습니다.

저도 자식을 키우고 우리 교회에도 서 군 나이 또래의 청소년들이 많이 있는데…… '서 군이 곧 나의 아들이라면?' 하고 생각하니 가슴이 아파 잠을 이룰 수가 없었습니다.

성탄절이 다가오면 앞서의, 1970년대에 불행을 당한 가정의 호주가 갇힌 정신 병동을 찾아가곤 했었는데, 이젠 그분도 퇴원하여 Halfway House에 나왔기에 이젠 찾을 길이 없게 되었습니다.

금년 성탄절에는 우리의 따듯한 사랑의 손길이 어디로 향하여야 할까요?

서 군과 같이 옥에 갇힌 자, 집 없는 거리의 Homeless People들, 홀로 양로원과 고아원, 소년원에서 쓸쓸히 성탄절을 맞이하는 사람들을 찾아가 그리스도의 사랑을 나누는 일, 바로 이 성탄절에 우리들이 해야 할 일이 아닐까요?

1995년 12월 21일

마지막 잎새는

이젠 1995년의 달력이 석 장밖에 남지 않았습니다. 365장의 여백이 다 메꿔져 가는 동지 섣달, 우리들 모두는 좋았든 나빴든 어떻든 간에 한장 한장의 역사의 글들을 써온 창작자들이었습니다.

크게 전세계의 역사의 장에는 무엇이 기록되었습니까? 우리들이 살고 있는 미국 그리고 우리가 낳고 자란 조국, 작게는 우리들의 가정과 나 자신이 써온 일기장들이 무엇으로 메꾸어졌을까요?

엊그제 끝난 러시아의 총선이 다시 공산당의 승리로 끝이 났다는 소식은 또다시 구 소련이 연방을 이루어 세계를 붉은 피로 물들이지나 않을까 하는 우려를 낳게 합니다. 반면, 지난 12월 14일 파리에서는 그동안 3년 7개월의 긴긴 세월을 종족 내전으로 20여만 명의 사상자를 냈던 발칸반도 3국, 보스니아 · 크로아

티아·세르비아 공화국들이 평화협정에 조인했다는 낭보가 날아들었습니다.

미국은 세계의 자위대로서 2만 명의 평화유지군을 파견하였습니다.

우리들이 살아 숨쉬고 있는 이 미국은 어떠했습니까? 아직도 세계에서 제일 부강국으로 위용을 숙이지 않고, 일본 경제를 무릎 꿇리고 온 세계를 향해 '달러'의 위력을 나타내 보이고 있기도 하지만 실상 국내적으로는 실업자가 300만에 달하고 서민들은 점점 빈익빈의 실습이라도 하는 양 Homeless People과 떼강도들이 늘어만 가는 현실입니다.

더군다나 국회 내에 다수당이 된 공화당은 언제나처럼 고급 두뇌와 경제계의 열쇠를 쥔 재벌 기업, 전문 경영인들에게는 다시 한번 지상낙원을 이루어 주고 있지만 서민들과 노인들에게는 삭감되는 '웰페어 개혁안'에 의해서 기술 없고 늙고 병든 유색인들은 점점 나락으로 침전되는 삶을 처절하게 경험하고 있는 것이 현실입니다. 여기엔 우리 지각 이민자인 교포들도 예외일 수가 없습니다.

우리의 눈을 돌려 태평양 너머에 있는 조국을 바라보면 어떻습니까? 이곳에 가만히 앉아서도 위성을 통해서 중계해 주는 전직 두 대통령, 노태우 씨와 전두환 씨의 수갑찬 장면과 재판과정을 시청할 수가 있었잖습니까? 천문학적 숫자의 거금을 비리로 조성하고 헌정 역사를 중단시킨 군사반란의 수괴들로 지탄을 받고 국민의 심판대에 서 있는 저들을 바라보는 우리들의 심정은 비통하기까지 했던 것을 감출 수가 없습니다.

그 수많은 인명을 살상한 원흉들을 정말 능지처참이라도 우리 보는 데서 했으면 하는 국민들의 반응인 것 같습니다. 여하튼 역사를 바로 세우고 나라를 건국하는 심정으로 대수술의 메스를 쥐고 굳건히 서서 하늘과 땅에 한 점 부끄럼 없는 마무리를 짓기를 바라는 심정입니다.

아직도 TV 켜기가 무서울 정도로 국민들의 뇌리에서는 삼풍백화점 붕괴나, 오클라호마 시의 연방청사 폭파사건 같은 대형사고 만발의 해가 1995년이 아니었던가 생각해 봅니다.

우리 기독교에서는 1995년을 조국 광복 50주년이 되는 '희년'으로 선포하고 통일의 길을 여는 해로 일진했던 해이기도 합니다. 이를 위해 시카고에서도 북한의 공연배우 등을 초청해 음악의 밤을 갖고 희년 통일 부흥회 등을 여는 노력을 폈습니다. 북한의 김일성 사망 후 남북의 창만 꼭꼭 닫힌 채 열릴 기미를 보이지 않고 있습니다.

이런 때 지난 성탄절에는 한국의 슈바이처 장기려 박사께서 타계하셨다는 소식을 접했습니다.

6·25 때 북한에 사랑하는 아내와 5남매를 남겨둔 채 둘째아들 하나만을 데리고 남하하여 45년을 가난하고 병든 이웃들을 위해 헌신의 삶을 사신 장 박사께서는 이북에 있는 아내와 자녀들을 만날 날만을 학수고대하며 재혼도 하지 않고 독신으로 고결한 삶을 사시다가 통일도 보지 못한 채 눈을 감으셨다고 합니다.

사랑하는 여러분!

오 헨리의 단편소설 「마지막 잎새」에서 그 폭풍우치는 밤에도 떨어지지 않고 매달려 있던 마지막 하나 남은 잎새가 주인공 존시의 생명을 다시 회복시켰듯이, 그리고 그 마지막 잎새는 일생의 걸작을 그리려다 실패한 노 화가, 베르만 영감이 그려서 매달고 자신은 희생당한 것처럼, 우리에게는 아직도 이 마지막 잎새가 남아 있기에 내일에 대한 희망이 있고 새해에 희망의 해가 솟아오르고 있지 않습니까?

아듀 1995년.

Happy New Year!

1995년 12월 28일

인기 일등 목사

지난 2월 14일, 쟁쟁한 한국의 치과의사 일행이 세미나 참석차 서울에서 시카고로 왔습니다.

그 가운데 저의 사돈 되는 분이 있어서 일행들과 함께 저녁식사를 하게 되었습니다.

이 이야기 저 이야기 나누다가 어떤 의사 한 분이 "목사님의 인기가 한국에서는 제1위입니다. 여대생들이 목사님의 사모 되는 것을 최고로 치고 있습니다." 하는 것이었습니다. 그 다음 다른 분이 이어받아서 하는 말이 "우리 의사들은 일주일에 엿새 동안 일해도 살까말까하는데 목사님들은 일주일에 하루만 일해도 인기가 최고요. 서울 어느 교회의 P목사는 월급이 1천만 원이 넘으니 이 얼마나 좋은 직업입니까?"라는 것이었습니다. 그분들은 목사인 저를 앉혀 놓고 재미없는 말은 다하는 것 같았습니다. 또 한 분이 말을 받더니 "그래서 한국에서는 의사 하다가도

다시 신학을 해서 목사가 된 사람도 많이 있고, 실제로 내가 아는 치과의사도 목사 된 사람이 있어요."라는 것입니다.

그래서 저는 얼굴이 빨개진 상태로 한마디 하지 않을 수가 없었습니다.

"그래요. 제가 신학을 공부하던 1960년대 초에는 E대생들이 장래 신랑감을 선택하는 데 있어서 어떤 직업을 가진 자를 택할 것이냐는 질문에 제1위가 외교관이었고 그 다음이 의사 그리고 16등이 이발사, 그 다음 17등이 목사였지요. 그러니까 목사에게 시집오겠다는 처녀는 이발사한테 못 가고 뒤에 남은 사람들이었습니다. 그래서 우리 집사람은 이발사에게도 시집을 못 가고 늙을까봐 겨우 나에게 온 것이지요."라고 농담 섞인 이야기를 했습니다.

그리고 숨을 조금 돌린 다음 한마디를 덧붙였습니다.

"아마 지금처럼 목사의 인기가 1등을 차지하였더라면 저는 신학교에 가지 않았을 것입니다. 그리고 내 아내도 그런 목사의 사모는 안되었을 것입니다. 그저 예수님 때문에 인기도 이름도 빛도 없이 그의 종으로서의 길을 가려고 목사가 된 것입니다."

이것은 나의 변함없는 신앙의 고백이기도 합니다. 목사의 인기가 1등이라고 하는 것은 심히 부끄러운 일이 아닐 수 없습니다. 편하기 때문에, 월급이 많아서, 세상 사람들로부터 존경을 받기 때문에 목사직의 인기가 제1위라는 것은 무엇이 잘못되어도 크게 잘못된 것입니다. 이뿐입니까? 모든 분야가 다 그렇지 않겠습니까? 대통령이 그 대통령직을 통해 천하를 호령하는 권력을 가지고 있어 나라를 제 것인 양 차지하고 자기 일족들은 사돈의 팔촌까지 부귀영화를 누리게 할 수 있다면 이는 나라 망치는 자일 것입니다.

의사직도 돈 많이 벌어 몇백만 달러짜리 집을 사고 좋은 차를 사서 잘 살 수 있다는 데서 그 인기가 최고라고 하여, 혹자들이 의사가 된다면 차라리 의사직을 그만두는 편이 나을 것입니다.

왜냐하면 그런 사람의 눈에는 환자가 다 '돈'으로 보일 것이기 때문입니다.

목사직이 이렇게 인기가 있다는 것은 교회가 병들고 있다는 증거입니다. 성경은 "먼저 지도자 된 자들이 심판을 받을 줄 알라."고 경고하고 있습니다.

목사가 높으면 예수님은 낮아지십니다. 정치가가 높으면 국민은 압박 아래 놓입니다. 의사가 높아지면 환자는 천대를 받습니다. 교사직도 그렇고, 상인도 그렇고 모든 직업이 마찬가지입니다.

이 세대는 겸손하고 양심적이며 하늘을 우러러보고 땅의 사람을 지극히 아끼는 사람들을 필요로 합니다.

1991년 2월 28일

경 쟁

  어떤 사업을 하는 사람이 지혜자에게 찾아와서 하는 말이 자기의 가게 맞은편에 큰 연쇄점이 생겨서 자기는 망하게 생겼다고 했습니다. 자기 가문이 백 년 동안 지켜온 그 가게를 잃어버린다면 자기는 별 다른 기술도 없으니 망하게 될 것이라고 하며 땅이 꺼져라고 한숨을 쉬며 걱정을 하였습니다.

  "여보시오. 당신이 그 연쇄점 주인을 두려워한다면 그를 증오하게 될 것이고, 그러면 그 증오가 당신의 파멸의 원인이 될 것이오."라고 지혜자가 말했습니다.

  "그러면 어떻게 하면 좋겠습니까?"

  가게 주인의 근심어린 물음에 지혜자가 다시 입을 열었습니다.

  "매일 아침 가게 앞에 나가서 당신의 가게를 축복하시고 돌아서서 맞은편 연쇄점도 축복을 하시오."

"당신이 축복하는 것은 무엇이든지 당신에게 좋게 되돌아 올 것이요. 만약 당신이 그 연쇄점이 미워서 망하라고 저주하면 그 저주가 당신도 망하게 할 것이오."

여섯 달 후에 그 가게 주인이 다시 와서 말하기를 전에는 가게를 닫을 뻔 하였지만 지금은 그 연쇄점까지 맡아 어느 때보다도 더 경기가 좋다고 즐거운 비명을 토했습니다.

경쟁이란 어느 시대 어느 사회에든 있기 마련입니다. 어떤 의미에서 경쟁이 있어야 그 사회가 발전한다는 것이 사회학자들의 이론입니다. 선한 경쟁은 그 사회에 큰 유익을 주는 것이 사실입니다.

그런데 먼 나라에 와서 살고 있는 우리 교포사회에서 너무나 추하고 피비린내 나는 경쟁으로 서로가 파멸의 구덩이를 파고 있는 것이 아닌가 하는 염려를 가질 때가 있습니다. 어느 가게가 무슨 품목으로 재미를 본다 하면 뒤질세라 그 옆에 같은 사업을 열고 값내리기 경쟁, 덤핑을 하다가 서로 손들고 나오는 경우도 있다는 슬픈 소식입니다.

앞서 들려드린 이야기는 A. 멜로라는 사람이 쓴 토막상식에 나오는 것입니다. 그 속에 나오는 가게 주인은 백 년 동안 대대로 물려받아 하고 있는 자기 가게 앞에 현대식의 더 큰 연쇄점이 들어선다는 것을 알고는 밤잠을 못 자고 고민하다가 그 동네의 지혜 있는 선생님을 찾아가 좋은 '어드바이스'를 구했습니다. 오늘 우리들도 그 지혜자의 말을 깊이 새겨들었으면 합니다.

"앞에 새로 생기는 경쟁 대상의 연쇄점을 위하여 아침마다 가게 앞에 나아가 자기의 가게를 축복하면서 그 가게도 함께 축복을 해주라."

그 결과 6개월 후에는 그 연쇄점까지 맡아 성황을 누리게 되었다는 이야기입니다. 물론 그 연쇄점까지 빼앗으라는 뜻은 아닙니다. 서로 아끼고 축복하면 자기 가게도 건너편 가게도 잘 되어 우리 교포사회가 잘 될 것이란 뜻입니다.

경쟁은 비단 사업에만 있는 것이 아닙니다. 우리 시카고 한인사회를 대표할 한인회장 선거도 두 사람이 경합하게 되었다니 그 또한 서로 경쟁을 하자면 후보자들이 선거운동을 할 것이 아닙니까?

이런 때에도 한 후보자가 자기가 최고요, 상대는 그렇고 그렇다는 식으로 상호비방을 한다면 어차피 둘 중 한 분이 당선이 되고 한 분은 낙선이 될 것인데 결국 우리 교포사회는 상처가 남는 것이지요. 그러지 말고 서로 상대의 좋은 점을 칭찬하여 주면서 자신이 가지고 있는 진실한 정견을 발표하고 우리 한인 사회를 위해 어떠한 봉사를 하겠다고 다짐들을 한다면 당락에 관계없이 서로 존경받는 이 사회의 지도자가 될 것이요, 우리 시카고 교포사회는 이를 계기로 밝은 내일을 맞게 될 것입니다.

사랑하는 교포 여러분!

우리가 무엇을 하든지 서로 사랑하고 서로 축복해 주는 건전한 사회를 이룩하여 '너도 잘살고 나도 잘사는' 우리 동네를 만들어 봅시다.

1991년 5월 30일

제2부
좀더 밝은 사회를 위한 제언

거룩한 전쟁

2001년 9월 11일! "아, 아! 잊으랴? 어찌 우리 그 날을?" 미국의 심장이 강타당한! 우리 민족은 6·25 동족 상잔을 겪고 이 노래를 많이도 불렀습니다. 우리 민족처럼 한이 가슴속 깊이 맺힌 민족이 불러야 할 노래인데 이젠 우리의 제2조국이 된 미국민이 가슴을 치며 함께 불러야 할 노래입니다.

바로 지금 우리들은 미국민의 90%가 테러와의 전쟁을 지지하고 CNN이 계속 뉴스 제목으로 내건 America New War는 이제 Endurance Operation 즉, 오래 참고 인내하는 전략으로 바뀌어 곧 터질 전쟁은 속전속결이 아닌 장기전으로 치뤄야 할, 온 세계 민들이 참가하는 세계대전이 될 가능성이 내다보이는 숨막히는 때를 살고 있습니다.

그런데 이 전쟁은 어떤 전선이 뚜렷이 있는 보이는 적들과의 싸움이 아닙니다. 보이지 않는 베일 속에 숨어있는 테러리스트들과의 싸움입니다. 미국의 심장을 강타한 테러리스트들과 그들을 배후에서 조종하고 후원한 나라들과의 싸움으로 나타나 있습니다. 사우디아라비아 출신 오사마 빈 라덴이 세계의 가장 악마적인 테러조직을 움직이고 있음은 천하가 다 아는 사실입니다. 이번 미국을 테러한 원조가 바로 이 사람이라는 심증은 자명한데 그 물증을 찾아내는 데 미국의 첩보기관들이 뒤늦은 탐사에 들어가 금명간 확증이 발표되면 즉각 그를 지원하고 은신처를 제공한 아프카니스탄과 이라크까지도 다시 미국과 나토의 공격을 받을 것입니다. 그러면 이 싸움은 단지 고래들만의 싸움이 아닐 것입니다. 제3차 세계 대전의 위험성과 끝내는 종교전쟁, 문화전쟁 그리고 성경이 말하는 종말의 아마겟돈 전쟁이 될지도 모르는 숨막히는 순간을 우리들은 맞을지도 모릅니다.

종교전쟁은 각각 자기들이 믿는 신을 앞세운 전쟁이기 때문에 순교자의 반열에 든다는 신앙을 가진 모든 사람들이 전사가 되어 싸우는 무서운 전쟁이 될 것입니다. 우리 인류는 이미 그런 전쟁을 수없이 겪은 악몽을 가지고 있습니다.

이미 지금 중동 아랍권과 아프리카, 스페인, 아시아로는 인도와 인도네시아, 체첸 공화국, 러시아까지 퍼져 나간 회회교(이슬람교, 마호메트교와 같은 의미)는 이제 전 북미 지역을 그들의 포교와 공격 대상으로 삼고 있다고 합니다. 그들은 7세기 중엽 마호메트의 죽음과 동시에 대 정복시대를 열어 동은 인도, 북·서부·중앙 아시아로부터 서는 스페인에 이르는 광대한 이슬람 제국(사라센 제국)을 세웠습니다. 이미 기독교와 유대교의 성지인 예루살렘을 중심한 팔레스타인이 저들의 수중에 들어가 아직도 예루살렘 성전 자리에는 마호메트 성전이 세워져 있는 것입니다.

그리하여 11세기 말인 1096년에는 서구의 여러나라의 기독교

교도들이 팔레스타인과 예루살렘 성지탈환을 위한 십자군 전쟁을 일으켜 3세기에 걸친 길고 긴 전쟁을 하였던 것입니다. 결국은 성공을 못하고 말았습니다만은 이 전쟁은 끝난 전쟁이 아니라 아마겟돈까지 계속 이어져 가야할 숙명적인 전쟁입니다.

그러기 때문에 이번 전 세계의 자본주의 심볼이요. 미국과 뉴요커들의 자랑인 쌍둥이 타워 World Trade Center와 최강대국의 군사본부인 펜타곤이 아랍 테러리스트들에게 순식간에 강타당하였을 때 미국 대통령 죠지 부시는 이 전쟁은 십자군(Crusade) 전쟁이란 용어를 썼다가 사과하는 자리에까지 이르렀던 것입니다.

어떻든 이 전쟁의 결론은 종교전쟁으로 치달을 가능성이 있다는 사실입니다. 그렇게 되면 결국은 아브라함을 자기들의 조상으로 믿는 이스마엘의 후손인 아랍권과 이삭의 후예인 이스라엘을 중심한 유대교 기독교들간의 전쟁, 형제들간의 전쟁이 되는 것입니다.

이슬람교도들은 지금 세계에 12억의 신도를 가지고 있고, 우리 사는 미국에도 400만 신도를 가지고 있다고 합니다. 이들의 포교방법은 가난한 나라, 빈민들에게 들어가 구제하고 고아원을 세우고 병원과 학교를 건립하여 백성들의 마음을 사로잡은 다음 정권을 잡는다고 합니다. 그 다음 다른 종교의 선교를 일체 금하고 다른 종교인들을 잡아죽이는 방법을 써서 전 세계를 이슬람 제국을 만든다는 선교전략입니다. 이에 반하여 기독교는 먼저 선교사가 들어가 교회당부터 짓고 전도를 하니 선교가 뒤진다는 것입니다. 이제 미국 정부나 세계 크리스천들은 먼저 가난한 대중들과 호흡을 같이 하는 전법을 선교의 방법으로 모색할 때가 아닌가 깊이 생각해 봅니다.

보통사람 노태우를 대통령으로 뽑은 우민들이여!

　지난 7월 말 한국을 방문하자마자 전국 방방곡곡을 벌집 쑤신 양 떠들썩한 사건이 터졌습니다. 그것은 다름 아닌 서석재 총무처 장관의 전직 대통령 4천억 비자금설이었습니다. 그 때 전직 대통령인 전두환, 노태우 씨는 대로하고 서 장관을 명예훼손으로 고발하겠다고 으름장을 놓았습니다. 김영삼 대통령은 즉시 발언 파문의 책임을 지고 사표를 낸 서석재 장관의 사표를 수리하고 검찰은 유야 무야 구렁이 담 넘어가듯 수사를 종결하고 말았습니다. 신문들은 일제히 불쌍한 '서석재 장관, 재기할 수 있을까?' 하며 그를 동정하는 글을 썼습니다. 그 때도 노태우 씨는 큰소리를 치고는 돌연히 하와이로 출국했었습니다. 이미 국민들 사이에는 "바로 노태우 씨가 4천억의 진범이다."라는 루머가 떠돌고 있는 것을 들었습니다.

　결국 국회의 국정감사를 통해서 밝혀진 진상은 전직 대통령

노 태우 씨의 천문학적인 어마어마한 부정축재였습니다. 이것이 사실이라면 김 대통령은 서석재 장관의 사표를 반려하고 그를 칭찬했어야 할 것이고, 자기를 대통령 후계자로 손잡아준 노태우 씨 사건에 연대책임을 면치 못할 것입니다.

이미 이에 대해서는 너무나도 많은 매스컴의 코멘트, 사설, 칼럼 등이 발표되었기에 저로서는 더 언급하고 싶지 않습니다.

저는 이 사건을 주시하면서 과연 우리 국민들의 의식수준이 어디에 와 있기에 국민들이 뽑은 공복(公僕)이 이렇게도 많이 도둑질을 해 먹도록 방관하고 있었는지, 보지도 못하고 모르는 것이 약이라고 그야말로 6·29선언으로 문민정부를 연 역사적인 훌륭한 대통령, 그것을 넘겨받은 김영삼 대통령이야말로 문민정부의 초대 대통령이라고 추앙할 수 있었는지 한심한 생각이 들었습니다.

좋게 말하면 순진한 국민들이요, 비판적으로 보면 참으로 아둔한 우민들이라고 말하지 않을 수가 없습니다. 누가 국민을 이 같은 우민으로 만들었나요? 그것은 자유당 때의 부패요, 30년에 걸친 군사정권이 남긴 산물인 것입니다.

총칼로 빼앗은 정권을 5년씩 나눠 먹기식한 전두환은 백담사로 유배되었다 돌아와 큰소리치고, 노태우는 대구 근처 팔공산의 어느 사찰로 들어가겠다니 기가 막힐 노릇입니다. 그들은 불교 신자이니까 절간으로 들어가겠지만 만의 하나라도 기독교의 장로인 김영삼 대통령은 5·6공의 탯줄을 타고난 자로 그런 일이 없어야 하겠지만, 어떤 흠이 나타난다면 그가 피할 교회당이 우리 나라에 어디 있겠습니까? 그가 장로로 있는 충현교회이겠습니까? 우스꽝스러운 생각을 해보지 않을 수가 없습니다.

노태우 씨가 대통령에 출마하면서 내세운 기발한 표어는 '보통사람, 진실한 대통령상'이었습니다.

그의 말대로 외모로 풍기는 그의 인상이 어쩌면 형님, 오빠같이 친근미가 넘치는 보통사람 같았습니다. 그러기에 우리 대한민국 국민들은 그가 5·18의 원흉이든, 아니든 생각할 여지도 없이 그의 외모에 끌렸는지 전두환이 모은 1조원의 비자금의 위력 때문이었는지 그를 대통령에 뽑아놓고 말았습니다.

성경에 보면 이스라엘의 초대왕, 사울 왕이 악정을 하자 하나님께서 그를 폐하시고 선지자 사무엘을 통해 2대 왕을 택하실 때의 이야기가 나옵니다. 마침 사무엘이 이새라는 사람의 집에 이르러 그 아들 중에서 왕위를 이을 자에게 기름 부으려 했습니다. 그의 맏아들 아비아달이 그의 앞으로 나오는데 용모가 준수하여 사무엘은 그에게 기름을 부어 왕을 삼고자 했습니다. 그러나 하나님께서는 그를 나무라시기를 "그 용모와 신장을 보지 말라 내가 이미 그를 버렸노라 …… 사람은 외모를 보거니와 나 여호와(하나님)는 중심을 보느니라"(삼상 16 : 6~7) 하시며 용모가 뛰어난 이새의 일곱 아들보다 들에서 양을 치던 그의 막내아들 다윗을 불러 왕으로 기름 부어 세우셨습니다. 그가 역사에 위대한 다윗 왕으로, 이스라엘 나라의 황금기를 이룩한 왕이 되지 않았습니까?

돈과 외모와 권력에 압도되어 겉으로는 보통사람이요 속에는 국민의 재산을 노략질하는 이리를 대통령으로 뽑은 우둔한 우리 국민들은 다시는 이 같은 우를 범치 말아야 할 것입니다.

사랑하는 여러분!

사람을 외모로 보지 맙시다. 그의 중심, 속사람을 보는 안목을 지녀 다시는 이 같은 실수를 범하지 말아야겠습니다.

1995년 11월 2일

One Million Man March

지난 월요일인 10월 16일은 미국 역사의 한 장을 장식하는 날
이었습니다. Nation of Islam Leader인 루이스 펠리칸이 이끄는
One Million Man March(백만 남성의 행진)가 미국의 수도인 워
싱턴 DC에서 개최된 날입니다. 캐피털 빌딩(국회의사당)으로부
터 시작하여 링컨 기념관까지 열두 블럭을 가득 메운 블랙 아메
리칸들의 물결은 마치 파도와 같이 몰려들었습니다. 과거 노예
로 잡혀와서 남부의 목화밭에서, 또는 옥수수밭과 감자밭을 일
구며, 채찍에 맞고 사랑하는 남편, 자식을 이곳저곳으로 팔려 보
낸 여인들이 울부짖던 흑인의 역사, 생각하면 미국의 검은 역사
의 장을 보는 안타까움을 더해 주고 있는 것입니다.

남북전쟁을 승리로 이끈 에이브러햄 링컨 대통령에 의해서 해
방된 흑인들이었지만 민권을 갖지 못하고 제3류 시민으로 투표
도 못하면서 계속 차별을 받아야만 했던 저들은 1963년 민권운

동가 마틴 루터 킹 목사가 이끄는 워싱턴 광장의 March로 역사의 한 장을 열었던 것입니다. 그는 'I have a dream'이라는 유명한 연설을 통해서 "피부색이 검다고 그 속에 있는 마음도 검은 것은 아니다, 우리가 한 꿈을 가지자. 바로 알라바마의 흑인 소녀와 백인 남자가 함께 손을 잡고 뛰는 그 날을⋯⋯." 하고 외쳤습니다.

그 결과 1965년 린든 B. 존슨 대통령에 의하여 시민권에 관한 법률(Civil Right Acts)에 서명이 되어 Black-American들에게도 투표할 수 있는 권한이 주어진 것입니다.

다시 이번에 개최된 'One Million Man March는 무엇을 위한 운동이었는가?'를 이야기해 봅시다. 주최자들은 스스로 낙후된 흑인 사회의 재건과 아직도 차별받는 흑인들의 민권을 찾자는 데 초점을 맞췄습니다. 그러나 부정적인 눈으로 보는 많은 사람들은 펠리칸의 정치운동에 불과한 것이 아닌가 하고 비판을 가하고 있기도 합니다.

이런 사이에 있는 우리 Korean-American의 삶의 자리는 어디란 말입니까?

사실 1993년 '로드니 킹'의 구타사건으로 인하여 발생한 LA 폭동사건은 우리들에게 무엇을 남긴 것입니까? 분노와 허탈뿐이지 않았습니까?

로드니 킹을 구타한 백인 경찰들에 대한 무죄 평결에 불만을 품은 흑인들은 LA 사우스 센트럴(South Central) 지역에서 사력을 다해 장사하고 있던 우리 한인 교포들의 사업체를 다 불사르고 약탈과 살인을 자행하지 않았던가요? 그런 반면에 이번 10월 3일에 있는 흑인 풋볼 선수 O.J 심슨에 대한 흑인 배심원들의 무죄 평결이 몰고 온 백인들의 울분은 어디에서 터지겠습니까?

백인들의 거의 100%가 O.J가 그의 전 부인인 백인 니콜 브라운과 그녀의 남자 친구 레간 골드만을 죽였다고 믿고 있는데 이것을 무죄 평결한 흑인 배심원들의 판결을 욕하고 있는 것이 아닙니까? 저들은 흑인들처럼 가시적인 폭동을 일으키지는 않을지라도 심리적이고 정치적, 경제적인 고도의 숨은 술책으로 보복을 감행할 것이 분명한 사실입니다.

그러면 흑도 백도 아닌 황인종인 우리는 어떻게 될까요? 지난번 LA폭동 때 당한 것처럼 여기저기서 당하고 있어야만 되겠습니까?

'고래싸움에 새우 등 터지는 신세가 아닐까?' 하는 생각도 해봅니다. 그러나 우리가 "이는 이로, 눈은 눈으로"의 보복이 아닌 '용서와 사랑과 이해' 라는 높은 차원에서 이 문제들을 풀어가야 한다는 원리를 말하고 싶습니다.

지난 주말 미국의 예수 영적 대각성 운동(JAMA)을 펴고 있는 알래스카 주립대학의 김춘근 교수의 이야기를 들을 수 있는 기회가 있었습니다.

그가 주지사실에 제출한 경제정책 프로젝트가 자기의 아이디어를 도용했다며 시비를 건 알래스카 패시픽 유니버시티(Pacific Univ.) 총장 Dr. Glen Ots가 있었습니다. 많은 동료교수들이 그를 고소하라고 했으나 참았답니다. 3년 후 자기가 지지하는 쿠퍼(Cooper) 주지사가 당선된 후에 국제금융회의를 열어 자신을 주제 강사로 발탁해 주었는데 오히려 적대한 백인 교수 Ots에게 그 일을 양보했답니다. 강연이 끝난 후 백인 경제학자 Ots 박사는 김 박사를 찾아와 포옹하면서 자기의 과실을 용서해 달라고 했다는 이야기입니다. 그리고 김 박사의 프로젝트는 상하원을 통과, 더 많은 연구 기금을 얻게 되었던 것입니다.

사랑하는 여러분!

우리들이 여기 미국에서, 많은 민족 사이에서 어떤 자세로 살아야 할 것인가에 대해 김춘근 박사의 이야기는 우리에게 좋은 교훈을 준다고 생각합니다.

1995년 10월 26일

좀더 밝은 사회를 위한 제언

얼마 전에 교포 한 분이 저를 찾아와서 이야기를 시작했습니다. 바쁜 중에도 그분의 이야기에 귀를 기울였습니다. 이야기 내용의 핵심은 자기와 같이 일하는 상사에 대한 불만과 비판이었습니다. 그것도 몇 년씩이나 그분 아래서 녹을 먹으며 그분의 신세도 적지 않게 진 것을 저를 찾아온 그분의 이야기를 통해서 인지하게 되었습니다.

왜 그 이야기를 저에게 하려고 별러서 찾아와 바쁜 사람을 붙잡고 긴긴 이야기, 그것도 남의 나쁜 점들을 늘어놓고 있는지 좀 이해가 가지 않았습니다.

차라리 그런 이야기는 듣지 않은 것만 못했습니다. 그 사람의 인격까지 의심스러웠습니다.

이런 과오는 비단 그 사람만이 저지르는 것이 아니라고 봅니다. 우리도 모르는 사이에 남의 이야기, 그것도 긍정적이고 좋은 점을 이야기하기보다 비방하는 좋지 못한 내용들을 침소봉대하여 하는 예가 허다합니다.

어떤 교회의 여집사가 그 교회의 목사 사모와 전에는 사이가 좋아서 입에 있는 것까지 빼어줄 정도로 각별하였다가 사소한 일에 마음이 상하여 그를 미워하게 되었다고 합니다. 어느날 그 여집사가 다른 친구 교인에게 "우리 교회 목사 사모 어때요?" 하고 물었습니다. 그 교인이 대답하기를 "고양이 같은걸요?" 했답니다.

그 후에 그 여집사는 돌아다니며 "아무개가 그러는데, 우리 교회 목사 사모는 고양이 같다."라며 소문을 냈습니다. 즉 고양이 같이 앙칼지고 할퀸다는 식으로 악평을 한 것이지요.

한번은 그 소리를 했다는 여신도의 남편에게 친구가 충고를 했습니다. "아니, 이 사람아. 아내 좀 잘 단속하게. 사모님을 고양이 같다고 하다니……."

그 소리를 듣고 창피를 당하고 온 남편은 집안에 들어서자마자 자기 부인을 불러 뺨을 한 대 치면서 "입 닥치고 다니지 못해! 아니, 사모님을 고양이 같다고 했다면서?" 하고 악을 썼습니다.

아닌 밤에 홍두깨 격으로 갑자기 남편에게 뺨을 한 대 맞고 난 부인은 억울하여 눈물을 흘리며 말하기를 "내가 언제 사모님을 야옹야옹하는 고양이라고 했나요? 태어난 고향이 나와 같다고 했는데……."라고 하더랍니다.

사람이 다른 사람의 약점만 보고 그를 미워하기 시작하면 그의 일거수 일투족, 언행심사 하나까지 모두 미워지고 싫어지게 마련입니다. 그런 사람은 분명 생각하는 태도를 바꿔야 합니다.

예수님께서는 이렇게 말씀하셨습니다. "비판을 받지 아니하려거든 비판하지 말라 너희의 비판하는 그 비판으로 너희가 비판을 받을 것이요 너희의 헤아리는 그 헤아림으로 너희가 헤아림을 받을 것이니라 어찌하여 형제의 눈 속에 있는 티는 보고 네 눈 속에 있는 들보는 깨닫지 못하느냐 보라 네 눈 속에 들보가 있는데 어찌하여 형제에게 말하기를 나로 네 눈 속에 있는 티를 빼게 하라 하겠느냐 외식하는 자여 먼저 네 눈 속에서 들보를 빼어라 그 후에야 밝히 보고 형제의 눈 속에서 티를 빼리라"(마 7 : 1~5).

본래 인간이란 홀로 사는 존재가 아니라 사람과 사람 사이에 오고가며 주고받으며 사는 존재요, 그러다 보면 서로 의견이 맞지 않아 다툼이 있고 그 결과 서로 미워하는 사이가 되기 쉽습니다. 그러나 먼저 자신을 돌아보고 과연 나의 들보, 나의 실수, 잘못은 없는가 살피면 상대방의 티끌도, 조그만 실수나 잘못도 이해하고 덮어줄 수 있습니다. 그렇다고 무조건 그의 잘못을 덮어주고 넘어가란 뜻은 아닙니다. 좀더 이해하며 선도할 수도 있을 것입니다.

사랑하는 여러분!

우리들 직장에서뿐만이 아닙니다. 가정에서부터 부부간에 부모 자식간에도 그리고 이웃과 동료 사이에도, 서로 남의 눈의 티를 보기 전에 내 눈의 들보를 보는 안목이 있다면 이 사회가 좀더 밝은 사회가 되지 않을까요?

1995년 10월 20일

Thanksgiving Day

사랑하는 여러분!

오늘은 추수감사절입니다.

봄에 씨 뿌리고 한여름 땀흘려 가꾸어 주렁주렁 열매를 맺고 결실한 오곡백과를 풍성히 거둬들인 이 가을에, 먼저 우로(雨露)와 따뜻한 햇빛으로 열매 맺어 주신 하나님! 오늘도 우리에게 생명을 주신 하나님께 감사제를 드리는 날입니다.

1620년 영국에서 순전한 기독교 신앙을 전수하고 지키기 위해 신대륙 미국을 찾아온 일단의 무리들이 필그림 파더스(Pilgrim Fathers), 즉 청교도들입니다.

1620년 9월, 102명의 청교도들은 181톤급의 메이플라워 호(Mayflower)를 타고 험난한 대서양을 향해 영국의 플리머스(Plymouth) 항을 출발하였습니다. 석 달간을 바다의 추위와 파도와 싸우며 도착한 곳이 미국 뉴잉글랜드의 플리머스 항이었습니다. 이들은 첫 기착지인 이곳을 자기들이 떠나온 영국의 플리머스 항을 그리며 똑같은 이름으로 명명하였다고 합니다.

입은 옷은 다 낡아졌고 먹을 식량도 석 달 동안의 항해중에 다 바닥났습니다. 그들이 도착한 12월 21일, 동부 뉴잉글랜드의 바닷가 플리머스는 얼마나 추웠겠습니까?

저들은 추위와 굶주림 그리고 원주민 인디언들의 공격으로 지치고 병들고 죽어갔습니다.

추운 겨울이 지나고 1621년 봄이 돌아왔습니다. 여전히 아침 저녁으로는 찬 바람이 옷 속으로 스며드는 이른 봄에 저들은 우거진 나무를 잘라내고 숲을 파헤쳐 밭을 일구어 이웃 인디언들에게서 얻은 옥수수, 감자 등을 심었습니다. 여름이 가고 가을이 되어 저들은 이민의 땅, 신대륙에서 첫 수확을 거둬들였습니다. 그렇게 풍성한 알곡들이 아니었습니다. 한 해를 지나는 동안 102명 중 절반의 주민들이 병들어 죽어갔습니다. 그러나 저들은 거둬들인 곡식들을 가지고 하나님께 첫 번 추수감사제를 드렸습니다. 그리고 조촐하였지만 정성들여 음식을 장만하고 이웃의 인디언들을 초청하였습니다. 초대받은 인디언들이 야생 칠면조(Turkey)를 잡아 가지고 찾아왔습니다. 청교도들은 인디언들과 함께 사랑을 나누며 즐거운 애찬을 나눴습니다. 이것이 첫 번 추수감사절이며, 그날 먹은 칠면조 고기가 전통적으로 내려오는 추수감사절의 주요 메뉴가 되었다고 합니다.

미국의 시조들이라고 할 수 있는 청교도들은 그 어려운 역경 속에서 하나님께 감사의 제단을 쌓고 이웃 인디언들과 함께 사랑과 정을 나누는 추수감사절을 지냈습니다.

사랑하는 여러분!

지금 이 시간 여러분들은 어느 누구와 추수감사절의 정찬을 나누고 있습니까?

먼저 하나님께 추수감사절의 제단을 쌓으셨는지요? 혹시 '뭐 거둘 것이 있어야지, 감사할 일도 없는데…….' 라고 생각하시는 분은 안 계신지요?

얼마 전 어떤 분이 작년에 뇌졸중으로 쓰러져 고생하시는 저의 부친에게 병문안을 오셔서 하신 말씀이 제 가슴에 와 닿았습니다. 아버님의 이 세상에서의 삶이 얼마 남지 않았다는 의사의 이야기를 전해듣고 하시는 말씀이 "목사님, 슬퍼하지 마세요. 아버님께서 지금까지 사신 데 대해 감사하세요."라는 것이었습니다.

그렇습니다. 지금까지 지내온 것은 주의 크신 은혜, 하나님의 은혜요 우리를 구원해 주신 주 예수 그리스도의 사랑의 은혜입니다.

"비록 무화과나무가 무성치 못하며 포도나무에 열매가 없으며 감람나무에 소출이 없으며 밭에 식물이 없으며 우리에 양이 없으며 외양간에 소가 없을지라도 나는 여호와를 인하여 즐거워하며 나의 구원의 하나님을 인하여 기뻐하리로다"(합 3 : 17~18) 라고 고백한 하박국 선지자처럼 하나님께 감사하는 즐거운 추수감사절이 되시기를 기원합니다.

1995년 11월 23일

황희 같은 정치인은?

"우리 나라 역사에서 가장 청렴하고 으뜸가는 관리의 표상"인 인물을 뽑는다면 조선의 3대 왕 태종으로부터 세종과 문종까지 세 임금을 섬기고 93세의 고령으로 죽을 때까지 나랏일을 위해 진력했던 방촌 황희일 것입니다.

그는 천성이 온후하고 청렴결백하여 사람을 대하되 거만하거나 화내는 일이 없이 너그럽고 덕기가 넘쳐흘렀으며, 일국의 수상으로(영의정) 30년을 지내면서도 그의 집에서는 조석으로 끼니거리가 떨어지곤 하여 조반 석죽으로 지내었다는 것입니다.

어느 날 황 정승이 정청에서 퇴청하여 그의 거실인 사랑채로 들어가 문을 활짝 열어놓고 앉아 땀을 식히고 있었습니다. 그 때 앞뜰에서 무엇이 '탁' 하는 소리와 함께 후두두 떨어지는 소리가 들려왔습니다. 그러자 또 '탁' 하는 소리와 함께 주렁주렁 열린 배나무에서 주먹만큼씩한 배가 후두두 떨어지는 것이었습니다. 황희가 이윽고 내다보고 있으려니까, 담장 밑 개구멍으로 동네 아이 두어 놈이 살금살금 기어들어오고 있었습니다.

이때 황 정승은 안마당을 향하여 "이리 오너라" 하며 청지기를 불렀습니다. 그러자 개구멍으로 들어오던 아이들이 꽁무니가 빠져라 하고 도로 기어나가 달아나는 것이었습니다. 아마도 저희들을 부르는 호령소리인 줄만 알았던 모양입니다. 이윽고 그는 뜰 아래 대령한 청지기들에게 분부를 내렸습니다.

"저 배나무 밑에 가보면 배가 많이 떨어져 있을 것이니, 그걸 주워다가 이웃집 아무개와 아무개에게 나누어주도록 하여라."

이 말을 들은 청지기는 의아한 눈초리로 황희를 우러러보면서 "분부대로 하오리다만, 그 녀석들이 매양 배를 따가려 울 밖에서 돌을 던지곤 하던 놈들이니 또 올텐뎁쇼." 하였습니다.

그러니까 황희는 빙그레 웃으면서, "아니다. 그놈들이 오죽 배가 먹고 싶어 그러겠느냐? 어서 갖다 주고 오너라." 하는 것이었습니다.

아무튼 배를 받아먹은 그 아이들은 너무도 황송해서였던지 그 후로 다시 돌을 던지는 일이 없었다고 하거니와, 황희 그는 그렇듯 동네 개구쟁이들에게까지 너그럽고 후덕한 사람이었다고 합니다.

황희의 맏아들이 일찍부터 출세하여 벼슬이 참의에 이르렀습니다. 그가 돈을 모아 살던 집을 크게 짓고 낙성식을 하고 큰 잔치를 베풀었습니다. 그 자리에는 고관들과 한다하는 친구들이 많이 참석했습니다. 집들이의 잔치가 시작되려 할 때 아버지 황 정승이 돌연히 자리를 박차고 일어섰습니다.

"선비가 청렴하여 비 새는 집에서 정사를 살펴도 나랏일이 잘될는지 의문인데, 거처를 이다지 호화롭게 하고는 뇌물을 주고

받음이 성행치 않았다 할 수 있느냐. 나는 이런 궁궐 같은 집에 잠시라도 앉아 있기가 송구스럽구나." 하고 음식도 들지 않고 물러가니, 아들은 낯빛이 변하였고 만좌의 내빈 등도 옷깃을 여미었다고 합니다.

이와 같이 청렴결백, 온후관대한 황희 정승이 있었기에 태종 시대의 뒤를 이은 세종 시대에 찬란한 문화와 국리민복을 이룰 수가 있었던 것입니다.

사랑하는 여러분!

오늘도 이와 같은 국리민복과 정의사회 구현을 위한 대통령, 국회의원, 장관들 그리고 공무원들이 절실히 필요한 때라고 생각합니다.

대통령 임기를 마치면 몇천억 원의 재산을 축재하고 하다못해 장관, 국회의원 한 번만 해도 호화롭게 한평생을 먹고 자손들에게도 큰 재산을 유산으로 넘겨준다니 이 나라, 이 세대가 어디로 가는 것입니까?

"윗물이 맑아야 아랫물이 맑다."는 격언대로 우리 1세들 기성 세대들이 작은 일에서부터 청렴결백한 삶을 시작함이 어떨까 생각해 봅니다.

1995년 10월 12일

"Not Guilty"
- O.J 심슨 재판 결과

"Plea Guilty or Not Guilty?"

아마도 미국에 와서 재판정에 서서 판사 앞에서 오른손을 들고 위의 말 "Guilty"인가, "Not Guilty"인가 심문을 받아보지 않은 사람은 그리 많지 않을 것입니다. 왜냐하면 미국에 이민 오면 발 역할을 하는 자동차를 운전하게 되고, 운전을 하다 보면 생각지 않은 사고를 당하게 되며 교통법규를 어긴 관계로 교통법정에 서지 않을 수가 없기 때문입니다. 저 자신도 목사이지만 교통사고를 당해서 법정에 서서 판사 앞에서 손을 들고 선서를 하고 "Plea Guilty or Not Guilty"의 질문을 받아보았습니다.

재판에 앞서 "당신은 죄를 지었다고 생각합니까, 아니라고 생각합니까?"라는 질문입니다. "Not Guilty"라고 해야 심의가 계속됩니다.

엊그제 10월 3일 화요일, 시카고 시간 1시 07분은 온 세계의 눈이 LA에서 열린 심슨(Simpson) 재판의 최종평결에 집중되었습니다. 세계의 매스컴의 시청률이 1963년 J.F 케네디 대통령의 장례식이나 1991년의 걸프전 때보다도 더 높은 기록을 수립했다고 합니다.

미국의 풋볼 선수로 세계의 스포츠 팬들의 열광적인 인기를 끌고 있는 O.J 심슨이 작년 6월 12일 자기의 전 부인인 백인 니콜 브라운(Nicole Brown)과 그녀의 남자 친구인 로날드 골드만(Ronald Goldman)을 죽였다는 1급 살인혐의를 받고 체포되어 9개월여의 긴긴 재판 끝에 드디어 12명의 배심원들로부터 평결을 받는 순간이었습니다. 그 긴긴 드라마의 클라이맥스의 한순간을 놓치지 않기 위해서 모든 사람들이 일손을 멈추고 TV 앞에 그리고 라디오에 눈과 귀의 초점을 맞추고 있을 때 일본계 판사인 랜스 이토 판사에게 넘겨진 배심원들의 평결문이 그의 법정 서기인 디애드레 로버트슨(Diedre Robertson)에 의해서 단지 두 단어 'Not Guilty'로 읽혀졌을 때 당사자인 O.J 심슨의 눈에서는 눈물이 번뜩이고 순간 기쁨의 미소와 변호인단의 포옹을 받게 되었습니다.

온 세계인들의 환호와 한편으로는 경악의 소리가 메아리쳤습니다.

법정 밖에서 평결을 기다리던 O.J의 팬들과 친지들은 손뼉을 치며 환호성을 질렀고 TV 시청자들 중에 특별히 블랙 아메리칸들은 열광했습니다. 그런가 하면 희생자 가족들인 브라운 가족과 골드만 가족은 경악을 금치 못하며 눈물을 흘리는 모습이 TV 화면에 비쳐졌습니다.

특별히 아들을 잃고 1년 동안 슬픔과 악몽에 시달린 로날드 골드만의 아버지 프레드 골드만(Fred Goldman)은 CNN과의 인터뷰에서 시종 눈물을 흘리면서 미국의 배심원 재판제도의 불공정성을 비판하고 "Justice is not Serve."(정의가 서지 못했다)라고 한탄했습니다.

대부분의 시민들은 9개월을 끌어온 재판이 네 시간의 배심원들의 최종심의로 결정이 되어 결과가 판사에게 넘겨졌을 때 틀림없이 O.J에게 '유죄'가 확정될 것이라고 긴장을 했습니다. 그래서 LA 경찰은 물론 특별히 로드니 킹 사건으로 제일 큰 피해를 입은 우리 한인교포들은 전국적으로 비상사태를 대비해야 했습니다.

그런데 최종 결과 'Not Guilty'가 선포되는 순간 "다행"이라며 안도의 숨을 쉬게 되었습니다. 금주의 시사주간지 타임지의 표지인물로 등장한 O.J 심슨의 재판의 평결이 미국을 두 갈래의 인종싸움으로 갈라놓지 않을까를 염려했습니다.

이 재판을 지켜본 남가주대학(U.S.C)의 법대교수 수산 이스트리치(Susan Estrich) 박사는 "이 재판이야말로 서커스 곡예이다."라고 평했습니다. 시카고 선 타임스 지의 칼럼니스트 리처드 로퍼(Richard Roeper) 씨는 "풋볼 경기에는 승자가 있지만 살인 재판 게임에는 승자가 없다."라고 평하였습니다.

우리는 O.J가 과연 살인자인지 아닌지 모릅니다. 그러나 그는 'Not Guilty' 평결을 받고 자유인이 되었습니다.

오직 하나님만이 아십니다. 과연 미국이 이 인종의 싸움 속에서 해방될 수 있을까요?

우리는 1970년대 이철수 사건을 잊을 수가 없습니다. 이번 사건은 소수민족들에 대한 이 나라의 재판이 어떠한지를 보여 준 교훈이기도 합니다.

당사자인 O.J 심슨은 물론 그의 자녀들과 가족들, 그리고 희생자인 니콜과 로날드 골드만 가족들에 대한 치유 과정(Healing Process)이 절대로 필요하지 않겠습니까? 백인이나 흑인 모두에게 치유의 기간이 필요할 것입니다.

1995년 10월 5일

가을의 송가

청초한 코스모스는
오직 하나인 나의 아가씨
달빛이 싸늘히 추운 밤이면
옛 소녀가 못 견디게 그리워
코스모스 핀 정원으로 찾아간다

코스모스는
귀뚜리 울음에도 수줍어지고
어렸을 적처럼 부끄러워지나니

내 마음은 코스모스의 마음이요
코스모스의 마음은 내 마음이다

요절한 애국 시인 윤동주 님이 가을에 코스모스가 만발하게 핀 정원을 바라보며 쓴 아름다운 시입니다.

지금은 가을입니다. 많은 선배들이 나이 오십을 넘으면 세월이 오십 마일의 속도로 간다고 하여 참으로 그런가 생각하였는데 요즈음은 그렇게 시간이 날개 돋친 것처럼 날아가는 것을 실감합니다. 시간에 대한 느낌은 여러 가지입니다. 심리학자들은 '심리적인 시간'이 있다고 말합니다. 우리가 똑같은 24시간을 가지고 한 시간 60분이라는 시간을 부여받아 살아가고 있습니다만 우리들이 심리적으로 느끼는 시간이란 각자가 처하고 있는 환경과 상황에 따라 다르다는 학설입니다.

연인과 아름다운 동산의 벤치에 앉아 사랑의 밀어를 속삭이고 있는 시간은 한 시간이 10분으로 느껴질 정도로 빨리 지나가는가 하면, 만나기 싫은 사람과 뜨거운 태양 아래서 듣기 싫은 말을 주고받는다면 단 5분도 수십 시간보다도 더 긴 시간이 된다는 사실입니다.

시편 90편 4절에 보면 "주의 목전에는 천 년이 지나간 어제 같으며 밤의 한 경점 같을 뿐임이니이다"라고 노래하였습니다. 이 시간을 신학에서는 '은총의 시간'이라고 말합니다. 하나님의 은혜 아래 사는 사람은 천 년이 하루같이 느껴지는 즐거움과 행복의 삶을 살게 된다는 진리입니다.

민족 시인 윤동주 님은 우리 민족이 일제에 의해 침략을 받아온 백성이 암울한 삶을 살아갈 때에 이와 같은 시를 읊어 민족혼을 일깨워주었습니다. 이 시에 나타난 코스모스나 시인이 못 견디게 그리워하는 소녀는 바로 사랑하는 조국 대한민국을 그린 것이라고 봅니다.

"내 마음은 코스모스의 마음이요, 코스모스의 마음은 내 마음이다"라고 읊은 시인의 마음은 조국의 아픈 마음이 곧 자신의 마음이라는 애국심이 그대로 표현되고 있습니다.

몇 년 전부터 중국에 선교사를 파송하기 위해 중국을 시찰할 기회가 있었으나 실현에 옮기지를 못했습니다. 금년에도 우리 교회가 파송한 선교사 부부를 찾아갈 계획이었으나 그 선교사 부부가 우리 교단 한인 교회협의회 연차총회에 보고차 한국에서 만나게 되어 중국 방문은 다음으로 미루었습니다. 그러나 언젠가 한번 중국을 방문하면 윤동주 님의 시비가 있는 용정에 꼭 가보고 싶습니다. 그의 숨결이 담겨 있는 시 속에서 우리는 참으로 조국이 얼마나 귀중한가를 느끼게 됩니다.

이 가을엔 저 자신도 노래를 부르고 싶습니다. 그리고 많은 책을 읽고 싶습니다. 또 그리고 서툴지만 글도 쓰고 싶습니다. 우리 은사 한 분이 가르쳐 주신 말씀 한마디가 지금도 귓가에 맴돌고 있습니다.

"우리에게 준 모든 날과 시간은 누구에게나 똑같지만 그 시간을 얼마나 유용하게 쓰느냐에 따라 그 사람의 가치와 평가가 달라진다. 뿐만 아니라 그날 그날의 삶이 기록 없이 지나가면 언제인가는 자신에게만 아니라 모든 사람의 기억에서 사라지고 말 것이다. 잡기라도 좋다. 그러니 매일 매순간 종이와 펜을 옆에 두고 한 줄의 글이라도 써서 남기며 살아가는 습관을 가지도록 하라. 꼭 그것이 어떤 문장이나 문학의 형태를 갖춘 것이 아니라도 좋다. 두꺼운 노트를 준비해서 그날 그날의 일과 스케줄이라도 쓰고, 만난 사람의 이름, 그와 나눈 대화 내용 한 줄, 그리고 크리스천이라면 그날 은혜 받은 성경 말씀과 자신의 명상록을 남긴다면 언젠가 자신이 이 세상에 남아 있지 않는 그 때라도 그를 그리는 많은 사람들에게 아주 좋은 기념이 될 것이다. 혹시라도 후배나 후손들이 책으로 발행을 한다면 그 자체가 당신의 자서전이 될 수도 있지 않겠는가?"

이 가을엔 추수를 하고 싶습니다. 그 동안 잘 지었든 못 지었든, 우리의 창고에 뭔가를 가득히 채워 넣고 싶습니다. 먼저 영적인 은혜의 추수를 더 많이 하고 싶습니다. 세상의 것으로 많이 거두어 창고가 비좁아 더 늘리려 하면서도 하나님과 담을 쌓고 사랑하는 사람들, 이웃들도 멀리하여 혼자의 성에 갇히는 삶을 산다면 얼마나 어리석은 인생이겠습니까?

성경에 이런 예수님의 비유가 나옵니다.

어느 마을에 한 부자가 살고 있었는데 그 해 농사를 잘 지어 가을에 추수를 해보니 창고가 비좁아 더 쌓을 곳이 없게 되었습니다. 그래서 창고를 더 크게 지어 곡식을 가득히 쌓았습니다. 그리고 그는 자기의 영혼을 향해 "내 영혼아 편히 쉬어라. 이제 몇 해는 편히 살 수 있게 되었다."라고 했습니다. 그 때 하나님께서 그를 향해 말씀하시기를 "이 어리석은 자야, 오늘 밤 내가 네 영혼을 도로 찾으리니 그러면 네 창고에 쌓아 둔 모든 것이 뉘것이 되겠느냐? 하나님께 대하여 부유하지 않고 이웃과 함께 나누지 않는 자가 바로 이런 어리석은 부자와 같으니라."라고 하셨습니다.

사랑하는 여러분!

여러분은 어떻습니까? 여러분도 이 가을에 많은 추수를 기대하시지요?

시편 126편 5~6절에 "눈물을 흘리며 씨를 뿌리는 자는 기쁨으로 거두리로다 울며 씨를 뿌리러 나가는 자는 정녕 기쁨으로 그 단을 가지고 돌아오리로다" 하였습니다. 이 추수의 계절 가을에 여러분들 모두가 기쁨으로 많은 단을 거두시기를 기원합니다. 그리고 거둔 모든 것들을 자기만을 위해 쌓아 두는 어리석은 부자가 되지 말고 거두게 하신 조물주에게 감사를 드리고 가난하고 불쌍한 이웃들과도 함께 나누는 즐거움이 여러분에게 있기를 바랍니다.

1995년 9월 28일

유너범버의 메니페스토
(Manifesto of Unabomber)

　지난 17년 전, 우리가 살고 있는 시카고 교외의 노스웨스턴 대학의 한 교수에게 전해진 소포물이 폭발하여 부상을 입은 사건이 일어난 것을 필두로 26번에 달하는 같은 사건이 미국 전역에서 발생하여 3명이 죽고 26명이 크고 작은 부상을 입었습니다. 아직도 범인의 얼굴조차 파악하지 못하고 짐작이 가는 범인도 잡지 못한 채 사건은 미궁을 헤매고 있습니다. 이 같은 테러가 대학가나 공항주변에서 일어났기 때문에 이 테러범을 '유너범버(Unabomber)'라 명명하고 가상 몽타주까지 만들어 공개했던 것입니다.

　이 '유너범버'는 지난 6월 워싱턴 포스트와 뉴욕 타임스 그리고 펜트하우스에 3만 5천 자의 메뉴 스크립트를 보내 앞으로 3개월 이내 이 글을 전면 게재해 주지 않으면 신문사 폭파는 물론 살인 테러를 계속할 것이고, 게재하면 이것으로 살인 테러를 끝내겠다고 엄포를 놓았습니다.

두 신문사뿐만 아니라 미국의 정부 자체가 큰 고민에 빠졌을 것입니다. 인명의 살상을 막기 위해서는 당연히 이 범죄자의 요구를 들어줘야 하겠으나 그렇다고 이와 비슷한 범죄자가 또 나타나지 않으리라는 보장이 없습니다. 또 게재하지 않고 있자니 이 홍길동 같은 인간은 언제 다시 폭탄을 터뜨려 사람을 죽일지 모를 일입니다. 불과 한 달 전만 해도 LA공항을 폭파시키겠다고 위협을 해서 모든 공항에 특별 경계령이 내려지지 않았습니까?

오랜 고심을 하던 양대 신문사 경영진과 정부는 그 '유너범버'가 정해 준 마지막 날이 오는 24일(주일)로 다가오자 결단을 내릴 수밖에 없었던 것 같습니다. 도널드 E. 그래함(Dounald E. Graham) 워싱턴 포스트 발행인과 아더 O. 슐즈버거(Arther O. Sulzberger J.R) 발행인 그리고 정부측에서 재닛 레노(Janet Reno) 법무장관과 FBI 디렉터 루이스 J. 프리이(Louis J. Freeh)가 함께 연석회의를 가진 결과 신문에 '유너범버'의 '메니페스토'를 그대로 게재하기로 결정하고 이를 지난 19일자 워싱턴 포스트 지에 8페이지의 간지로 발행하여 전국에 배포하게 된 것입니다.

이로 인해 미국은 물론 전세계에 찬반의 여론이 충천하게 되었습니다.

양대 신문의 발행인들은, 이것은 어떤 신문사의 언론의 유익을 위해서라기보다도 순전히 "For Public Safety Reason(공동의 안전을 위한 이유)"에서라고 주장하고 있습니다.

그러나 많은 언론인들이나 국민들 그리고 지성인들은 이것이 야말로 언론이 테러범에 굴복한 현상이라고 신랄하게 비판하고 있습니다. 그리고 이로 인해 앞으로 비슷한 테러범들이 또다시 언론사와 이 같은 협상을 하지 않으리라고 누가 보장을 하느냐고 꼬집었습니다.

또 한편에서는 긍정적으로 "인명을 아끼는 신문사나 정부가 큰 부담을 안고라도 이런 테러의 종지부를 찍기 위해서 잘한 처사이다."라고 칭찬을 하기도 합니다. 이미 양대 신문에서 지난 8월 3천 5백 자로 내용을 간추려 소개했고 이번 워싱턴 포스트에 3만 5천 자의 전체를 수록한 '유너범버'의 성명에서는 현대의 과학 발달과 산업사회를 절대적으로 비판하고 있다고 합니다. 산업사회의 발달로 인간성이 망가지고 부자들과 전문직 종사자들은 더 잘 살고 있지만, 노동자들이나 비숙련공들은 점점 어려운 삶이 되어간다는 비판이지요.

우리들은 그의 주장과 테러행위를 결코 정당화시킬 수는 없다고 생각합니다. 18세기 산업혁명 이후 이 세계는 산업과 과학의 발달로 잘 살고 편리한 삶을 만끽하고 있음은 두말할 나위가 없습니다. 더군다나 21세기의 문턱에 선 현대는 전자산업과 컴퓨터의 발달로 유사이래 최고의 문명을 이루고 있습니다.

그러나 문제는 노동자나 비전문인을 비롯하여 비숙련공들이 일반 대중 국민인 점에서 보면 불과 10%의 상류층 전문인들을 빼놓고는 풍요 속에서 빈곤에 처한 삶을 살아가고 있다는 사실이지요. 우리 이민자들도 대부분이 1970년대 이후에 미국에 와서 공장이나 남부상가에서 사업을 하다 보니 미국의 첨단 기술이나 전문직능에 문맹이 되고 말았지 않습니까? 그러니 공화당 정부가 반이민법안이나, 웰페어삭감법안을 통과할 경우 더욱 어려움을 겪게 될 것입니다.

그렇다고 다 '유너범버' 같이 호소를 하겠습니까?

"오히려 지금도 늦지 않다. 오늘 당신이 실패하는 것은 능력이 없어서가 아니라 비전이 없기 때문이다(Fail is not lack of Ability, But lack of Ambition)"라는 격언과 같이 내 세대가 아니면 우리 2세, 3세에 큰 기대를 가지고 계속 도전해야 되지 않을까요?

1995년 9월 21일

8월 22일에 생각나는 사람

　매년 여름이 오면 제게 카드와 함께 선물을 보내 주는 분이 계십니다. 선물이란 크든 적든간에, 값이 비싼 것이든 싼 것이든간에 받는 사람을 즐겁게 하고 보내준 사람에게 뜨거운 감사를 느끼게 합니다. 금년에도 그분은 잊지 않고 아름다운 카드와 함께 'Gloria Jean' s Gourmet Coffee' 한 봉지를 선물로 보내줬습니다. 실은 금년만은 '내가 먼저 카드와 선물을 그에게 보내야겠다' 라고 마음먹었는데 금년에도 역시 그분에게 선수를 빼앗기고 말았습니다. 카드와 함께 제가 집필한 책을 답례로 보내드렸습니다.

　선물을 보내준 분은 이곳 시카고에서 자동차로 세 시간 거리에 위치한 피오리아에 살고 있는 정신과 전문 의사이며 그곳의 교회 장로로 시무하시는 분입니다. 그분을 알게 된 것은 근 20여 년 전이었습니다만 그분과 제가 이렇게 매년 선물을 주고받기는

5년 전으로 거슬러 올라갑니다. 그러니까 1990년 봄으로 기억됩니다. 그곳에서 목회하는 후배 목사의 부탁으로 그 교회의 제직 수련회를 이틀 동안 인도하였습니다. 그런데 마지막 날 밤에 집회를 끝내고 나자 그 장로님이 자기 집에 가서 차나 한 잔 마시며 이야기를 나누자고 하여 그 집을 방문하게 되었습니다. 과일과 커피를 대접받으면서 우연히 서로의 나이를 이야기하게 되었습니다. 먼저 그 장로가 저의 나이를 물어서 대답을 하니 자기와 동갑내기라고 반가워합니다. "그러면 생일은요?" 하고 묻는데 이게 웬일입니까? 생일도 똑같은 날이었습니다. "낳은 시간은요?" 하고 동시에 서로 묻고 대답하는데 낳은 시간까지 새벽녘으로 같은 시간이었습니다.

이 세상에는 하루에도 수많은 생명들이 태어납니다. 같은 날 같은 시간에도 말입니다. 그러나 생년월일시가 똑같은 자들이 서로 한자리에서 만난다는 것은 그리 쉽지가 않습니다. 그런데 우리는 서로 만났습니다. 참으로 반갑고 날이 새는 줄 모르도록 이야기꽃을 피웠습니다. 그분은 피오리아 시에서 인정을 받는 훌륭한 정신과 전문의입니다. 그리고 그곳 한인 교회의 장로로서 교회뿐만 아니라 교포사회를 위해서도 크게 봉사하는 분입니다. 어떤 때는 "동갑내기 목사님!" 하면서 카드에 글을 써 보내고 금년엔 "8월 22일에 생각나는 사람"이란 제목으로 글을 써 보내왔습니다. 3년 전 50세가 되는 해엔 "우리가 이젠 '지천명(知天命)'의 나이에 들어섰군요." 하며 더욱 활기차게 하늘의 뜻을 이 땅에 펴자고 했습니다.

금년 카드에는 이렇게 썼습니다. "나이를 더 먹음으로써 하나님께 갈 확률이 더 높아지니 기뻐할 일입니다. 지난 한 해도 하나님께 영광될 많은 일들을 충성스럽게 하신 목사님께 금년에도 더 성장과 matured(성숙된)된 상태로 더 많은 일 감당하실, 건강과 믿음, 지혜 듬뿍 내려 주시길 기원합니다."

그리고 카드는 생일 노래가 곡과 함께 영어로 쓰여진 아름다운 것이었습니다.

우리 둘이 함께 부를 생일노래로 보낸 것 같습니다. 내용은 이러했습니다.

"우리의 생일날에
우리의 가슴속 깊이에 하나님의 세미한 소리
멜로디가 되어 들려오네
당신의 생을 위한 하나님의 뜻이 담긴 노래가
하나님이 당신을 위해 내리시는 축복과
당신이
다른 사람에게 나눠줄 축복의 멜로디가 하모니되어 들려오네"

그 장로님은 신앙의 깊은 경지에 들어서 있는 분입니다. 일반적으로 50이 넘으면 죽음에 대한 불안과 공포가 순간순간 찾아오기 시작할 나이인데 그분은 오히려 "하나님께 갈 확률이 더 높아지니 기뻐할 일입니다."라고 썼습니다.

그리고 하나님께 영광될 일들을 하자고 했습니다.

우리 모두 나이가 들어갈수록 주님의 사랑을 더 깊이 깨닫고 하나님과 인류를 위한 섬김의 삶을 살 수 있다면 얼마나 좋을까요?

1995년 9월 7일

제3부

긍정적이고 유익한 사람

모국을 다녀와서

지난번 모국 방문 길을 떠나기 전날 밤 저의 딸아이가 제 엄마에게 "엄마, 수영할 줄 알아요?"라고 묻더랍니다.

제 엄마가 "아니, 난 수영 안 배웠어."라고 대답하자, "그럼, 아빠는?"

"응, 아빠는 좀 하실 거야."라고 대답을 하니, 아이가 심각한 모습으로 말을 잇는데 "엄마, 서울에 가면 한강 다리는 건너지 마세요. 그리고 백화점에도 들어가지를 마시고 쇼핑할 일 있으면 거리나 단층 건물에서 하는 것이 좋겠어요!" 하더란 이야기를, 타고 가는 비행기가 태평양 영공을 날고 있을 때 제 아내가 제게 들려주었습니다.

우리 둘이는 껄껄 웃었습니다만 저의 한쪽 가슴 구석에선 씁쓸하고 착잡한 감정이 흘러나왔습니다.

'참으로 마음 아픈 일이구나.'

왜 이렇게 조국을 향해 떠나는 엄마, 아빠를 애들이 심각하게 걱정을 하고 있는 것일까?

의당 조국을 향해 가는 부모에게 "마음 설레시죠"라며 반가운 친척들 만날 것을 축하해 주어야 할 터인데 그보다 더 걱정이 앞서고 있으니…… 우리 2세들에게 조국이 자랑스런 나라로 비춰지지를 않고 걱정투성이 나라로 보여지고 있다고 생각하니 더욱 마음 아팠습니다.

이곳 미국에서 태어나 자라고 있는 우리 2세들도 자기 부모의 나라에 대한 관심은 대단한 것을 볼 수가 있습니다.

작년에 성수대교의 붕괴 사건을 TV에서 지켜본 아이들이 서울을 방문하는 부모가 건너야 할 한강 다리가 또 무너지면 어떻게 하나, 아빠는 몰라도 엄마가 수영이라도 해야 살 수 있을 터인데 걱정이었던 모양입니다.

그리고 삼풍백화점 무너진 소식을 저보다 먼저 TV 아침뉴스에서 보고 전해 준 딸아이는 서울 방문중 백화점이 하필 제 부모가 들어갔을 때 어떻게 되면 큰일이 아닌가 걱정이 되었던 모양입니다.

그런데 우리가 탄 비행기가 김포공항에 착륙하자마자 마중 나온 동생네 차를 타고 강북에 살고 있는 그 집을 향해 가자니 한강 다리를 건너야 했으니…… 저는 동생 집에 안착하자마자 제 딸아이에게 한강 다리를 잘 건너왔다고 안심하라고 전화해 줬습니다. 그리고 이튿날은 전에 우리 집에 와서 공부하던 친척 조카 집에서 저희 내외를 저녁에 초대해서 강남 서초동으로 향하지 않을 수가 없었습니다. 쏜살같이 달리는 버스를 일부러 타볼겸 일찍 버스를 탔습니다. 자리가 없어서 손잡이를 잡고 매달려 가는데 이것은 서커스단의 곡예는 저리 가였습니다.

정신 없이 달리다가 정류장에 이르러 급브레이크를 밟아 정지를 하면 앞으로 줄달음질쳐야 했습니다. 목적지에 도착해 보니 바로 삼풍백화점 뒷집이 저희가 초대받은 집이었습니다.

폭격을 맞은 듯 폭삭 내려앉은 '삼풍'이 무슨 괴물같이 눈앞에 보였습니다. 600여 명의 목숨을 앗아갔고 1천여 명의 부상자를 낸 살인마! 바로 '삼풍'이 눈앞에 보일 때 저의 가슴은 서늘해지고 마구 방망이질 치고 있었습니다.

왜 그랬을까?

GNP가 1만 달러를 넘어선다고 연일 매스컴에서 자랑을 하면서 바닥부터 썩어 문드러져가는 이유가 어디 있을까? 돌아오는 길에 지하도를 내려가려는데 어깨에 완장을 두른 여인네들이 '삼풍 실종자' 계속 찾기 운동과 '실종자 인정하라'는 전단지를 뿌리고 옆에선 서명을 받고 있었습니다. 그 내용에 보니 아직도 난지도 쓰레기장에선 이름 없는 손가락, 발, 해골들이 발굴되고 있는데, 왜 시체 발굴 작업을 중단하느냐는 호소였습니다.

그런데 거리의 시민들은 무표정한 모습으로 지나가고 있었습니다.

'나와 무슨 상관이냐?(吾不關焉)'는 태도였습니다.

그런데 웬일입니까? 제가 돌아오기 며칠 앞서 총무처 장관이란 서석재 씨가 한방을 터트린 것이었습니다.

"전직 대통령 중에 4천억 비자금 차명계좌 가지고 있다." 국민들의 온 눈과 관심이 그곳으로 확 쏠려갔습니다.

삼풍이고 성수대교고 다 묻어두라는 신호탄인 것 같았습니다.

조국 방문 이야기는 몇 차례 더 할 것이 남았습니다.

1995년 8월 24일

조국 광복 50주년 희년에

　지난 두 주 동안 모국을 방문하고 돌아왔습니다. 1년 만에 다시 찾은 조국의 모습은 '여전히 역동적으로 발전하는 나라구나.' 하는 인상을 풍겼습니다. 1년 전에는 대학에 특강차 나갔기 때문에 아무 데도 여행하지 못하고 학교 캠퍼스 안에만 있다가 귀국하여 많은 아쉬움을 남기고 돌아왔습니다.

　그러나 이번에는 조국 광복 50주년을 맞아 한국에 있는 교단에서 우리 교회가 소속된 미국 장로교 안에 있는 한인 교회 대표들을 초청하였고, 회의 장소 자체가 경기도 광주 곤지암 산 속에 있는 소망교회 수양관이라서 산세가 수려하고 참으로 상쾌한 여정이 되었습니다. 아침에 먼동이 떠오르면 산새들이 지저귀고 바람결에 춤을 추는 푸르른 나무들, 사이사이 피어 있는 아름다운 산꽃들이 에덴 동산을 방불케 하였습니다.

　특별히 미국 장로교회에 속한 우리 한인 교회들이 매년 가지는 연차 총회를 금년에는 모국에서 가지게 되었습니다. 제24차 총회로 모이는 금번 연차 총회의 대주제는 "자유를 공포하라!"였습니다. 광복 50주년을 맞아 한국기독교협의회가 몇 년 전부터 이 해를 '희년(禧年, Jubilee)'이라 하여 성경에 나오는 이스라엘 민족의 희년의 신앙과 정신으로 자유를 공포하라는 주제를 선정한 것입니다.

하나님께서는 구약 성경 레위기 25장에서 "제오십년은 거룩하게 하여 전국 거민에게 자유를 공포하라 이 해는 너희에게 희년이니 너희는 각각 기업으로 돌아가며 각각 그 가족에게로 돌아갈지며 그 오십년은 너희의 희년이니 너희는 파종하지 말며 스스로 난 것을 거두지 말며 다스리지 아니한 포도를 거두지 말라"(레 25 : 10~11)라고 말씀하셨습니다.

이스라엘 백성은 430년간 애굽에서의 종살이를 하였는데 하나님께서 지도자 모세를 세워 그 백성을 해방시켜 출애굽을 하게 되었습니다. 그러나 저들은 진정한 자유와 해방을 누리지 못하였습니다. 왜냐하면 저들은 해방이 되어 광야로 나아가 가나안을 향해 가는 도중에 하나님과 지도자 모세에게 원망하고 불평하며 불순종하였기 때문입니다. 그 결과 저들은 두 주면 들어갈 수 있는 거리에 있는 젖과 꿀이 흐르는 약속의 땅, 가나안에 들어가지 못하고 가나안이 빤히 내다보이는 가데스 바네아에서 되돌려 광야에서 40년이란 긴긴 세월을 살아야 했습니다. 40년 동안 온갖 고난과 풍상을 겪은 이스라엘 백성들, 1세는 거의 다 광야에서 죽고 2세들만이 여호수아와 갈렙의 지도 아래 가나안 땅에 들어갑니다. 그 때 하나님께서는 그 백성들에게 안식년이 일곱 번 지나고 난 다음 50년째 해를 희년으로 정하고 자유를 공포하라고 명하신 것입니다.

거기에는 큰 뜻이 담겨 있습니다. 그 백성들이 자유를 얻어 약속의 땅에서 살지만 50년이 지나는 동안 다시 동족간에 서로 땅을 빼앗는 자와 빼앗긴 자가 생겨날 것이요, 억누르는 자와 노예, 종들이 제도화되고 부자와 가난한 자가 생길 것을 아시고 이것을 내다보신 하나님께서는 이 모든 포로 된 자, 억눌리고 가난한 자들에게 "자유를 공포하라!" 하고 희년의 은총을 내리신 것입니다.

사랑하는 동포 여러분!

우리 민족이야말로 참으로 희년의 은혜의 해가 필요한 민족입니다. 36년간의 일제 식민지하에서 해방되어 조국 땅을 찾았습니다. 그러나 우리들은 참자유를 누리지 못하고 다시 미·소 양대 강국의 장난(?)으로 38선이 그어지고 '이데올로기' '…주의'라는 용어조차도 제대로 모르는 선량한 백의민족을 둘로 갈라놓았고, 6·25의 동족상잔의 쓰라린 아픔을 겪게 되었습니다. 더욱이 우리 앞에는 아직도 장벽이 두텁게 존재하고 있습니다.

사랑하는 여러분!

희년! 해방 50주년을 맞은 우리 백성들은 하늘과 땅을 향해 "자유를 공포하라!"라고 분연히 외치고 일어서야 하겠습니다.

다시는 우리 조국 땅에 피비린내 나는 전쟁이 일어나지 않도록, 38선 장벽이 무너져 헤어진 1천만 이산가족들이 함께 만나 얼싸안고 덩실덩실 춤을 추며 온 세계를 향한 고요한 아침의 나라의 백성, 그러나 기지개를 켜며 용트림하는 씩씩한 나라 백성, 그래서 세계 역사에 우뚝 서는 조국 대한민국이 되도록 총력을 다해야 하겠습니다.

1995년 8월 17일

긍정적이고 유익한 사람

　몇 년 전인가 한국의 희극 배우로 유명한 구봉서 장로가 시카고 기독교 방송의 사랑의 가교 시간에 기독교인의 종류를 익살스럽게 소개하는 것을 들은 적이 있습니다.

　그 열두 종류 가운데 열 가지는 부정적인 부류이고, 두 가지는 긍정적이고 적극적인 부류라고 합니다.

　첫째는 감투 교인이 있습니다.

　이런 종류의 교인은 감투쓰기 위해서 교회를 나오는 사람들이라는 것입니다. 특별히 이런 부류의 교인은 해외에 있는 이민교회에 많다고 합니다. 외국에 와 살면서 사회적으로 인정받을 곳이 없으니까 교회에 와서라도 직분을 통해서 인정을 받으려는 자들이라고 합니다.

　둘째는 팔짱 교인입니다.

　이들은 교회의 선교사업이나 프로그램에 깊이 참여치 않고 뒤에서 팔짱을 끼고 구경만 합니다. 이런 교인은 대형 교회에 많습니다.

셋째 유형은 비즈니스 교인입니다.

사업을 목적으로 교회에 나오는 사람이 없잖아 있다는 것입니다.

넷째는 철새 교인입니다.

철새처럼 이 교회 저 교회 떠돌아다니며 오히려 교회에 무익한 바람만 일으키고 떠다니는 부평초 같은 사람들입니다.

다섯 번째는 가마 교인이 있다고 합니다.

누가 가서 "오십시오." 하며 모시고 나와야 교회에 나오는 교인입니다. 자신의 신앙과 하나님 사랑, 이웃 사랑의 마음으로 교회를 나와야 하는데 대접받기만을 원하니 그다지 좋지 않은 자들인 것 같습니다.

여섯 번째는 감, 대추 교인입니다.

교회 일에 일일이 "감 놓아라, 대추 놓아라" 하며 간섭하는 사람들입니다.

일곱 번째로는 벙어리 교인이 있습니다.

성도들과 대화는 물론 하나님께 기도도 한마디 못하고 전도도 하지 않는 자들을 지칭하는 말입니다.

여덟 번째는 꼬리 교인도 있다고 합니다.

주일날 예배시간에 늦게 들어와 맨 꼬리에 앉았다가 축도가 끝나기도 전에 내빼는 교인입니다.

아홉 번째는 끄떡끄떡 교인입니다.

예배 도중 끄떡끄떡 졸고 있는 교인, 특별히 설교 시간에 졸고 있는 자들입니다.

열 번째는 취미 교인이 있습니다.

교회를 취미생활 정도로 생각하고 재미로 나오는 사람들입니다. 교회에 나와서 자기의 흥미에 맞는 프로그램이 진행될 때는 즐겁게 참여하다가 그 프로그램이 끝나면 잘 안 나오는 자들입니다.

이상은 아주 부정적인 교인들로서 교회에 별로 덕을 끼치지 못하는 자들입니다.

다음 두 종류의 교인은 긍정적이고 적극적입니다.

열한 번째는 투명 교인입니다.

이런 분은 깊은 신앙을 가지고 자기를 나타내지 않고 숨어서 봉사합니다. 교회의 어려운 일은 도맡아 하면서도 모든 영광은 하나님께 돌리는 참다운 신자입니다. 이런 교인이 많은 교회는 날로 부흥하고 성장해 나가는 것입니다.

마지막 열두 번째로 구석 교인이 있습니다. 교회의 구석구석을 살피며 쓸고 닦는 유형입니다. 부엌은 물론 화장실까지도 깨끗이 청소하는 섬기는 자입니다. 그리고 교인들의 형편도 구석구석 살피며 누가 혹시 소외되거나 실족해 있지 않은가를 찾아 친구가 되어주는 교인입니다.

이상 말씀드린 유형의 사람들은 단지 교회 안에만 있는 현상은 아니라고 생각합니다. 어느 사회나 조직, 단체에도 똑같은 부류의 사람들이 있게 마련입니다.

특별히 우리 이민 사회에서도 앞의 부정적인 측면의 열 부류의 사람보다는 뒤에 두 부류의 적극적인 사회와 국가 그리고 그가 속한 교회나 기관에 유익을 끼치는 자들이 되어야 하지 않을까요.

1995년 8월 10일

시카고에 인삼 농장을 가꾼
어느 농부의 소원

두 주 전 목요일은 시카고 역사상 최고로 더운 날이었습니다. 화씨 106도를 웃도는, 달걀을 바위 위에 깨놓으면 프라이가 될 정도의 불볕더위였습니다. 그런데 그날 시카고에서 1시간 반 정도 떨어진 '우드스탁'이라는 곳에서 인삼 농장을 하는 교우 한 분의 농장을 심방하게 되었습니다. 이분은 10여 년 전 저를 찾아와 우리 교회에 나오시겠다고 하셔서 "그 먼 거리에서 어떻게 매주일 교회를 오시겠습니까? 락포드나 엘진 가까운 곳에 있는 교회를 나가시지요." 하며 안내를 해 드린 적이 있었습니다.

그런데 얼마 전 로렌스 거리에 인삼 직매장과 찻집 그리고 최근엔 삼계탕 집을 내셨다고 하시며 가까이 오셔서 우리 교회에 출석하게 된 분입니다.

로렌스에서 그분을 함께 모시고 농장을 향해 떠났습니다. 한 시간 반을 달려 드디어 인삼 농장에 도착하였습니다.

35에이커(4만여 평)의 드넓은 대지가 인삼으로 뒤덮여 있었습니다. 6년근, 5년근, 4년, 3년, 2년근들이 검은 포장의 그늘 아래서 파랗게 잎을 피우고 땅속 깊이에선 우리 민족 고유의 보양제인 인삼뿌리가 잘 자라나고 있었습니다.

농장 한가운데 세워진 그분의 집도 손수 지었다는데, 방이 네 개요 응접실이 훌륭하게 꾸며져 있었습니다. 그 집에 들러 잠깐 기도한 후 밀짚모자를 눌러쓰고 그분의 인도로 농장을 걸어 돌기 시작했습니다. 뜨겁게 작열하는 태양 아래, 땅에서도 훅훅 올라오는 지열이 숨을 막히게 하고 땀이 온몸에서 배어나왔습니다. 그래도 그 대자연 속을 거니는 기분은 상쾌하기 그지없었습니다. '본래 우리는 땅의 자식들이 아니던가? 하나님께서도 흙으로 우리 인간을 당신의 형상으로 지으시고 코에 생기를 불어넣어 생령이 되게 하신 것이 아닌가?'

그런데 그분께서 제게 보여 준 글이 한 편 있었습니다. 그것은 금번에 시카고를 방문하시는 김영삼 대통령에게 드리는 글이었습니다. 그 내용은 이렇습니다.

김영삼 대통령 각하께

미국에 살고 있는 대한민국 국민의 한사람으로, 먼길 오시는 김영삼 대통령 각하의 시카고 방문을 진심으로 환영합니다. 제 나라 대통령을 미국 땅에서 맞이한다는 것이 얼마나 기쁘고 감격적인지를 새삼 느끼게 됩니다.

저는 미국 시카고에 거주하고 있는 김병태입니다. 대한민국 국적을 가지고 E2 취업 비자로 미국에 와서 인삼 농장을 경영하고 있습니다. 제가 취업 비자로 미국에 온 것은 1984년입니다. 저는 대대로 농사를 지어온 농민의 아들로 태어나 경기도 양주군에서 20년 동안 인삼을 재배했습니다. 저는 아는 것이 인삼밖에 없습니다. 그만큼 인삼은 제 인생을 바쳐서 정열을 쏟고 싶은 농사이기도 합니다. 제 꿈은 미국 땅에다 한국 인삼을 재배하는 것이었습니다. 한국의 인삼을 미국에서 가공해 세계 제일의 인삼 제품으로 만들고 싶은 소원입니다.

미국에 와서 인삼을 재배하기에 적합한 지역을 찾아다니다가 1988년, 현재의 장소인 일리노이 주 우드스탁에 35에이커 땅을 구입했습니다. 이곳에서 인삼 농사를 시작한 지 6년이 경과했습니다. 인삼 재배의 성과가 예상 밖으로 좋았습니다. 한국과 비교해서 이곳의 기후와 토질이 인삼을 재배하기에 월등히 좋다는 것을 발견했습니다. 6년근을 생삼과 가공품으로 시판하기 위해 작년 9월부터 시카고 시내 한인거리인 로렌스 에비뉴에 인삼 직매장을 개점했습니다.

제가 오늘 대통령 각하께 이런 글을 드리게 된 것은 각하께서 한국의 인삼을 미국에서 재배하는 것에 각별한 관심을 가져 주시기를 바라는 마음에서입니다. 미국에서 한국 인삼을 재배하기에 기후와 토질만 좋은 것이 아니라, 수요 전망도 아주 밝다는 것입니다. 우루과이라운드로 농업시장을 개방하는 한국으로서 미국에서 미개척 분야인 인삼 농사에 정책적인 배려를 하실 때, 한국의 농토를 그만큼 확대하는 것이 될 것입니다. 이것은 한국 농업을 발전시키는 데도 큰 기여를 할 것으로 믿습니다. 농지 가격도 대단히 저렴하고, 소요 자재도 아주 싼 편입니다. 그리고 노동력도 예상 외로 쉽게 저임금으로 구할 수가 있습니다. 더욱 유리한 것은 인삼을 기계 영농으로 재배할 경우, 한국식 영농으로 재배한 것과 비교가 안 될 정도로 현격한 차이가 있다는 것입니다. 인삼에 대한 깊은 지식이 없는 미국인과 달리 오랜 경험을 축적한 한국 농민이 미국에 와서 재배할 때 그 결과는 더욱 좋을 것입니다. 그리고 농지를 개간하는 외국 농민에 대해 미국 주정부가 우대 비자 발급을 하기 때문에 한국 농민은 이민 수속이 없이도 미국에 와서 인삼을 경작할 수가 있습니다.

인삼이 미개척 분야인 것과는 대조적으로 최근 미국에서 인삼에 대한 관심이 부쩍 증가되고 있습니다. 비타민처럼 복용하는 인삼 정제를 비롯해서 인삼 맥주까지 나오기 시작했습니다. 92년에서 93년 사이, 1년간 미국 위스칸신에서 약 1억 6천 3백만 파운드의 인삼이 재배되어 7천 5백만 달러의 수입을 올렸다고 합니다. 일반적으로 1에이커에 기본 투자비 1만 달러와 경작비 1만 달러를 투자할 경우, 에이커당 약 10만 달러의 수익을 올리는 것으로 집계되고 있습니다. 한국 정부가 한국 농민을 미국으로 내보내서 인삼을 재배하는 것에 정책적인 배려를 해주실 것을 바라는 마음 간절합니다.

끝으로 제 개인 문제에 대해 말씀드리게 된 것을 송구스럽게 생각합니다. 용서하시기 바랍니다. 저는 앞에서 말씀드린 대로 E2 비자로 미국에 거주하면서 인삼 농장을 하기 위해 6년간 약 40만 달러를 투자했습니다. 이 가운데 약 40만 달러를 한국의 농협에서 융자를 받았습니다. 그런데 이 융자금에 대한 이자율이 9%가 되는 고금리가 되어서 미국 시장에서 경쟁하는 데 상당한 어려움이 있습니다. 제 개인의 일을 국사로 다망하신 대통령 각하께 말씀을 드리는 것이 도리가 아닌 줄 알면서도, 다른 방법을 잘 몰라 이렇게 말씀드리게 된 것에 용서를 빕니다. 바라옵기는 일반 금리를 농민을 위한 정책자금 금리로 적용해 주십사 하는 것입니다. 이것은 제 개인의 문제이기도 합니다만, 한편으로는 농산 시장을 미국 땅에 개척하는 다른 한국인들에게도 큰 힘이 될 것입니다. 부디 고려해 주시기를 간곡히 부탁드리옵니다.

바쁘신 대통령 각하께 이런 말씀을 드리게 된 것에 대해 다시 한번 용서를 빕니다. 대통령 각하의 미국 방문을 진심으로 기뻐하면서 두서없는 글을 끝내겠습니다. 조국이 번영하고, 세계화를 지향하는 한국의 앞날에 영광이 있기를 시카고 땅에서 빌겠습니다. 그리고 저는 이곳에서 열심히 인삼 농사를 짓겠습니다. 제 나이가 이미 70이 되었습니다. 죽기 전에 한국 인삼을 미국 땅에다 뿌리깊이 심고 싶습니다. 거듭 대통령 각하의 시카고 방문을 환영합니다.

1995년 7월 22일

모르겠습니다. 이번 방문시 이러한 농민의 아름답고 소박한 편지가 조국 대통령에게 전달이 되었는지, 아니면 이런 백성들은 외면한 채 잠깐 소위 잘난 사람들만을 손잡고 지나쳐 가셨는지…….

"민중의 소리가 하늘의 소리이다."라고 외친 분이 바로 김영삼 대통령이니까요.

1995년 7월 27일

동포가 무엇이기에

지금부터 십육칠 년 전 한여름, 제가 시카고 로렌스 타운에 살 때의 일이 생각납니다. 그날은 "화이트 크리스마스(White X-Mas)"를 부른 가수로 유명한 빙 클로스비가 죽은 날이었습니다.

뜨거운 여름 날 저녁에 갑자기 텔레비전에서 빙 클로스비가 부르는 화이트 크리스마스가 흘러나오기에 웬일인가하고 거실로 나가 TV를 보니 그가 세상을 떠났다는 소식과 함께 그가 부른 노래 특집을 방영하는 중이었습니다.

그런데 갑자기 밖에서 제 아이가 다급한 목소리로 불러서 뛰쳐 나가 보니 우리 집 뒤에서 한국 아이 하나가 미국 사람에게 맞는 소리가 난다는 것이었습니다. 과연 들어보니 "What? What?" 하는 미국 사람 소리에 "안할께요" 하는 여자아이의 울음 소리가 들려왔습니다. 저는 용수철처럼 튕겨나듯 소리나는 쪽으로 뛰어가 봤더니 지금은 헐리고 없지만 당시엔 거기에 조그만 한국 식당이 하나 있었는데 그 식당의 주인이 세 살 난 자기 딸을 혼내는 중이었습니다.

"아, 한국 분이셨군요?"

"왜 그러세요?" 그분은 못마땅한 듯 저를 쳐다보며 퉁명스럽게 말했습니다.

"네, 애를 타이르시려면 집 안에 들어가 하시지요?" 하고 말씀을 드렸더니 이번에는 반말투로 나왔습니다.

"아니, 당신이 뭐야!"

아마 그분은 아이에게 난 화를 제게로 돌리는 것 같았습니다.

"왜 제게 화를 내십니까? 잘 아시지만 미국에서는 자기 자녀라도 때려서 아이가 울어 이웃에 알려지면 경찰에 보고하여 아동학대(Child Abuse)라 하여 애를 빼앗기기도 합니다. 그러니 집 안으로 들어가 나무라시는 것이 좋다는 말씀입니다."

"이 사람이, 내 자식 내가 혼내는데 누가 시비야! 나도 미국에서 살 만큼 살았어."

이젠 저와 싸움이 붙을 정도로 긴장이 된 것입니다.

그래서 제가 신분을 밝혔습니다.

"저는 이종민입니다. 봉사회에서 우리 교포들을 상담하던 사람으로, 지금은 레익뷰 장로교회에서 목회하는 중입니다."

"그러세요, 이거 큰 실례를 했습니다. 실은요, 우리 내외가 이 아이를 한국에 떼어놓고 왔다가 미국에 데려온 지가 얼마 안 됩니다. 식당을 연 지도 얼마 안 되는데 집에 혼자 둘 수도 없어 데리고 나오면 손님이 계신 식당에서 울고 보채니 어떻게 영업을 하겠습니까? 그래서 별 수 없이 집 뒤 주차장에 나와서 혼낸다는 게 그렇게 되었습니다. 죄송합니다."라고 사과를 하는 것이었습니다.

그 말을 들은 나의 가슴은 저리도록 아파왔습니다.

자식을 몇 년씩이나 한국에 떼어놓고 와서 부부간에 밤낮 없이 뛰어서 조그만 식당을 열고, 이젠 보고 싶은 자식을 데려다 같이 살면서 장사를 해나가려 하는데 오랫동안 떨어져 있어 정이 없던 아빠 엄마를 따라 식당에 나와 하루 종일 친구도 없이 좁은 식당 안만 서성거리자니 애가 얼마나 진력이 났을까? 견디다 못해 칭얼대니 아직 아빠라고 제대로 부를 수도 없는 아빠가 컴컴한 주차장에 데리고 가서, 그것도 알지도 못하는 말로 "What!" 하고 소리쳐 대니 고사리 같은 손을 싹싹 비비며 울고 있는 것이 아닌가? 또 그런 자식을 혼내야 하는 아빠의 심정인들 오죽하랴! 생각하니 제 가슴이 저려 왔습니다.

그분과 두 손을 꼭 잡고 식당 안으로 들어가 이야기를 나누다 제 아내와 집으로 돌아와 보니 밤 열 시가 훨씬 넘은 시각이었습니다. 우리 아이들은 문을 다 잠근 채 잠이 들어 있었습니다. 우리 한국 아이가 미국 사람한테 두들겨 맞는다는 소리에 반바지 차림으로 뛰쳐나간 저희 내외에겐 집에 들어갈 열쇠가 없었습니다.

이리저리 창문들을 열어보며 애들을 불러보았으나 깊이 잠들었는지 기척이 없었습니다. 다른 쪽으로 가서 창문들을 올려보니 다행히 잠기지 않은 창문이 하나 있어 도둑고양이처럼 기어 들어가 문을 열고 아내를 들어오게 했습니다. 그리고 우리 내외는 마주 보며 "동포가 무엇이기에……." 하며 함께 웃었습니다. 여름이 되면 생각나는 추억의 한 토막입니다.

1995년 8월 3일

시간이란?

칼릴 지브란이 쓴 에세이 「예언자」에 다음과 같은 천문학자와 그의 스승의 대화가 나옵니다.

스승이여 시간이란 무엇입니까?
그래서 그는 대답했다.

당신들은 잴 수도 없고 측정할 수도 없는 시간을 재고자 한다. 당신들의 행위를 시간과 계절에 맞추고자 하며 심지어는 그대들 영혼의 길마저 이끌고자 한다. 시간을 강물로 만들어 그 둑 위에 당신들이 앉아 강물의 흘러감을 바라보고자 하는 것이다. 그러나 당신들 내부의 영원은 삶의 영원을 깨닫고 있다. 그러므로 어제란 단지 오늘의 추억이며 내일이란 오늘의 꿈이란 것을 안다.

그리고 당신들 내부에서 노래하고 명상하는 것은 우주에 별들이 뿌려지던 최초의 순간에 얽매여 그 속에서 지금껏 살고 있는 것이다.

당신들 중에서 누가 한없는 그 사랑의 힘을 느끼지 못하는가?

그리고 누가 아직 그 사랑을 무관함에도 존재의 핵심 속에 에워싸여 사랑의 생각에서 생각으로 움직이지도 않으며 한 사랑의 행위로부터 다른 사랑의 행위로 움직이지도 않는 그 사랑을 느끼지 못하는가?

또한 시간은 사랑과 마찬가지로 나눌 수 없으며 또한 영원한 것이다. 그러나 만일 당신들의 생각이 계절에 맞추어 시간을 재어야겠다면 각 계절로 하여금 다른 모든 계절들을 둘러싸게 하라.

그리하여 오늘로 하여금 추억으로써 과거와 동경으로서의 미래를 포옹하게 하라.

이상은 칼릴 지브란 에세이집 「예언자」(허문순 옮김)에 나오는 시간에 대한 글입니다.

삼풍백화점의 붕괴사건으로 매몰되었던 박승현 양이 매몰된 지 16일 377시간 만에 기적적으로 구조되어, 그 소식이 전파를 통해 보도될 때 온 세계인이 환호를 올렸습니다. 물 한 모금 섭취하지 않았다는 그녀의 말에 의학계에서는 도저히 믿어지지 않는 기적이라고 설명했습니다. 무의식적으로라도 물을 받아 마시지 않고는 불가능한 일이라고도 합니다. 그 긴긴 시간, 암흑 속에서 생과 사의 사이를 오가며 살아났다는 것은 참으로 우리의 상상을 초월한 기적이 아닐 수 없습니다.

참으로 시간이란 무엇인가를 생각게 해줍니다.

앞의 칼릴 지브란은 시간이란 우리 인간들이 잴 수도 없고 측정할 수도 없는 것, 시간은 마치 흘러가는 강물을 바라보며 언덕에 앉아 있는 사람과 같이 그저 흘러가는 물을 바라보는 것이라고 합니다.

그 죽음의 현장에서 생환된 최명석 군, 유지환 양 그리고 박승현 양은 모두 다 18세에서 20세 사이의 X-세대 젊은이들입니다. 저들은 기성세대들이 볼 때 자유분방하고 쾌락주의에 빠진 세대들이 아닌가 하는 고정관념들을 완전히 깨고 '침착하고 명랑하며 꿈을 가진 젊은이들이구나.' 하는 새 역사의 빛줄기를 보게 해준 것입니다.

인간들은 해의 뜨고 짐을 통해, 그림자의 방향 등으로 해시계를 만들고, 원통형에 모래를 아래위로 흐르게 고안된 모래시계를 통해 시간을 재어보기도 했습니다.

그러나 사실 시간의 장단이란 우리 인간들의 느낌으로 나타나는 현상이기도 합니다. 사랑하는 사람과 함께 아름다운 음악을 듣고 있으면 하루가 한순간처럼 흘러갑니다. 그러나 뜨거운 난로 곁에서 하기 싫은 일을 한다면 '일각이 여삼추'로 길고도 지루하게 느껴질 것입니다.

금번 기적의 생환자들인 세 명의 X-세대들은 그 매몰된 지하에서 한결같이 자기들을 사랑해준 어머니 아버지 그리고 형제, 친구들을 생각하다 깜박 잠이 들고 깨는 것을 반복하면서 그 지루한 고통의 시간을 통과할 수 있었다고 증언해 주고 있습니다.

예수 그리스도께서는 사랑하는 인류를 구원하기 위하여 40주야를 광야에서 금식하며 기도하셨습니다.

사랑하는 여러분!

우리 모두 다 사랑하는 삶을 만듭시다. 그러면 긴긴 고난의 시간 속에서도 기적이 창조되지 않을까요?

1995년 7월 20일

'95 통일 희년 부흥회

우리의 소원은 통일
꿈에도 소원은 통일
이 정성 다해서 통일
통일이여 오라
이 겨레 살리는 통일
이 나라 살리는 통일
통일이여 어서 오라
통일이여 오라

지난 월요일 저녁, '95 통일 희년 남·북 가곡의 밤에 남북한 음악인들, 우리 교포들, 특별히 실향민, 이산 가족들이 눈물을 흘리며 함께 어우러져 부른 통일노래입니다.

나의 살던 고향은 꽃피는 산골
　　복숭아꽃 살구꽃 아기진달래
　　울긋불긋 꽃 대궐 차리인 동네
　　그 속에서 놀던 때가 그립습니다.

　통일의 노래가 끝나자 또다시 함께 부른 '고향의 봄'입니다. 언제나 불러도 가슴을 뭉클하게 하는 노래입니다.

　해방이 된 지 50년, 6·25의 동족상잔이 일어난 지도 45년이 흘렀습니다. 그로 인하여 생긴 1천만 이산 가족들은 오늘도 부모형제, 자식을 보고싶어 한서린 마음이 눈물로 녹아나고 있습니다.

　제가 미국 오기 전 우리 교단의 총회에서 근무할 때 캐나다에서 온 한 선교사의 은퇴식에 참석한 일이 있었습니다. 60이 훨씬 넘은 노 여자 선교사는 20대의 젊은 나이에 처녀의 몸으로 한국전쟁의 참화 속에 선교사로 지원하여 오신 분입니다. 한국의 전쟁고아를 돌보는 일, 원주 등지의 기독병원에서 봉사를 하다가 총회 교육부에 오셔서 어린이 기독교 교육을 위해 헌신한 후 은퇴하셨습니다. 그 선교사가 마지막 인사 겸 부른 노래가 잊혀지지 않습니다.

　　타향살이 몇해던가
　　손꼽아 헤어보니
　　고향 떠난 십여 년에 청춘만 늙어…….

　물론 그분은 은퇴 후에 자기 고국 캐나다로 돌아가 여생을 지내고 있습니다. 그러나 우리 이산 가족들은 아직도 돌아갈 수 없는 고향 하늘만 보고 눈물짓고 있습니다.

지난 주일 밤 우리 교회에서 시카고 희년협의회 주최로 '95 평화 통일 희년 부흥회가 열려 저도 함께 참여하였습니다.

일반 부흥회와는 다르게 '통일 희년'이란 명제가 붙은 부흥회는 북한의 기독교연맹 대표들과 공훈 배우들이 온다고 해서인지 입추의 여지가 없이 많은 교포들이 모여들었습니다. 예배가 시작되자 어느 할머니 한 분은 눈물을 흘리기 시작하더니 나중에는 통곡을 하시는 것이었습니다. 많은 분들이 북한 땅에 부모형제들을 남겨두고 월남하셨다가 이민 오신 분들 같았습니다. 그동안 얼마나 보고 싶고 그리웠으면 그렇게도 통곡을 하시겠는가 생각하니 저 자신도 콧등이 찡해짐을 어쩔 수가 없었습니다.

그리고 예배순서 가운데 온 회중이 한목소리로 조국의 통일을 위해서, 이산 가족 상봉을 위해서 그리고 제2의 예루살렘이라고 불렀던 평양과 북한 방방곡곡에 교회당이 재건되기를 위해서 통성기도를 드렸습니다. 거기 모인 모든 동포들이 한목소리로 통곡을 하며 드리는 기도소리는 마치 천둥이 울려퍼지는 듯하였고 성전의 지붕이 날아갈 것만 같았습니다.

또한 예배순서 가운데 북한 대표를 소개하는 순서에서 사회자가 갑자기 북한의 인솔단장인 강영섭 목사와 이 교회 담임목사인 나와 허깅(포옹)을 하는 인사를 하라고 하여 제가 나아가 인사를 나누기도 했습니다. 저는 남한에서 태어나 자라 미국에 와 사는 사람으로 현재 이북에 살고 있는 사람과 포옹을 해보기는 이번이 처음이었습니다. 저는 어린 나이에 6·25를 겪었고 초등학교를 다니면서 북한 공산당들은 무서운 도깨비 같은 괴물들인 줄 알았습니다. 그렇게 가르쳤기에, 물론 자라면서 그런 인상은 다 사라졌지만 제가 일본으로 공부하러 갈 때만 해도 조총련과 북한 간첩에게 붙잡혀 가지 않도록 조심하라는 겁을 주어 조심을 하였었습니다.

그러나 금번 기회에 북한 대표인 강영섭 목사와의 포옹에서 얼굴이나 가슴이나 체온까지 우리와 똑같은 동족이요 형제임을 느끼게 했습니다.

사랑하는 동포 여러분!

오늘도 모두 함께 '통일이여 어서 오라!' 는 간절한 마음으로 함께 통일의 송가를 불러봅시다.

1995년 7월 13일

참 행복은?

조선 제9대 왕 성종(재위 1469~1494)은 매우 어진 임금이었습니다. 그는 민심을 두루 살피기 위하여 가끔 평복을 입고 수행원 몇 명만을 데리고 장안을 순행하였다고 합니다.

어느 날 밤, 성종이 순행을 나왔다가 정동 골목 안에서 어떤 나무장사를 만났습니다. 그 나무장사가 소달구지에 나무를 가득 싣고 와서 밤늦게까지 팔려고 했지만 다 팔지를 못하고 노상에서 서성거리고 있었습니다. 마침 그 골목을 지나던 왕이 그를 보고 딱하게 여기고는 "그 남은 나무들을 모두 사겠소."라고 하였습니다. 시종에게 나무를 가져가게 한 다음 왕은 나무꾼에게 물었습니다.

"그대의 말이 아까 과천에 산다고 하였는데 부모님과 처자는 있는가? 농사짓고 나무장사를 하여서는 생활이 곤궁할 터인데 그대에게는 삶에 무슨 즐거움이 있는가? 우리네 서울 벼슬아치

들은 시골 농사꾼들을 볼 때마다 불쌍한 생각이 든다네!"라며 자못 동정어린 말을 하였습니다.

그러자 나무장사는 왕을 돌아다보면서 당당히 대답했습니다. "저는 부모님도 뫼시고 처자식도 있어 한 집안에서 단란하게 살고 있습죠. 남자들은 밭갈아 씨뿌려 거두고 여자들은 집 안에서 길쌈하여 먹을 것 입을 것을 자급자족하니 춥고 배고픈 줄 모르고 지낸답니다. 이 모두 다 나라 임금님의 홍복이 풍성한 덕택이 아니겠습니까? 그런데 제가 보기에는 서울 장안에서 벼슬하는 양반님네들은 날이면 날마다 그 생활이 분주하고 조금만 잘못하면 벼슬이 떨어진다, 귀양을 간다하는 게 참으로 불쌍하고 불안해 보입니다. 그러면서도 우리 시골 농부들을 보고 불쌍하다 하시니 참으로 우습군요. 그러나저러나 농사짓는 우리들이나 벼슬하는 양반님네들이나 다 요순(堯舜)같이 어진 임금님 덕택에 이렇게 평안하니 이 모두 다 상감님 덕분이지요. 그러니 아무쪼록 양반님네들은 우리 농사꾼 걱정일랑 마시고 상감님이나 잘 뫼시도록 하십시오."

이 소리를 들은 성종 임금님은 너무나 만족하여 나무 값을 후히 주고 대궐로 돌아와서 왕후 중전 앞에서 나무꾼의 이야기를 하면서 "우리들 궁궐 안의 즐거움이 오히려 나무꾼의 즐거움만 못하구려."라고 했다는 이야기가 전해집니다.(이조 야담집에서)

성경의 지혜서인 잠언에 보면 "마른 떡 한 조각만 있고도 화목하는 것이 육선이 집에 가득하고 다투는 것보다 나으니라"(잠 17 : 1)라고 교훈하고 있습니다.

몇 주 전 필라델피아 인근의 마풀타운쉽 시더그로브에 사는 고종국, 길자 씨 부부가 부부싸움 끝에 서로 권총을 쏘아 둘 다 죽은 사건이 우리 교포사회에서 발생하여 모두의 가슴을 서늘하게 하고 있습니다. 그런데 이들은 50만 달러가 넘는 저택과 6곳의 사업체 등, 수백만 달러가 넘는 재산을 소유한 부자요, 이들이 죽은 방에 있는 금고에서는 현금 150만 달러가 발견되었다고 합니다.

참으로 불행한 사건입니다. 이들에게 돈이나 명예가 없어 이런 비극이 벌어졌겠습니까? 사랑과 화목해야 할 부부 사이가 싸움과 갈등으로 날이면 날마다 이어지니 끝내는 부인이 권총을 준비하여 남편에게 두 방을 쏘고, 권총을 버리고 달아나는 부인을 향해 죽어가면서 쏜 총알이 부인의 등을 뚫어 결국은 부부가 다 죽는 끔찍한 사건이 일어난 것입니다.

사랑하는 여러분!

우리들의 행복이 어디서 오는 것입니까?

행복은 돈으로도 살 수 없는 것입니다. 비록 돈과 재물은 많지 않을지라도 부부간의 뜨거운 사랑과 자녀들의 착함과 부모에 대한 효성 그리고 온 식구가 하나님을 섬기며 이웃을 위해 성실히 봉사하는 삶 속에서 행복의 샘물이 흘러나오는 것이 아닐까요?

1995년 6월 29일

탕자 타이슨이 돌아오다

어제 시카고 선 타임즈의 톱뉴스는 '뉴욕 시, 돌아온 탕자 타이슨을 환영하다'라는 제목에 '환영 행사로 뉴욕 시의 흑인사회 분규'라는 부제로 기사가 보도되었습니다.

타이슨이 "인디애나 감옥살이의 오랜 방황을 마치고 마치 성경에 나오는 탕자처럼 뉴욕 시에 있는 자기 집으로 돌아왔다."라고 기사 서두에 적고 있습니다.

마이크 타이슨, 그는 세계 헤비급 권투 챔피언으로서 주먹으로 온 세계를 제패했던 사람이었습니다. 그런 그가 1992년 미스 블랙 아메리카 후보였던 데지리 워싱턴(Desiree Washington)을 강간한 죄로 체포되어 재판을 받고 그 동안 인디애나 주의 감옥에서 영어의 몸이 되었었습니다.

타이슨이 형기를 마치고 집으로 돌아오게 되자 뉴욕의 흑인 커뮤니티에서는 이를 위해 대대적인 환영 준비위가 구성되어 모금을 하는 편과, 그에 반대하는 편이 맞섰습니다. 지난 일요일 밤에는 이를 반대하는 아프리칸 아메리칸들이 그의 환영장으로 내정된 아폴로 극장 앞에 모여 시위를 하며 "강간자를 칭송하는 모임을 재고하라."고 외쳤습니다.

그러나 한편에서는 지난 화요일 수백 명의 군중들이 아폴로 극장 앞으로 모여와 뉴욕으로 돌아오는 타이슨을 환영했습니다.

그 자리에서 노만 퀵(Norman Quick) 감독은 "반지를 가져다가 그의 손가락에 끼워라. 옷을 가져다가 그의 등에 입히고 구두를 가져다가 그의 발에 신기어라. 그리고 모든 가족들은 할렐루야 할렐루야 할렐루야로 찬양하자."라고 외쳤습니다.

그리고 샤프턴(Sharpton) 목사도 같은 주제를 가지고 타이슨을 청중들에게 소개하기를 "여기 우리들의 형제를 데려왔습니다. 그가(탕자) 집으로 돌아왔습니다."라고 소개했습니다.

타이슨은 그들에게 답사로 "The powers that be didn't want you here and didn't want me to speak to you."(어떤 힘으로 여러분들이 여기 온 것이 아니요, 저도 어떤 힘으로 여러분에게 말씀드리려는 것이 아닙니다.)라고 했습니다. 즉, 마치 탕자를 용서해 주시고 용납하시는 아버지의 사랑이 어떤 힘보다 더 강하게 자신을 그곳에 서게 했다는 의미일 것입니다.

정말 마이크 타이슨이 아버지 집에 돌아온 탕자이기를 간절히 바라는 마음입니다. 그가 8월에 다시 권투 링으로 복귀하여 재기 전을 가지고 앞으로 다시 세계 헤비급 권투 챔피언이 되어도 전에 한 번의 실수로 감옥에 갇혀, 마치 동물원에 갇힌 사자처럼 고생하던 때를 기억하고 용서하는 African American Community를 비롯해서 세계민들의 촉망을 한 몸에 받는 훌륭한 선수가 되기를 바라는 마음입니다.

성경에 보면 어떤 부잣집에 아들 둘이 있었는데 하루는 둘째 아들이 아버지께 와서 자기의 분깃을 나눠 달라고 하였습니다. 아버지는 이유를 묻지 않고 그의 분깃을 떼어 주었습니다.

분깃을 받은 아들은 그 재산을 몽땅 팔아 가지고 먼 타국으로 가서 밤낮을 가리지 않고 유흥가에서 놀았습니다. 돈을 물쓰듯 하며 여기저기에 뿌리어 낭비하였습니다. 술과 여자와 노름 등 소위 주색잡기로 세월 가는 줄 몰랐습니다. 그런데 돈이란 한계가 있는 법, 몇 달이 못 가서 다 떨어지고 말았습니다. 그러자 그를 좇던 친구들도 여자들도 모두 떨어져 나갔습니다. 결국 그는 거지가 되었으나 흉년이 겹쳐 빌어먹을 수도 없게 되었습니다. 별 수 없이 그는 돼지 치는 자가 되어 남의 집 돼지우리에서 일하며 돼지가 먹는 쥐엄열매로 겨우 배를 채웠습니다.

그러다가 생각에 잠깁니다. '내 아버지 집으로 돌아가자! 거기엔 품꾼도 많은데 돌아가서 품꾼의 하나로 써 달라고 하자.' 마침내 집을 향해 돌아오는데, 고향집 동구 밖이 가까워지자 밤낮 아들을 기다리며 서 있던 아버지가 달려옵니다. 이제나저제나 집 나간 자식 기다리던 아버지, 거지꼴을 한 아들을 달려가 목을 끌어안고 집으로 데려가 목욕을 시키고 옷을 입히고 금가락지를 끼워주고 동네 사람들을 불러 잔치를 벌였습니다.

사랑하는 여러분!

우리 인간은 하나님 아버지를 떠난 일종의 탕자와도 같습니다.

하나님 아버지는 오늘도 문 열어 놓으시고 우리들이 돌아오기를 기다리고 계십니다.

1995년 6월 22일

Life Together

엊그제 저는 시카고 대학 록펠러 채플에서 거행된 162회 맥코 믹 신학대학 졸업식에 동참하였습니다.

맥코믹 신학대학은 우리 나라와 깊은 인연을 가진 미국 장로교 직영 신학교입니다. 일찍이 19세기에 한국 선교를 위해 언더우드 목사를 선교사로 파송, 당시 북장로교단에서는 그의 뒤를 이어 맥코믹 신학교 출신인 마펫 목사를 선교사로 파송하였습니다.

마펫 선교사는 한국 이름 '마포 삼열'로 개명하고 평양에 장로교 신설교인 평양신학교를 세워 현지인 목회자 배출에 앞장섰던 분입니다. 이와 같은 인연으로 자연히 맥코믹 신학교에는 우리 한국 장로교에 속한 신학생들이 많이 와서 공부를 하였고 지금도 80여 명의 한인 재학생들이 있습니다. 금년에도 30여 명의 한인 졸업생을 배출하는 기쁨을 가지게 되었습니다.

1970년대 이후로 우리 한국 교회가 급격히 성장함과 동시에 수많은 교역자를 필요로 하게 되어 많은 신학교들이 문을 열기도 했습니다. 사실 전에만 해도 목사가 되기 위해서 신학교를 지망한다는 것은 그리 쉬운 결단이 아니었습니다.

가장 인기 없는 과목 중의 하나가 신학이었습니다. 가난한 신학생, 졸업해 보았자 겉보리 서 말 받는 시골교회 전도사, 그래서 여대생들의 배우자 선정 대상에서도 가장 인기 없는 직업이었다고 합니다.

그런데 언제부터인가 목사직이 인기가 높아지고 여자들의 배우자 직업 선정 인기도에도 상위권을 차지하기에 이르렀다는, 반가운 소식인지는 잘 모르겠지만 한편 뭔가 떨떠름한 맛을 주는 것이 저의 마음이라면 잘못일까요?

저는 어제 맥코믹 신학교의 졸업식장의 졸업 설교 겸 졸업 특별 강연을 통하여 저 자신이 새로운 각오와 은혜를 받게 되었습니다.

전 학장이었던 리틀 박사는 '공동생활'이라는 주제로 독일의 신학자요 목사였던 본 훼퍼 목사의 신학을 소개했습니다.

본 훼퍼 목사는 나치 독일의 히틀러가 유대인 6백만 명을 학살하고 독일 국민들을 제2차 세계 대전의 와중에 몰아넣어 피비린내 나는 살인극을 벌이고 있는 데 대항하여 분연히 일어선 사람입니다. 그는 신학자요 목사로서 독일의 교회들이 히틀러의 나치정권과 호전성에 침묵을 지키는 것을 좌시하지 않고 이에 대한 고백교회로서의 책임을 통감하고 지하결사대를 조직하여 히틀러 암살을 기도하였습니다. 그는 성직자로서 많은 고민을 하였습니다. '히틀러를 암살하는 것이 살인죄인데, 그리고 교회와 국가의 정교분리의 원칙이 있는데, 어떻게 할 것인가?' 그러나 그는 교회도 이 세상 속에 위치하여 "함께 살아가고" 있기에

Life Together 115

"Life Together" 공동생활에서 빠질 수 없다는 생각을 했습니다. 뿐만 아니라 그는 이 같은 예화를 들어 히틀러 암살에 대한 정당한 이유를 말했습니다.

"만일 조용하고 평화롭게 살고 있는 동네에 미친 개가 한 마리 뛰어들어와 천진난만한 어린이들을 물어 죽이고 있다면 어떻게 해야 할 것인가? 그 미친 개를 때려잡아 죽여서라도 많은 선량한 사람들의 생명을 보호해야 되지 않겠는가? 만약 사람을 가득 싣고 달리는 버스의 운전사가 갑자기 정신착란을 일으켜 버스가 낭떠러지로 굴러떨어져 수많은 승객들이 죽음 직전에 놓여 있다면 그 운전사를 밖으로 밀어 제치고라도 승객들을 살려야 되지 않겠는가?"라며 본 훼퍼는 미친 개같이, 정신착란을 일으킨 버스 운전사처럼 독일 국민뿐만 아니라 유대인, 전세계인을 죽이려 하는 히틀러는 죽여야 한다며 암살을 기도하였습니다.

그러나 그는 안타깝게도 제2차 세계 대전이 끝나기 전 체포되어 1945년 4월 9일, 38세의 젊은 나이로 교수대에서 처형되고 말았습니다.

맥코믹(McCormick) 신학교 강연자인 리틀 박사(Dr. Little)는 신학교 졸업생들에게 저들이 나아가 목회할 현장은 어떤 산 속이나 외딴 섬이 아닌 바로 이 세상이라면서 이 세상은 우리가 "Life Together", 함께 살아갈 "공동사회"임을 강조하고 변천해 가는 21세기의 사회 속에서 목회자로서, 시대를 향한 예언자로서 살아갈 것을 당부했습니다

본 훼퍼 목사는 그의 책 「Life Together」의 서두를 "보라, 형제끼리 한마음으로 함께 사는 것이 얼마나 좋고 즐거운고"라는 성경 시편 133편 1절로 시작을 했습니다.

사랑하는 여러분!

우리가 함께 사는 이 공동체에서 날마다 한마음을 가지고 기쁨과 행복을 창조하며 사는 "Life Together"를 이뤄감이 어떨까요?

1995년 6월 8일

제4부
천국의 어린이

일등 코리안 아메리칸

저는 어제 아침 교회를 향하여 오면서 우리 아이들이 다니는, 우리 집 근처의 학교에서 체육 시간에 운동장을 뛰고 있는 여러 여자 아이들을 보았습니다. 맨 앞에서 3등까지 뛰는 아이들은 모두 우리 한국 아이들이었습니다. 키가 크고 뚱뚱한 미국 애가 뒤를 따르고 그 다음엔 인도 아이 그리고 그 밖의 다른 애들이 떼지어 따라 뛰고 있었습니다.

저 혼자 차를 운전하여 오면서 입가에 얕은 미소를 띠우고 흐뭇해 하였습니다. 키도 작고 몸도 작은 코리안이지만 잽싸게 뛰는 그 모습이 얼마나 민첩하고 당당한지……. "그렇다 너희들이 바로 자랑스런 한국의 딸들이다!"

이민 1세 부모들이 먼 이국 땅에 와서 물 설고 말 설어, 피땀 흘려 온갖 고생을 감내하며 일들을 하고 있지만 우리 자녀들이 저렇게 아름답고 씩씩하게 자라며 모든 민족들 속에서 뛰어 앞서가고 있으니 참으로 "신난다! 신난다!"라고 가슴 뿌듯이 제 마음속에서 외쳐대고 싶었습니다.

교회에 도착하여 배달된 신문을 펼치니 "아버지 홀로 키운 남매가 동시 박사 학위 '벅찬 감격의 눈물 속 아내가……' 뉴욕 이한우 씨 자녀 수잔 양, 타미 군 스토리"가 '토픽(Topic)'으로 소개되고 있었습니다.

화제의 남매는 9년 전 엄마가 암으로 세상을 떠나자 당시 52세였던 아버지 이한우 씨가 혼자서 컴퓨터 비즈니스, 택시업, 여행사에 이르기까지 아이들을 뒷바라지할 수 있는 일이라면 닥치는 대로 일하며 혼자서 가정을 지켜왔다고 합니다.

그 수많은 어려운 고비들을 신실한 기독교 신앙으로 극복하고 자녀들을 공부시켜 왔다고 합니다. 이런 아버지의 고생을 밑거름으로 이들 남매는 뉴욕 대학에서 뇌신경과학 분야에서 최연소 졸업생으로 동시에 박사 학위를 취득하게 된 것입니다.

장하고도 훌륭합니다. 자랑스런 한국의 아들딸입니다.

지금은 졸업 시즌입니다. 미 전국 여기저기에서 우리 교포 2세 자녀들이 두각을 나타내며 졸업식장에서 우수한 성적으로 졸업들을 하고 있습니다. 저들이 이 땅에서 전문인들로 모든 민족과 겨뤄서 "머리가 되고 꼬리가 되지 않고 위에 있고 낮은 데 처하지 않기"를 기도하고 있습니다.

저도 한 주일 전 법과대학을 졸업하는 저의 딸아이의 졸업식에 참여하고 돌아왔습니다. 3년 전 학교에 들어갈 때는 그렇게 두려워하고, 미지의 세계로 들어가는 불안감에 차 있던 딸이었는데 이젠 그 모든 어려운 공부를 마치고 졸업장을 받고 'Juris Doctor' 학위를 받게 되어 저의 내외는 얼마나 감격스러웠는지 모릅니다.

그 졸업식에 참여하였을 때 들은 한 가지 감명 깊은 이야기가 있습니다.

본래 그 졸업식의 특별 강연에는 알폰스 다마도(D' amato) 상원의원이 초청되었었다고 합니다. 그런데 그 상원의원이 O.J심슨의 재판을 맡고 있는 일본계 이토 판사의 일본식 발음의 영어를 한다는 흉내를 내어 비아냥거린 것이 알려지자, 법대 졸업생들이 그의 초청을 반대하기에 이르렀다고 합니다. 그대로 초청하자는 측과 반대측이 투표를 한 결과 90%의 학생들이 반대하여 결국 그가 졸업 특별강연을 못하게 되었다는 이야기를 제 딸아이가 들려주었습니다.

그 상원의원의 아들도 같은 법대 졸업생이었는데 그만 다마도 상원의원은 학부형 자격으로만 졸업식에 참석하게 된 것입니다.

아시안을 무시하는 인종주의자라면 그가 아무리 유명한 상원의원이라도 배척된다는 사실을 알려준 계기가 되었습니다.

사랑하는 여러분!

우리 1세들의 땀과 눈물로 밑거름하여 심은 2세 나무들이 이 미국 땅에서 뿌리를 깊이 박고 무성하게 자라 아름다운 결실을 볼 수 있도록 함께 힘을 다하여 경주해 나아갑시다.

1995년 6월 1일

어머니의 미국 시민권

어제 1995년 5월 23일은 미국 역사에도 기록적인 날이지만, 저 자신에게도 뜻깊은 날이었습니다. 저의 어머님께서 미국 시민권을 받은 날이기 때문입니다.

그리고 미국 역사상 단일 민족 600여 명이 한날 한시에 미국 시민권을 받은 것도 처음 있는 일입니다.

"589명의 한국 노인들이 오랫동안 기다리던 미국 시민이 되었다"라고 미국 일간지인 선(Sun Times)에도 크게 보도되고 TV 그리고 한국의 매스컴들도 이 기사를 크게 다루었다고 합니다.

미국 시민권은 영주권을 받고 미국에 5년을 거주한 후에 소정의 시험을 거쳐 합격된 자들에게만 주어지는 하나의 특권과도 같은 것입니다. 젊은 사람도 시민권 취득 준비를 위해서 영어, 미국 헌법 등을 열심히 공부해야 되는 쉽지 않은 관문입니다.

그런데 시카고 한인 상록회에서 이민국의 특별한 배려를 받아서 지난 12월 이민국 인터뷰어들이 상록회에 파송되어 이 많은 합격자들을 낼 수 있었다는 데 심심한 사의를 표하지 않을 수 없었습니다.

한글로도 시험보기가 어려우실 터인데 영어로 얼마나 어려웠겠습니까?

그 때 시험을 치른 '후일담'에는 시험관이 "What is your name?" 하고 할아버지 한 분에게 물었더니

"Mr. Bill Clinton" 하고 크게 대답을 하셨다는 우스운 이야기도 있습니다.

아마도 'President's Name'이란 말이 나오면 무조건 "빌 클린턴"이라고 대답을 가르쳐준 자녀들의 말을 들은 노인께서 '네임'이란 말이 나오니까 "당신의 이름이 뭐냐?"는 데도 그만 대통령 '빌 클린턴' 이름을 대었으니 시험관도 웃고 말았다는 후일담입니다.

어떻든 그 어려운 시험에 합격하여 미국 시민이 되신 여러 어르신들께 진심으로 축하를 드립니다.

시카고 선 타임즈에 나온 기사 가운데 미국에서 출생한 열아홉 살 난 린다 박(Linda Park) 양이 외할아버지 백장욱 옹과 외할머니 백영화 씨의 시민권 받는 모습을 보면서 느낀 그녀의 심정은 혼합된 것이었다고 술회하였는데 저도 공감했습니다. 두 분 다 65세 되신 분들께서 시민권 받기를 원해서 결단을 내리시고 그들의 염원을 이루셨다는 것도 경이로운 일이지만, 다른 한편으로는 그들의 전 생애를 살던 한국의 시민권을 포기해야 한다는 데에 주저함이 없지 않았을 것이란 말입니다.

사실 이번에 시민권을 받으신 어르신들이야말로 우리 나라가 일본에 침략당하여 망국의 한을 안고 있던 때에 출생하여 일본

식 이름을 가졌던 사람들입니다. 황국신민, 내선일체를 부르짖
으면서 가령 '가네 에이꼬'라 부르라고 강요당하다가 8 · 15 해
방으로 우리 한글의 '김영자'라는 이름을 찾아 한평생 살아오신
분들입니다. 이제 미국 시민이 되었으니 '에스더 김'으로 바꾸
시지나 않으셨는지 모를 일입니다. 물론 한국 이름을 그대로 간
직하신 분들이 더 많으시리라 믿습니다.

그러나 이중 국적을 인정하지 않는 대한민국이기에 모국의 국
적을 포기하고 미국 시민이 된다는 것은 미국에서 태어나 자란
린다 박 같은 소녀가 느끼는 착잡한 감정(Mixed feeling)을 갖지
않을 수 없었을 것입니다.

실상 저의 부모님만 해도 그렇습니다. 15년 전 제가 아버님 회
갑연에 가서 뵈오면서 미국 이민을 권유했을 때는 한 마디로 거절
하셨습니다. 부모님께서 낳고, 자라시고, 가정을 이루시며, 교회
를 세우시고 장로, 권사로 평생을 바치신 고향과 고국을 어떻게
떠나느냐고 말씀하시며 단호하게 "아니다." 하셨습니다. 겨우 "막
내의 교육과 장래를 위해서"라는 설득으로 미국에 오신 지가 14
년이 되셨습니다. 그런 어머님께서 미국 시민권을 받으셨습니다.

성경은 우리들에게 이런 교훈을 하고 있습니다.

"오직 우리의 시민권은 하늘에 있는지라 거기로서 구원하는
자 곧 주 예수 그리스도를 기다리노니"(빌 3 : 20).

사랑하는 여러분!

우리들은 한국계 미국 시민(Korean American)으로 이 땅의
주인으로서 특권을 누리면서 정정당당히 살아갑니다. 그리고 쇠
하지 않고 변하지 않는 영원한 하늘나라의 시민권도 가지고 살
아가는 3중 국적자라면 어떨까요?

1995년 5월 24일

5 · 18 광주 민주화 운동 그날

오늘은 우리 조국의 '광주 민주화 운동' 15주년이 되는 역사
적인 날입니다. 오늘의 문민정부가 탄생되기까지는 얼마나 많은
사람들이 피를 흘려야 했는지 모릅니다. '4 · 19 학생 혁명' 때
중앙청 앞, 광화문 네거리 등에서 수많은 학생과 젊은이들이 피
를 흘리고 죽어 수유리 4 · 19 국립 묘지에 잠들어 있습니다.

18년간의 긴긴 군사독재가 박정희 전 대통령의 시해로 인해
종언을 고했습니다. 1980년대 초 우리 나라에 민주화의 봄바람
이 불고 있을 때 전두환, 정호용, 노태우 등 신군부 세력이 국민
을 지키고 보호하라는 총칼로 정권을 장악하기 시작한 것이 광
주 민주 항쟁의 불씨가 된 것은 역사가 증명하고 있습니다.

고려대학교 정치학과 최장집 교수는 "80년 5월 광주항쟁은 군
부독재를 부정하고 시민 항쟁을 통해 민주화를 우리 사회의 중
심 이슈로 부각시킨 한국 현대사의 가장 중요한 사건 중의 하나

였습니다."라고 논술하였습니다. 그는 이어서 "우리 주변에서는 광주 항쟁을 호남 지역 주민들의 지역 불만 표출의 결과쯤으로 이해하는 경우가 많은데 이것은 군부, 권위주의가 만든 정치 · 사회적 균열과 갈등의 중심에 놓인 호남 문제를 지역 감정, 지역 이기주의의 일반적 표출 형태로 이해하는 것이라."라고 비판했습니다. 회고록은 결론적으로 "6월 항쟁과 민주적 개방을 가능케 한 80년대 민주화 운동의 정신과 자원이 바로 이 광주 항쟁에서 발원했다. 그리하여 민주주의가 있게 한 역사적 계기로 자리매김된다."라며 높이 평가했습니다.

심리학자들은 광주 시민들의 심리 상태가 마치 나치 수용소의 유대인들이 겪었던 경험과 유사하며 '집단 동조의식'으로 발전하였다고 5 · 18의 광주 시민 후유증을 진단하고 있습니다.

사망자 239명, 부상자 2,627명, 행방불명자 47명 등 3천 명이 넘는 사상자를 내었고, 시민들의 재산과 정신상의 피해는 어떠한 보상금으로도 치유할 수 없다고 합니다.

전 · 노 군사정권이 계속해서 '반란'이라고 낙인찍던 5 · 18이 이제 와서 '민주화 운동'이라는 역사적 평가를 받게 된 것은 참으로 반가운 일입니다.

이 민주화 운동은 군사정권이 몰아갔던 어떤 지역 이기주의나 불만의 표출이 아니라 온 나라 백성들의 염원인 민주화 운동의 결과였음을 잊어서는 안 될 줄 압니다.

6공 시절 열린 광주 청문회에서도 확실한 문제의 해답이 없었고, 현재 진행중인 검찰의 5 · 18 고소, 고발 사건이 수사 진행 중에 있습니다만 이 역사적인 사실은 확실히 밝혀져야만 합니다.

저는 2년 전 모국 방문시에 전남 해남에서 목회하고 있는 저의 처조카 사위를 방문하고 돌아오는 길에 광주에서 1박을 한 적이 있습니다. 마침 광주에서 목회하고 있는 신학교 후배가 찾아와서 망월동 5·18 묘역을 찾아가자고 하여 따라갔었습니다.

사실 저에게는 그렇게 실감이 나거나 어떤 정서가 다가오는 것은 아니었습니다. 5·18 당시 저는 미국에 있었고 여기서 간간이 나오는 미국 뉴스와 한국 신문들을 통해서 소식을 접한 것이 전부였습니다.

그러나 망월동 묘역을 가는 차 안에서 그가 들려준 당시의 학생들과 광주 시민들의 민주화 투쟁담은 눈물 없이는 결코 들을 수 없는 것이었습니다.

사랑하는 동포 여러분!

우리는 지금 조국을 멀리 떠나와 살고 있습니다. 그렇다고 꿈엔들 우리 조국을 잊을 수가 있겠습니까? 조국의 민주화와 발전을 위해 우리는 날마다 조국을 향한 기도와 후원을 쉬지 말아야 되지 않을까요?

조국의 통일, 조국의 민주화 발전! 이것이야말로 우리 민족의 숙원이 아니겠습니까?

1995년 5월 18일

어버이날 단상

엊그제 월요일인 5월 8일은 우리 한국에서 어버이날로 지키는 날이었고 미국에서는 다음 주일이 어머니 주일입니다.

지난 주말 믿음선교회를 주관하는 최진국 목사님이 제 사무실에 찾아와 어머니날 '하모니' 양로원에서 부모님들을 위한 축하 잔치를 한다며 제게 설교를 부탁해 왔습니다.

월요일은 아침부터 비가 내리고 있었습니다. 오후 2시 반부터 시작된다기에 '포스터'와 '플라스키'가 만나는 곳에 위치한 양로원으로 갔습니다. 2층 식당에는 대부분 휠체어를 타고 앉아 계신 할머니, 할아버지들 40~50여 분이 계시고 그의 가족들까지 해서 빽빽히 자리하고 있었습니다.

시간이 되자 한복을 차려입은 한국인 여직원이 인사말과 소개를 하고 이어서 최 목사님의 사회로 예배를 시작했습니다.

사철에 봄바람 불어 잇고
하나님 아버지 모셨으니
믿음의 반석도 든든하다
우리집 즐거운 동산이라

어버이 우리를 고이시고
동기들 사랑에 뭉쳐 있고
기쁨과 설움도 같이하니
한간의 초가도 천국이라

아침과 저녁에 수고하여
다같이 일하는 온 식구가
한상에 둘러서 먹고 마셔
여기가 우리의 낙원이라

〈후렴〉 고마와라 임마누엘 예수만 섬기는 우리집
　　　고마워라 임마누엘 복되고 즐거운 하루하루

　이 찬송(305장)을 함께 부르고 있을 때 거기 모인 할머니 할아
버지들의 눈가에 이슬 같은 눈물이 맺혔습니다. 같이 부르는 저
의 가슴도 뭉클해졌습니다. 설교 순서가 되어 저는 요한복음 14
장 1~18절의 말씀을 봉독해 드렸습니다.
　"너희는 마음에 근심하지 말라 하나님을 믿으니 또 나를 믿으
라 내 아버지 집(天國)에 거할 곳이 많도다 …… 내가 곧 길이요
진리요 생명이니 나로 말미암지 않고는 아버지께 올 자가 없느
니라 …… 내가 너희를 고아와 같이 버려두지 아니하고 너희에

게로 오리라"

저는 이 본문에 의지해서 어르신들에게 간단한 설교 말씀을 드렸습니다.

얼마 전 우리 교회 장로님 한 분의 모친이 87세로 이 양로원에서 하나님께로 가셨습니다. 그날 그 장로님은 자기 친구와의 대화에서 "이젠 내가 고아가 되었네!"라며 슬퍼했다고 합니다.

"사랑하는 여러분! 어르신들께서는 일생 동안 자식들을 위하여 희생하시고 이젠 몸이 노쇠하여 이렇게 계십니다. 그러나 여러 어르신들께서 고난 속에서라도 살아 계시기 때문에 여러분들의 아들딸들은 고아가 되지 않고 열심히 나아가서 일터에서 자기의 본분을 다하고 있는 것입니다. 여러분들이 자녀들을 위해 하나님께 드리는 기도를 통해서 하나님의 축복이 자손들에게 응답되어짐을 믿고 감사드립니다. 부디 오래오래 사시어 자손들의 효도를 받으시기 바랍니다."라고 말씀드렸습니다.

저는 우리 교포 노인들이 많이 계신 로렌스의 앰베서더 양로원과 지금 말씀드리는 하모니 양로원을 자주 찾아갑니다. 그 두 곳에서는 참으로 귀한 사역을 숨어서 빛도 없이 희생적으로 감당하시는 두 분 목사님이 계십니다. 스웨디쉬 병원과 앰베서더 양로원에서 근 10년 가까이 봉사하시는 병원선교회의 장민호 목사님과 하모니 양로원을 중심으로 봉사하는 최진국 목사님이 바로 그분들입니다.

이 두 분 목사님께서는 어떤 큰 교회를 지향하시거나 이름을 날리려는 그런 목회자가 아니라 자신을 희생하며 오로지 병상에서 아픔과 고독 가운데 계신 환자들을 찾아가 위로하시고 기도로 용기와 희망을 심어주는 사역을 감당하고 계십니다.

사랑하는 여러분!

우리들 주변에는 소외되고 병든 이웃들이 많이 있습니다. 그
들을 위해 사역하시는 병원선교회, 믿음선교회를 위한 기도와
후원도 필요합니다. 또 우리들도 자원하여 봉사함으로써 포근하
고 따뜻한 사랑의 공동체를 이루면 얼마나 좋을까요?

1995년 5월 11일

천국의 어린이

어린이는 우리들의 최대 희망이자 꽃입니다. 예수님께서도 "천국에서는 누가 제일 크니이까?"라고 묻는 그의 제자들에게 어린이 하나를 불러 그들 가운데 세우시고 "너희가 돌이켜 어린 아이들과 같이 되지 아니하면 결단코 천국에 들어가지 못하리라 그러므로 누구든지 이 어린아이와 같이 자기를 낮추는 그이가 천국에서 큰 자니라"(마 18 : 3~4)라고 말씀하셨습니다.

내일은 우리 나라에서는 '어린이날'로 지키는 날입니다. 어린이날은 어린이를 사랑하시던 소파 방정환 선생님에 의해 제정되어 매년 지켜지고 있습니다.

만약 어린이가 이 세상에서 점점 줄어들고 어린이들이 바르게 자라지 못한다면 이 세상은 소망이 없어질 것입니다.

그런데 요즘 세상엔 점점 어린이 인구는 줄어들고 노령 인구만 늘어가고 있습니다. 2천년대에 가면 노인 인구가 인구의 절반을 넘어설 것이라고 사회학자들은 진단합니다. 왜냐하면 의학의 발달로 산아제한이 임의대로 실시되고 인간의 수명이 점점 연장되어 가기 때문입니다.

물론 노인들이 오래 사시면서 후손들을 위해 계속하여 현자(Wiseman)로서 삶의 방향을 인도해 준다면 이 세상이 얼마나 좋은 세상이 되겠습니까?

그런데 어린이의 수는 계속 줄고, 그중에서도 아들만 선호하는 우리 나라에서는 많은 여아들이 성감별을 통해 태어나기도 전에 살해당하고 만다면 언젠가는 옛날 중국 송방의 여자들처럼 전족이라도 해야 할 때가 오지 않을지 모르겠습니다.

예수님 당시의 유대 사회에서도 여인들과 아이들은 인권이 유린되고 사람 취급도 받지 못하였다고 합니다. 그러기에 예수님께서는 '어린이의 존귀성' 을 '천국에서 제일 큰 자' 라고 교훈을 하시고 "만일 사람들이 어린이 하나를 영접하면 곧 나(예수님, 천국)를 영접하는 것과 같으며 또한 누구든지 나(예수님)를 믿는 소자 중(어린이) 하나를 실족게 하면 차라리 연자맷돌을 그 목에 달리우고 깊은 바다에 빠뜨리우는 것이 나으니라" 라고 하셨습니다.

그리고 성경은 "아비들아 너희 자녀를 노엽게 하지 말고 오직 주의 교양과 훈계로 양육하라"(엡 6 : 4), "마땅히 행할 길을 아이에게 가르치라 그리하면 늙어도 그것을 떠나지 아니하리라"(잠 22 : 6)라고 교훈하여 줍니다.

저는 얼마 전 이 시간을 통하여 베이비 리처드에 관한 이야기를 말씀드린 적이 있습니다.

지난 1991년 봄, 오타카 커치너라는 청년과 다니엘라라는 처녀가 서로 연애를 하여 낳은 리처드 군이 생후 4일 만에 샴버그에 사는 젊은 부부의 양자가 되어 길러졌었습니다. 그의 생모 다니엘라 씨가 그의 애인 커치너가 변심한 것으로 오해하였던 것이 큰 이유였습니다. 그러나 입양 2개월 만에 그들은 화해하고 결혼을 하게 되자 부인 다니엘라 씨의 고백을 통해 입양 사실을 알게 된 커치너는 리처드 군을 되돌려 달라는 입양 무효 소송을 제기하였던 것입니다.

그동안 4년여 간 끌어오던 재판이 "생부모에게 되돌려 주라"는 판결로 막을 내렸습니다. 양부모들은 즉각 연방대법원에 상고하였으나 기각이 되었고 지난 30일 생부모들은 변호사를 대동하여 리처드 군을 자신들의 품에 되돌려 받게 된 것입니다.

참으로 '낳은 정, 기른 정' 어디에 더 무게를 두어야 할까요? 그러나 "피가 물보다 진하다"는 이론일까요? 법은 '낳은 정'에 손을 들어준 것입니다.

그러나 어린이날이 아니더라도 어린이를 기르는 부모 입장에서 생각하면 역시 비극이 아닐 수 없습니다. 세상 인심은 모두다 양부모 편으로 기울어져 생부모가 리처드 군을 빼앗아 가는 양 '야유'를 퍼붓기도 했다는 보도입니다.

왜 어른들의 실수로 어린이들이 이렇게 희생되어야 하나요?

사랑하는 여러분!

어린이날에 즈음하여 우리에게 선물로 주신 천국의 어린이들을 정성과 사랑으로 양육하여 훌륭한 역사의 주인공들을 만들어 봅시다.

1995년 5월 4일

한줄기 빛으로
-오클라호마 시 폭파사건에 부쳐

　누군가가 '잔인한 4월'이라고 하였습니다. 계절적으로 보면 성큼 봄이 다가와 만물이 기지개를 켜고 새싹이 움터오는 시기요, 여기저기 꽃들이 피기 시작하고 향기가 물씬 풍겨오는 아름다운 계절입니다. 그런데 이에 반해 우리네 인간들은 이때에 잔인한 살상극을 벌이고들 있으니 왜 그런지 모를 일입니다.

　젊은이들이 독재에 항거하여 분연히 일어서 궐기하다가 총탄에 쓰러진 4·19가 35주년을 맞이하였습니다. 다시 '혁명'이란 이름으로 초등학교 교과서에 수록되고 수유리 4·19 묘지가 '국립 묘지'로 명명되었다는 반가운 소식입니다. 그러나 그 때 어리고 젊은 학생들이 흘린 피의 대가는 아직도 충분히 받아들여지지 않고 있으며 그들의 부모와 형제들의 가슴에 박힌 못은 여전히 아프게 울리고 있는 것입니다.

　이제 내일 모레면 LA의 4·29 폭동 3주기를 맞이하게 됩니다.

조국을 등지고 멀리 태평양을 건너와 피와 땀과 눈물로 이루어 놓은 우리 교포들의 사업 터가 하룻밤 사이에 불바다가 되어버렸으니 지금도 우리들의 가슴에 한이 넘치고 있습니다.

4월은 잔인한 달입니다.

아프리카 르완다의 남서부 키베호 난민촌에서는 지난 22일 정부군이 2천여 명의 후투족 난민을 잔인하게 학살하였고, 이를 피해 10만 명의 난민들이 필사의 탈출을 하고 있다는 소식입니다. 국민을 보호해야 할 군인들이 힘 없는 그들을 향해 총을 난사하여 수천의 인명을 살상하다니 참으로 한탄스러운 일입니다.

지난 19일은 우리 겨레에게는 4·19 혁명 기념일이었고, 미국민에게는 전율하리만큼 끔찍한 비극의 날이었습니다. 역시 그날은 피의 날이었던 것 같습니다.

2년 전 텍사스의 와코(Waco)에서는 브랜치 데이비디안(Branch Davidian)이란 사교 집단이 연방 마약 전매 단속반의 조사를 거부한 채 집단 폭사한 날인데, 같은 날 이에 앙심을 품은 극우 단체 페트리엇 그룹(Patriot Group) 멤버들에 의해 오클라호마 시의 연방정부 건물이 폭파되었습니다.

어린이 17명을 포함한 87명의 사망자와 아직도 150여 명이 실종상태이고 수많은 부상자들이 신음하고 있습니다. 미국은 물론 온 세계가 경악을 금치 못하고 이 테러리스트의 공포 속에 전율하고 있습니다.

처음 이 사고가 발발하자 미국민들은 이는 틀림없이 외국인들, 특히 아랍계 회교근본주의자들의 소행일 것으로 심증을 굳히고 있었습니다. 그래서 심지어는 중동계 미국인들의 집에는 돌이 날아와 안방 유리창이 박살나고 그들이 증오의 대상이 되기도 했습니다. 그래서 미국 안에 있는 회교 지도자들은 자신들은 이

사건과 절대 무관하다는 성명서를 발표하기에 이르렀습니다.

그런데 이러한 예상을 뒤엎고 백인 미국인 티모시 맥베이 (Timothy McVeigh)가 범인으로 검거되자 미국민들은 아연실색함과 동시에 허탈감에 빠지게 된 것입니다.

백인 우월주의, 인종 차별이 외국인들을 백안시하고, 마치 이민 온 유색 인종들 때문에 미국이 망해 가는 양 떠들던 현 공화당의 리더들도 망연자실하고 있을 것입니다. 심지어는 깅그리치 하원의장이 이를 유도했다는 비난을 받을 정도이니 말입니다.

지금 미국 안에는 이러한 백인 우월주의 극우 집단들이 언제 다시 유색 인종들을 공격할지 모르는 마치 시한폭탄적인 광신 집단이 200여 개가 있다는 통계입니다.

사랑하는 여러분! 이와 같은 무서운 세태 속에서 우리가 어떻게 지혜롭게 살아 목숨을 부지할 수가 있을까요? 칠흑같이 어두운 밤이면 비록 작은 반딧불도 길 안내가 되고, 멀리 창공에서 비취는 북두칠성도 길 안내가 되듯이 우리 모두가 "너희는 세상의 빛이라"는 그리스도의 말씀을 따라 한줄기 빛을 발하는 삶을 살아가야 하지 않을까요?

1995년 4월 27일

인생을 사는 지혜

톨스토이는 인생을 다음과 같은 우화로 서술했습니다.

어떤 사람이 들판에서 갑자기 돌풍같이 달려드는 들소를 피하기 위해서 사력을 다해서 달려갑니다. 만약 그가 지쳐서 들소에게 잡혀 뿔에 받히기만 하면 현장에서 끝장이 나고 말 것입니다. 들소는 계속해서 씩씩거리며 쫓아오고, 사람은 이를 피해 도망갑니다.

얼마쯤 가다가 사람은 마침 구덩이 하나를 발견해 그 속으로 몸을 숨기려 합니다. 그런데 이게 웬일입니까? 그 구덩이 밑바닥에는 독사들이 우글거리고 있습니다. 그 속으로 들어갔다가는 독사들의 밥이 되고 말 것입니다.

뒤에선 여전히 들소가 뿔을 들이대고 계속 공격해 옵니다. 마침 구덩이 안벽에 보니 나무등걸이 하나 삐죽이 나와 있었습니다. 그 사람은 재빨리 그 나무등걸을 붙잡고 거기에 매달려 겨우

위기를 모면하게 됩니다. 들소는 구덩이에 도착하여 씩씩대고 있습니다. 그런데 또 이게 웬일입니까?

어디에서 나왔는지 하얀 쥐와 검은 쥐가 그가 붙잡고 있는 나무등걸을 교대로 갉아먹고 있는 것이 아니겠습니까?

언젠가 그 나무등걸이 쥐들에 의해 다 갉아먹히면 그는 구덩이 속으로 떨어져 독사들의 밥이 되고 말 것입니다. 그런데 얼마 후에 콧잔등에 찬물 같은 것이 떨어져 흘러서 입으로 스며들어오는데 혀로 맛을 보니 달콤한 꿀이었습니다. 나무등걸에 붙어 있는 벌통에서 꿀이 한 방울씩 떨어져 코를 타고 입술로 들어오자 그 사람은 달콤한 맛에 취해 위에 있는 들소의 으르렁대는 소리도 나무등걸을 교대로 씹고 있는 흰쥐와 검은 쥐도 발 밑에 있는 독사도 모두 잊어버린 채 희희낙락하며 웃기만 하고 있습니다.

이것이 곧바로 저와 여러분을 포함한 인간의 삶이란 것입니다. 여기 쫓아오는 들소는 우리들이 매일 쫓기듯 감당해야 하는 일들이요, 우리가 피난처라고 들어간 구덩이는 언젠가 떨어질 무덤인데 들어가기 전 삶의 목적이나 꿈 같은 나무등걸을 움켜쥔 채 생사를 걸고 투쟁하고 있는 것입니다. 또 흰쥐는 낮이요 검은 쥐는 밤을 상징하는 것으로 밤과 낮이 계속하여 인생이 쥔 목표와 꿈을 갉아먹으면 언젠가 죽음의 나락으로 떨어지게 된다는 것입니다. 그 사이에 인생은 꿀 같은 쾌락에 빠져 마치 마약에 도취되어 모든 것을 잊고 살아가는 듯하지만 언젠가는 인생의 종말이 오고 맙니다.

저는 지난 주말 한국일보 시카고 지사의 육길원 편집국장이 쓴 금요 칼럼 '아리랑 식품점 주인 박영기 씨의 죽음'을 읽고 많은 상념이 스쳐감을 느꼈습니다.

그는 60년대 초에 독일에 광부로 갔다가 60년대 중반에 미국으로 건너와 시카고 이민의 장을 연 개척자였다고 했습니다. 그는 일찍이 클락 거리에 '아리랑' 한국 식품점을 열어 고향 떠난 이민자들에게 고향의 맛을 보게 하는 데 일익을 담당한 자였습니다. 그런데 그는 365일 좌우 옆도 안 보고 앞만 보고 뛰었다고 했습니다.

그러다가 55세의 한창의 나이에 다시 올 수 없는 저 세상으로 홀쩍 떠나고 말았습니다.

이는 비단 그 사람의 이야기만이 아닌 우리 모두의 이야기라고 생각됩니다. 이민 1세인 우리들이 남의 나라에 와서 빨리 돈도 벌고 집도 사서 정착하여 2세들에게만은 밝은 내일을 열어 주려고 뒤도 옆도 보지 않고 계속 달려가고 있는 것 아닙니까?

한때 유럽에서 온 서부 개척자들이 뉴잉글랜드에 도착하여 말을 타고 서부를 향해 쉼없이 달려가다가 중도에 지쳐서 쓰러져 죽어갔습니다. 그러나 청교도들은 서부를 향해 가면서도 주일이 되면 하루를 안식하면서 하나님께 예배드리고 또 가다가 쉬곤 하여 결국 서부에 도달하여 오늘의 찬란한 미국을 세웠던 것입니다.

사랑하는 여러분!

옆에 있는 이웃, 형제들, 친구들도 바라봅시다. 그리고 위에 계신 조물주 하나님을 바라보시면서 긴 여정을 끝까지 성공적으로 완주하여 보시지 않겠습니까?

1995년 4월 20일

Golden Rule의 계절

지금부터 1백여 년 전 비바람이 몹시 내리치던 어느 날 새벽 한 시경 필라델피아의 조그만 호텔 로비에 나이가 지긋한 노부부가 들어섰습니다.

"방이 있습니까?"

종업원은 "객실엔 전부 손님이 들었습니다. 지금 이 도시에는 어느 다른 호텔에 가셔도 방이 없습니다.(왜냐하면 그 주간 그곳에선 큰 컨벤션이 열리고 있었기 때문에) 하지만 비가 이렇게 쏟아지는데 어딜 가시겠습니까? 괜찮으시다면 제 방에서 주무십시오. 좀 누추하지만요."라고 했습니다.

그 다음 날 노신사 부부는 숙박비를 지불하려 하는데, 그 젊은 종업원은 사양을 했습니다.

"당신은 미국에서 제일 좋은 호텔의 사장이 되어야 할 경영자로군요. 언젠가는 내가 당신을 위하여 호텔을 하나 지어드리지요." 하고 노인은 떠나갔습니다. 종업원은 속으로 웃어넘겼습니다.

그 후 2년이 지난 어느 날 그 호텔 종업원은 뉴욕으로부터 '와달라'는 편지와 비행기표를 받게 되었습니다. 뉴욕에 도착한 그는 뉴욕 맨해튼의 중심가에 거대하게 신축된 대리석 호텔로 인도되었습니다.

노인은 젊은이를 향해 "바로 이 호텔이 내가 지은 호텔이오. 당신이 경영해 주구려."라고 일러주었습니다. 이 젊은이는 곧 워돌프 아스토리아 호텔의 초대사장이요 경영자였던 조지 C. 볼트 씨였습니다. 그 노신사는 바로 이 호텔의 주인인 윌리엄 워돌프 아스토리아였던 것입니다.

그 호텔이 곧 노신사 워돌프 아스토리아의 이름을 딴 유명한 워돌프 아스토리아 호텔입니다.

저는 지난 목요일부터 주일까지 뉴욕 한인 중앙교회의 부흥회를 인도하였습니다.

부흥회 둘째 날 새벽 기도회를 마치고 조반을 먹기 위해서 간 곳이 바로 이 워돌프 아스토리아 호텔이었습니다. 마침 그 교회의 여집사 중 한 분이 이 유명한 호텔 전체의 꽃 디자인을 맡았을 뿐만 아니라 식당의 식단까지도 과일과 꽃으로 장식을 하시는 분이었으므로 그 호텔에 대한 자세한 소개를 들을 수가 있었습니다. 전세계의 대통령이나 유력 인사들이 뉴욕을 방문할 때는 반드시 이 호텔에서 유숙한답니다. 물론 클린턴 대통령 부처도 이곳에서 유숙했다고 하는데 하룻밤 호텔료가 3천 달러라고 합니다.

신약 성경에는 예수님께서 가르쳐준 다음과 같은 황금률(Golden Rule)이 나옵니다.

"그러므로 무엇이든지 남에게 대접을 받고자 하는 대로 너희도 남을 대접하라 이것이 율법이요 선지자니라"(마 7 : 12, 눅 6 : 31).

필라델피아의 이름 없는 호텔 종업원이었던 젊은 조지 C. 볼트 씨는 하룻밤 유숙을 원하는 노신사에게 아무 사심 없이 자기의 방을 내주었다가 세계에서 제일 유명한 워돌프 아스토리아 호텔의 초대 사장자리에 오르게 된 것입니다.

사랑하는 여러분! 오늘은 성목요일(Maundy Thursday)로 지키는 날입니다.

이날은 예수님께서 십자가에 달리시기 위해 잡히시기 전날 밤 다락방에서 제자들과 함께 최후의 만찬을 나누신 날입니다. 예수님께서는 성만찬 석상에서 친히 제자들의 발을 씻겨 주시면서 "내가 스승으로서 너희들의 발을 씻긴 것처럼 너희들도 다른 사람들의 발을 씻겨 주는 자가 되라." 하고 일러주셨습니다.

사랑하는 여러분! 오늘 우리가 사는 사회는 너무나 많은 사람들이 높은 자리에 올라 남의 대접만 받으려는 데 문제가 있습니다. 우리 모두가 서로 남을 나보다 낫게 여기며 사랑하고 대접하며 산다면 얼마나 아름다운 사회가 될까요?

우리 주 예수 그리스도께서는 십자가를 지시기까지 우리 인간을 사랑하시고 구원하시기를 원하십니다. 부활하신 주님의 평강과 은총이 여러분 모두에게 함께하시기를 축원합니다.

1995년 4월 13일

고난의 의미

얼마 전 우리 교회의 나이 많은 집사님 댁을 병문안차 방문하였습니다. 그 집사님께서는 심장수술을 받으시고 집에서 가료중이었습니다. 그 집사님의 표현대로라면 온몸을 다 열어놓고 수술을 받으셨다는 것입니다. 그러면서 그 집사님께서는 "산에 높이 오르지 않으면 하늘의 높음을 모르고 깊은 계곡에 들지 않으면 땅의 두꺼움을 알 수 없다."는 옛 성현의 말씀을 들려 주셨습니다.

"사람이 평소에는 하나님의 은혜를 모르고 살다가 이와 같이 무서운 괴로움과 도탄에 빠져야 하나님의 놀라우신 은혜를 깨닫게 됩니다."라고 간증을 들려주어 문병 간 우리들이 더 은혜를 받고 돌아왔습니다.

철인 파스칼은 "당신(하나님)을 섬기라고 내게 건강을 주셨건만 나는 세상을 위하여 다 써버렸습니다. 이제 나를 일깨워 주시려고 내게 병을 주셨나이다."라고 고백하였습니다.

C. S 루이스(Lewis)는 그의 저서 「고통의 문제」에서 다음과 같이 쓰고 있습니다.

"사람은 무서운 일이 일어나기 전에는 하나님께 귀를 기울이지 않는 습성이 있다. 그러므로 고통이란 것은 귀머거리에게 알아듣도록 하는 하나님의 확성기이다."

시편 119편 67절에도 보면 "고난당하기 전에는 내가 그릇 행하였더니 이제는 주의 말씀(성경)을 지키나이다"라고 하였습니다.

존 밀턴은 40세 한창 일할 나이에 맹인이 되고 아내마저 잃는 비극을 맞았습니다. 그는 그런 고난 속에서 「실락원」이라는 불후의 명작을 남기었습니다. 그러고 난 후 밀턴은 "오 주님! 이런 고통을 통하여 내 영혼이 수그러짐은 나의 창조자를 섬기기 위함이니이다. 고난은 하나님을 섬길 수 있는 인격을 위해 필요한 것입니다."라고 고백하였습니다.

사랑하는 여러분! 지금 이 기간을 우리 기독교에서는 사순절이라 부르며 경건하게 지냅니다. 하나님께서 인류를 구원하시기 위하여 만민의 구주로 예수 그리스도를 이 땅에 보내사 우리의 죄를 대신 지시고 십자가에서 고난당하시고 돌아가시게 하셨습니다.

예수님께서는 자신을 위해서가 아니라 죽어가는 인류를 위하여 희생 제물이 되시고 부활하셔서 누구든지 저를 믿는 자에게는 영생을 얻는 길을 열어 놓으셨습니다. 그러므로 주께서는 친히 "내가 곧 길이요 진리요 생명이니 나로 말미암지 않고는 아버지(하나님)께로 올 자가 없느니라"(요 14 : 6)라고 말씀하셨습니다.

누가 고난당하기를 좋아하겠습니까? 될 수 있는 대로 고난은 나의 생애에서는 절대로 없어야 할 것으로 생각하고, 소원합니다.

그러나 일생을 살아가는 동안 단 한 번도 고난을 당하지 않는 자는 없습니다. 그래서 인생을 고해(苦海)라 하지 않습니까? 고난과 풍파가 많은 바다란 의미입니다. 그러나 그 고난과 시련이란 우리가 잘 견디고 극복하고 나면 오히려 우리에게 큰 유익을 주고 의미를 깨닫게 하는 진주같이 귀한 것이 됩니다.

이 사순절 기간에 우리 몸소 고난의 의미를 되새기며 지금 우리 자신이 처한 고난 속에서도 진주같이 빛나는 희망을 내다보시기 바랍니다.

로마서 5장 3~4절에 다음과 같은 말씀이 우리에게 교훈을 주고 있습니다.

"다만 이뿐 아니라 우리가 환난중에도 즐거워하나니 이는 환난은 인내를, 인내는 연단을, 연단은 소망을 이루는 줄 앎이로다"

1995년 4월 6일

'성희롱'으로 고소당한 교포

지지난 주말 저는 애리조나 주 피닉스에 다녀왔습니다. 그곳 한인 교회에서 제직 수련회와 집회를 인도하고 가까운 곳에 있는 그랜드캐니언 국립공원을 가보았습니다.

참으로 장관이었습니다. 동행했던 장로님의 말이 "아마도 노아 홍수 때 이렇게 기암절벽이 생겨난 것이겠죠" 하시는데 그런 것 같기도 하였습니다.

그곳을 다녀오면서 차 안에서 그 장로님으로부터 들은 이야기입니다.

그분이 섬기는 교회에 한 신도가 식품점을 경영하고 있는데 하루는 아침 일찍이 국제 결혼을 한 교포 여인이 찾아와 떡을 사 먹더랍니다. '얼마나 먹고 싶었으면 저렇게 아침 일찍 떡을 사먹을까?' 측은히 여긴 주인이 한국산 봉봉오렌지 주스를 한 캔 마시라고 주면서 그녀의 어깨를 탁탁 쳤다고 합니다. 그녀가 사양

하면서 받지 않으려 해서 "괜찮으니 드십시오."라고 무심코 그녀의 어깨에 손을 댄 모양입니다.

그녀가 맛있게 먹고 떠난 얼마 후 경찰차 너덧 대가 들이닥치면서 식품점 주인을 체포하여 갔습니다. 영문도 모르고 쇠고랑을 차고 유치장에 갇힌 그 사람은 가족들이나 그 누구의 면회도 금지되어 가족들이 변호사를 임용하여 알아본 결과 그의 죄목은 '성희롱'이라는 것이었습니다.

아침에 떡을 사먹고 간 그 교포 여인이 그 남자가 자기의 어깨를 만지고 성희롱을 했다고 경찰에 신고한 것입니다.

참으로 기가 막힌 사실이었습니다. 아침부터 와서 떡을 사 먹는 교포 여인을 측은히 여겨 주스를 대접하려다가 어깨를 손으로 두들겨 준 것밖에 없는데 그것이 성희롱 죄가 될 줄을 누가 알았겠습니까?

이런 말을 누구에게 하소연하겠습니까? 창피하기도 하고.

변호사의 청원으로 보석금을 내고 집에 돌아왔습니다.

이 소식을 들은 교회의 목사님과 교인들 그리고 교포들이 서명운동을 폈습니다. 이분은 참으로 좋은 분이요, 교회에서도 신앙은 깊지 않지만 봉사도 잘하는 분이라고 호소했습니다.

얼마 후에 재판이 열렸습니다.

변호사가 교인들과 교포들의 서명장을 재판장에게 제출하고 자세히 변호를 했습니다. 한국 사람들은 친절의 표시로 어깨를 만지거나 살짝 쳐주는 습관이 있다고.

"그것이 어떤 성희롱이나 그런 것과는 다르다. 그리고 이분은 교회도 잘 다니고 열심히 봉사하는 분이며 교포 사회에서도 칭찬 듣는 사람이다."라고 설명했습니다.

얼마간 듣고 난 재판장이 "그러면 교회를 잘 나가고 열심히 봉사한다고 증명할 수 있는 무엇이 있느냐?"고 물었습니다.

그 사람은 문득 얼마 전 교회당 지붕이 새고 교실이 헐어서 (이분이 목수 기술이 있기에) 며칠 동안 무료로 수리를 하였는데 교회에서 이에 감사해서 그에게 감사패를 주어 받은 것이 기억났습니다. 그래서 자기 부인이 가서 집을 샅샅이 뒤져 교회에서 준 감사패를 갖다가 변호사에게 넘겨주었습니다.

변호사가 감사패를 재판장에게 제출하니 재판장이 그 감사패를 받아 읽더니 즉석에서 그 사람을 석방시켰다고 합니다.

뿐만 아니라 뒤에 조사해 보니 그를 고발한 교포 여인의 남편이 얼마 전에 경찰에서 파면당한 실직자로서 이를 이용해서 돈을 우려먹으려 했다는 심증을 잡고 오히려 재판비용을 그녀가 부담하도록 했다는 이야기였습니다.

세상에 "돈이 뭐기에" 친절을 베푼 같은 동포를 고발한다는 것입니까?

사랑하는 여러분! 우리가 서로 동포애를 가지고 먼 이국 땅에서 서로 사랑하고 격려하며 살아간다면 밝은 Korean American Community가 되지 않을까요?

1995년 3월 26일

제5부
거기엔 먹을 것은 없습니까?

거기엔 먹을 것은 없습니까?

어느 홀로 사시는 돈 많은 부인이 너무나 외롭고 쓸쓸하여 애완용 동물을 파는 가게(Pet Shop)에 가서 주인에게 물었습니다.

"나와 친구가 될 만한 애완 동물로는 무엇이 좋겠습니까?"

"네, 그거라면 말을 하는 앵무새가 제일이지요."라고 대답하는 주인의 추천을 따라 앵무새와 새 둥지를 많은 돈을 주고 사왔습니다. 그리고 밤이 새도록 앵무새를 앞에 놓고 그 새가 무슨 말을 해주기를 기다렸습니다. 그러나 그 앵무새는 말은커녕 지저귀는 소리 하나 없이 눈만 껌벅껌벅하고 있었습니다.

날이 새기를 기다린 부인은 새를 사온 가게로 달려갔습니다.

"여보시오, 어제 사간 앵무새가 도대체 말을 하지 않습니다."

"그래요? 아! 그 새가 거울을 좋아하는데 새장에 거울을 달지 않았군요? 이 거울을 사다가 새장에 달아 주면 거울을 보면서 말을 시작할 것입니다."라고 가게 주인이 대답하자 그 부인은 또

값비싼 거울을 하나 사 가지고 와서 새장에 달아 놓았습니다. 그런데 어떻게 된 영문인지 앵무새가 그날도 말을 하지 않았습니다. 그 이튿날 좀 속이 상한 부인은 또다시 가게로 달려가 불평을 했습니다.

"새가 여전히 아무 말을 하지 않아요."

"아! 깜박 잊었군요. 이 그네를 갖다 걸어 주세요. 그러면 새가 그네를 타면서 신이 나면 말도 하고 노래도 부를 것입니다."

그 부인은 할 수 없이 값비싼 그네를 사다가 새장에 달아 주고 무슨 말을 하기를 기다렸습니다. 그 밤도 말 한마디 없는 새와 실랑이만 벌이다가 날을 새우고 이젠 화가 잔뜩 난 얼굴로 애완동물 가게로 달려갔습니다.

"도대체 사람을 약올리는 것입니까? 해줄 것 다 해주어도 말이 없으니……."

"마님, 참 죄송합니다. 이 사다리를 가져다가 걸어 주면 그 앵무새가 오르락내리락하면서 즐거워하고 말을 하게 될 것입니다."

부인은 사다리를 사다가 새장 안에 걸어 주었습니다.

며칠 동안 새와 씨름을 하다가 지친 그 부인이 깜박 잠들었다가 눈을 떠보니 이젠 그 앵무새가 날개를 축 늘어뜨리고 죽어 있었습니다.

단숨에 그 새를 판 가게로 달려온 부인은 씩씩대며 분통을 가게 주인에게 터뜨렸습니다.

"여보시오, 그 새가 어젯밤에 죽어버렸소."

가게 주인이 물었습니다.

"아니, 부인 그 새가 한마디 말도 없이 죽었단 말입니까?"

"아! 꼭 한마디하고 죽었습니다. 그 가게에선 먹을 것을 팔지 않느냐?"

얼마 전 어느 친구 목사가 아침 기도회 시간에 전해 준 우화 한 토막입니다.

"과연 거기엔 먹을 것은 없더냐?"

오늘날 현대인들의 생활 패턴을 비유한 좋은 예화가 아닌가 합니다.

현대인들은 군중 속에서도 고독을 느끼며 살아가고 있습니다. 그 고독을 해결하기 위해서 온갖 외부적인 조건을 갖춰 보려고 노력합니다. 크고 좋은 집을 장만하고 그 안에 좋다는 것은 모두 다 사다가 장식을 해 놓습니다. 마치 자녀들도 애완 동물처럼 잘 입히고 좋은 것으로 꾸며 주며 필요한 것 다 갖춰 주면 저절로 잘 될 줄로 알고 있습니다.

그러나 이 앵무새의 마지막 변처럼 "거기엔 먹을 것은 없느 냐?"는 절규입니다.

저들의 영혼이 죽고 정신이 썩어 가는 이유가 무엇입니까?

예수님께서는 공생애를 시작하시면서 40일을 금식하셨습니 다. 마지막 날 사단의 "이 돌들로 떡을 만들어 먹으라"는 유혹에 이런 말씀으로 물리치셨습니다.

"사람이 떡으로만 살 것이 아니요 하나님의 입으로 나오는 모 든 말씀으로 살 것이라"(마 4 : 4).

사랑하는 여러분!

여러분과 여러분의 자녀의 영혼이 살기 위해서는 오직 하나님 의 말씀을 먹어야 바로 살 수가 있음을 이 사순절 기간에 명심하 시기 바랍니다.

1995년 3월 16일

희년의 나팔과 우리 풍악을!

얼마 전에도 저는 금년은 우리 민족이 염원하는 통일을 위해 기도하고 선포하는 해인 '희년의 의미'에 대해서 이 명상의 시간에 말씀드린 바 있습니다.

지난 주일 밤, 시카고 한인 교회 희년협의회가 주최하는 '시카고 지역 한인 교회 희년맞이 연합예배'가 제가 목회하는 레익뷰 장로교회에서 개최되었습니다. 많은 교역자들과 교우들, 그리고 교민들이 모여 조국의 통일을 기원하는 간절하고도 은혜스러운 예배를 드렸습니다.

한민족의 해방 50주년을 상징하는 50개의 촛불이 이경희 목사가 양각 나팔을 연주하는 가운데 점화되었습니다. 그리고 연합 성가대의 "희년을 향한 우리의 행진"이라는 찬양과 대회장인 정상균 목사의 희년 메시지가 선포되었습니다.

예배 중간에는(우리 민족의 하나됨을 뜻하는) 하나의 큰 양초를 회년 촛불로 점화하는 순서가 있었습니다. 그 순서는 아주 장엄하게 펼쳐져 모든 참예자들의 가슴을 뭉클하게 하는 순간이 되었습니다.

역시 이경희 목사가 부는 양각나팔이 울려 퍼지고 대학목회 풍물 '소래' 팀이 은은히 한국 고유의 풍물인 꽹과리와 징, 장고, 북을 울리는 가운데 시카고 금붕어 유치원 원장이며 원로인 임인식 장로와 그의 손자가 가지런히 촛불을 받쳐들고 제단에 올라가 점화를 하였습니다.

저는 희년맞이 준비 팀에서 예배중 풍물을 울리는 순서가 있다고 하여서 처음에는 좀 당황하기도 했습니다. 오르간과 피아노인 서양음악에만 익숙해진 성도들의 반응이 어떠할지 걱정이 되었습니다. 그러나 예배준비위원들의 다음과 같은 설명을 듣고 그대로 진행하도록 했던 것입니다.

이스라엘 백성들은 희년이나 민족의 중요한 시점과 행사에서는 '쇼팔'이라는 양각나팔을 불었다고 합니다. 쇼팔 나팔소리는 듣는 이로 하여금 하나님께 대한 경외심을 느끼게 하고 각자의 깊은 심령 속에서 존엄한 하나님의 말씀을 듣게 하는 힘이 있게 하는 데 그 의미가 있습니다.

나팔이 울려 퍼지는 순간 모든 백성들은 하나님의 창조의 사역을 기리고 백성들에게 회개를 촉구하며 하나님의 현현을 기다리고 예언자의 예언 선포와 이삭의 희생을 기리는 것이었습니다. 그리고 민족의 회복과 희망을 알리며 종래는 구세주이신 메시아의 오심을 대망하는 나팔입니다. 특별히 금번 희년맞이 예배를 위해 이스라엘에서 구해 온 양각나팔을 이 목사께서 많은 연습을 통해 분 것이라고 합니다.

그리고 함께 곁들인 한국 풍물은 우리 민족의 희년을 맞이하는 모임이므로 우리 나라 고유의 풍물을 연주케 한 것이라는 설명이었습니다. 우리 민족은 설날이나 추석 등 민족 고유의 명절이 되면 온 백성이 서로 어우러져 기쁨을 함께 나누며 풍악을 울리고 춤을 추었을 뿐만 아니라 이 기쁨과 영광을 하나님께 드리는 의미를 갖는다는 주최측의 설명이었습니다.

희년의 촛불 점화가 끝난 다음엔 성찬식이 거행되었습니다. 모든 교역자들이 함께 집례를 하며 성도들이 다같이 그리스도의 살과 피를 기념하는 떡과 잔을 나누며 그리스도의 구원과 참 평화의 축복을 받았습니다.

그리고 우리 민족의 통일을 위해 함께 기도하며 십자가를 지자는 의미에서 희년의 십자가를 모든 참례자들의 목에 걸어주었습니다.

성경은 선포합니다.

"제오십년을 거룩하게 하여 전국 거민에게 자유를 공포하라 이 해는 너희에게 희년이니 너희는 각각 그 기업으로 돌아가며 각각 그 가족에게로 돌아갈지며"(레 25 : 10).

사랑하는 동포 여러분! 바로 어제가 3 · 1 독립운동 76주년이었습니다. 우리의 선열들이 나라의 독립을 위해 피로 절규한 대한 독립만세 소리가 들리지 않습니까?

우리 모두 함께 목소리 높여서 우리 민족의 숙원인 남북통일을 위한 희년의 나팔을 힘차게 불어봅시다.

1995년 3월 2일

목회자들의 스트레스

저는 금주 월요일과 화요일에 미주리 주의 세인트 루이스에 다녀왔습니다. 미국 장로교 산하 중서부 지역 한인교회 협의회의 목회자와 사모들의 세미나가 개최되었기에 저의 아내와 함께 참석하기 위해서였습니다.

이번 목회자 부부 세미나의 주제는 '목사의 가정 사역'이었습니다.

우리 목회자들이 사명감을 가지고 온몸과 마음을 다 바쳐 사역을 하다 보면 가정을 돌볼 겨를이 없어 여러 가지 어려운 문제가 일어날 수도 있기 때문에 이런 문제에 대해 선배 목사님과 사모님들의 강의와 경험을 함께 듣는 유익한 시간을 가질 수 있었습니다.

먼저 '목사 사모들의 스트레스'에 대한 강의가 있었습니다. 목사 사모의 위치란 참으로 어려운 자리라는 것이 먼저 전제되었습니다. 사모의 위치는 'Between' 이란 말로 정의되었습니다.

이는 목사도 아니고 평신도도 아닌 중간 '사이의 위치' 란 뜻이었습니다. 그래서 더 많은 스트레스를 받게 된다는 것이지요.

목사는 사명감에 불타 자기의 택한 길을 가고 있기 때문에 어떤 난관에 봉착되어도 그에게 지워진 십자가를 지고 갈 수 있지만 사모란 위치는 꼭 그렇지만은 않다는 것입니다. 그렇다고 평신도의 위치도 아닙니다. 평신도라면 마음 편안히 예배드리고 은혜를 받아 자기의 위치에서 봉사의 길을 갈 수가 있지만 사모는 또 그 이상 해야 할 일이 있기 때문에 평신도처럼 행할 수도 없다는 사실입니다.

강의 후에 사모들의 간증을 듣는 시간을 가졌습니다. 인디애나에서 온 한 젊은 사모의 간증을 들으면서 거기 참여한 모든 목사님과 사모님들은 눈물을 흘리지 않을 수 없었습니다.

그 사모는 스물다섯 살에 목회자의 아내가 되어 미 서부 지역의 어느 조그만 타운에서 개척 교회를 시작한 남편을 돕게 되었다고 합니다. 자기는 사모의 역할이 무엇인지도 모르고 불철주야 목회에 전념하는 남편을 따라다니면서 최선을 다했으나 참으로 힘이 들었다고 합니다. 교회가 점점 자리를 잡아가는 듯할 무렵 교회에 내분이 일기 시작하고 공격의 화살이 목회자와 사모에게 향하더란 것입니다. 이에 젊은 사모는 참고 참다가 종내는 주일 예배를 드리는 도중에 그 자리에서 쓰러져 전신이 마비되고 실어증으로 말도 못하게 되었다고 합니다. 즉시 병원으로 옮겨져 응급치료를 받고 집에 와서 누워 있는데 하염없이 눈물만 흐르더랍니다. 그녀는 사람을 만나는 것이 두려워 옷장 속에 숨어 들어가 눕기도 했답니다. 젊은 목사인 남편이 돌아와 옷장 속에 숨어 누워 있는 사모를 붙잡고 통곡을 하며 "당신이 이렇게 괴로워하는 줄을 몰랐다."라고 하면서 위로해 주었다고 합니다. 얼마 후 회복되어 이제는 안정된 목회를 하고 있지만 그와 같은 사모가 자기뿐이겠느냐는 항변이었습니다.

사실 사모, 특별히 개척 교회의 사모들이란 참으로 힘든 자리입니다. 저 자신도 개척 교회 시절을 지내왔기에 그 젊은 목회자와 사모들의 가슴 아픈 이야기를 들으면서 함께 눈물을 흘렸습니다.

켄사스에서 목회하는 한 중년 목사님은 부임한 지 2년이 좀 지났는데 작년 11월 갑자기 쓰러져 오른쪽 몸이 마비되면서 말이 잘 되지 않아 고생을 했다고 합니다. 부임하자마자 열심히 사역을 하니 교회가 점점 부흥하기 시작했습니다. 그러나 호사다마라고 전부터 교회는 잘 안 나오면서 문제를 일으키는 동네 토박이들이 그 교회가 속한 노회(상회)에 편지를 하여 목사를 헐뜯는 등 어지럽히기 시작하더랍니다. 종내는 교회가 갈라지는 아픔 속에서 목사가 쓰러지고 만 것이었습니다. 온 교우들의 기도와 하나님의 은혜로 목사의 건강이 회복되고 교회가 새 출발을 하고 있다는 소식이었습니다.

이런 아픈 이야기들이 비단 그 목회자들뿐이겠습니까? 우리의 이민 사회가 겪고 있는 진통들이겠지요. 그러나 사랑하는 여러분! 이런 광야 생활일수록 우리 모두 사랑과 이해를 가지고 서로 협동하여 선을 이루는 삶을 살아야 하지 않을까요?

1995년 2월 16일

겉은 새것, 속은 낡아

영하 19도(화씨)까지 내려간 지난 주간의 강추위는 우리의 마음속까지 얼어붙게 하기에 충분했던 것 같습니다.

아침에 교회를 가려는데 3년 전에 산 차가 시동이 걸리지 않아 큰 낭패였습니다. 별수없이 부교역자에게 연락해서 교회에 가서 메카닉에게 전화를 하니 '토잉카'가 오려면 몇 시간을 기다려야 한다는 것이었습니다. 오후에 기온이 올라가면서 시동이 걸렸는데 메카닉의 말은 이렇게 추운 날씨에는 밤중에 30분 정도 시동을 걸어 두면 아침에 시동이 잘 된다는 충고였습니다. 그대로 따랐더니 이튿날 아침에는 고생을 면할 수가 있었습니다. 그런데 주일 아침 일찍이 시동을 걸어 워밍을 하려고 나아가 시동을 거니 '부웅' 하고 되기는 했는데 30분 후에 나가 보니 길 위에 빨간 피와 같은 오일이 흘러나와 있었습니다. 오일이 다 빠져나와 있었던 것입니다. 그러니 차가 나아가지를 않는 것이지요.

할 수 없이 마침 주말에 집에 온 딸아이의 차를 타고 교회에 갔습니다. 그 다음날 월요일에 차가 다 수리가 된 데다가 날씨도 풀려서 한 이틀은 잘 지낼 수가 있었습니다.

그런데 어제 94번 하이웨이에서 차가 또 고장을 일으켜 고생을 했습니다. 이틀 전에 서울에서 친구 목사가 1년 안식년을 얻어 공부하기 위해서 찾아왔는데, 그 친구를 태우고 학교로 가는 길이었습니다. 그 친구는 신학교 졸업 후에 전라북도 완주 산골 교회에 가서 몇 년을 목회하다가 서울에 올라와 능동이라는 곳에서 개척교회를 한 이래 30년 가까이 일곱 개의 교회를 개척한 목사입니다. 그리고 그가 개척한 교회들이 모두 다 부흥되어 많은 심령들을 구원하고 있습니다.

밤을 새우면서 서로의 목회담을 나눴습니다. 그가 처음 서울에 올라와 능동 빈민촌에서 교회를 세울 때는 많은 고생을 했다고 합니다. 이미 4~5명의 목사들이 그곳에서 개척을 시도하다가 동네 사람들의 돌팔매와 깡패들에게 시달려 뜻을 이루지 못하고 쫓겨난 곳이었다고 합니다.

미신들을 섬기는 동네라 밤이면 무당들의 경 읽는 소리에 잠을 이루지 못할 정도였답니다. 그런데 놀라운 것은, 제 친구 목사가 세운 교회에도 깡패들의 돌팔매질은 날아왔지만 그 사람들이 하나둘 병이 들더니 나중엔 점쟁이들이 그들에게 그 교회에 나가야 산다고 하여 깡패들이 회개하고 교회가 점점 부흥하게 되었다는 것입니다. 그렇게 하여 능동교회는 자리를 잡게 되어 지금은 성인만 7백여 명이 모인다고 합니다. 그는 하나님께서 개척의 사명을 주시어 그 교회를 후배에게 맡기고 79년도에 아직 88올림픽이 어디서 열릴지 결정이 되지도 않았을 때에 기도하는 중 "잠실로 나아가 교회를 개척하라"는 응답을 받고 잠실에 교회를 개척하여 오늘의 큰 교회를 이룩하였습니다.

제가 작년에 잠시 귀국했을 때 그 친구가 목회하는 교회에 가설교를 하게 되었는데, 안식년을 허락받은 그 친구가 공부를 하고 싶다기에 제가 강의하고 있는 맥코믹 신학대학(McCormick Theological Seminary)에 주선하여 오게 된 것입니다.

어제는 그 친구를 싣고 신학교 기숙사를 향하여 가는 길이었는데 하이웨이 도상에서 차가 잘 나가지 않게 된 것입니다. 겨우 시카고 대학 출구로 빠져나오기는 했는데 요지부동이었습니다. 별수없이 친구 목사에게 내려서 뒤에서 밀라고 하여 옆에 있는 주유소로 밀고 가는데 문턱을 오르지를 못하고 있었습니다.

마침 지나가던 밴 차가 뒤에서 밀어주어 주유소로 들어섰는데 어디서 갑자기 흑인이 나타나 돈 '1달러' 만 달랍니다. 주머니를 뒤져 주었지요. 또 좀 있으니 유리를 닦아 줄 테니 돈 '1달러' 만 내라 합니다. 또 줬습니다. 그리고 주유소에 들어가 트랜스미션 오일을 두 개 사 넣었는데 그래도 차가 움직이지 않았습니다. 학교에 연락하여 친구 목사는 보내고 우리 교회 집사가 경영하는 주유소에 연락해서 토잉카가 와서 그 차를 타고 올라와 수요예배를 드릴 수 있었습니다.

제 자동차의 겉은 아직도 새 차 같습니다. 그런데 그 속은 낡은 모양입니다. 그 동안 7만 5천 마일이나 달렸으니 그럴 만도 하지요.

'사람이 나이도 젊고 겉으로 보기엔 멀쩡해도 너무 무리하여 일하고 함부로 몸을 쓰면 이 차와 같이 고장이 나겠구나.' 라는 생각을 해보았습니다.

사랑하는 여러분! 이 친구와 같이 안식년은 못 얻더라도 몸을 아껴가며 오래오래 살면서 좋은 일 많이 해야 하지 않겠습니까?

1995년 2월 28일

생부에게로 돌아간 베이비 리처드

　지난달 25일 일리노이 주 대법원은 3년여를 끌어오던 베이비 리처드의 양육권에 대한 최종 판결을 내렸습니다.

　"아이의 양육권은 리처드 어린이의 생부(Biological Father)인 오타카 커치너(Otaka Kirchner)에게 돌려줘야 한다."는 판결이었습니다.

　1991년 1월 다니엘라 제니코바(Daniela Janikova)라는 여인이 커치너의 아기 리처드를 임신하고 있었는데 커치너가 그의 조모님의 사망으로 유럽을 방문하게 되었습니다. 그런데 커치너의 고모 되는 여인이 커치너가 유럽 방문 중 그의 옛 애인과 결혼하게 된다는 소식을 임신한 제니코바에게 전언해 주었습니다.

　이에 미용학교의 슈퍼바이저로 있던 제니코바는 존과 제인 도어라는 부부에게 자기 애인 커치너의 동의 없이 아이의 양자계약을 맺고, 아이는 출생하자마자 도어 부부의 집에서 양육되었습니다.

그러나 그해 5월 커치너와 제니코바가 서로 화해하고 그들의 아기 리처드가 도어 가정에 입양된 사실을 확인하기에 이르렀습니다. 그리고 그들은 그해 9월 12일 결혼식을 올리고 그해 12월 커치너는 자기가 리처드의 생부임을 주장하고 나섰습니다. 그러나 양부인 도어 부부는 그해 12월 23일 소송을 제기하여 커치너의 주장을 합당하지 않다고 반박하였습니다. 1992년 5월 6일 쿡 카운티 법정은 "커치너는 아버지로서의 자격이 없다."라고 판결하였습니다. 그리고 작년 9월 1일엔 일리노이 주지사 에드가가 연방 대법원에 리처드를 양부모가 계속 양육할 수 있도록 해달라는 요청을 하기에 이르렀습니다. 그러나 지난 달 25일, 일리노이 대법원은 "아기 리처드의 양육권은 생부모 커치너에게 돌아가야 한다."는 판결을 내린 것입니다.

참으로 우리 시대의 비극의 일단을 보는 것 같아서 씁쓸한 마음을 금할 길이 없었습니다.

남녀간의 성의 자유화의 물결이 세상을 휩쓸고 있는 이때에 일어나는 가정 문제, 청소년 문제, 사회 문제들의 일면을 잘 드러낸 사건입니다. 3년여에 걸쳐 양부모가 친부모인 줄 알고 온갖 재롱을 피우며 행복하게 자랐던 리처드는 이제 사진에서조차도 보지 못했던 생부모 커치너 가정으로 들어가 살게 되었으니, 그가 처한 심리적인 혼동과 갈등은 얼마나 클 것인지, 문제가 아닐 수 없습니다.

구약 성경에는 유명한 '솔로몬의 재판'이 나옵니다. 이스라엘의 지혜의 성군 솔로몬 왕 앞에 두 여인이 나와서 서로 호소를 합니다.

한 아기를 두고 서로 제 아기라며 두 여인이 머리채를 잡고 싸우며 주장을 합니다. 사연인즉 두 여인은 똑같이 한 방에 사는 창녀인데 같은 때에 아들들을 낳아 기르고 있었습니다.

그런데 그만 잠버릇이 사나운 한 여인이 밤에 잠을 자다가 자기 자식을 깔아 죽이고 말았습니다. 그러고는 옆에서 자고 있는 산 아기와 바꿔치기를 해놓았습니다. 아침에 눈을 뜬 두 여인은 서로 산 아기가 자기 아들이라며 싸우다 결국 솔로몬 왕 앞에 재판을 해달라며 나온 것입니다.

한참 생각에 잠겼던 솔로몬 왕은 신하에게 "칼을 가져다가 산 아기를 반절로 갈라서 두 여인에게 나누어주어라."라고 명령을 내렸습니다. 그 때 한 여인은 "그게 좋습니다. 그렇게 아기를 반쪽씩 갈라 주시오."라며 소리를 쳤습니다. 그러나 다른 한 여인은 눈물을 흘리며 "대왕이시여, 이 아이를 살려주어 저 여인에게 주소서."라며 애걸을 했습니다. 그 때 솔로몬 왕은 "바로 이 여인이 저 아이의 생모이니 이 여인에게 아기를 주어라." 하고 판결했던 것입니다.

사랑하는 여러분!

오늘날도 지혜로운 솔로몬 왕 같은 재판관이 다시 나와야 되지 않을까요?

1995년 2월 2일

로즈 피츠제럴드 케네디

"어머님께서 오늘 평화롭게 세상을 떠나셨습니다. 어머님은 길고도 비범한 한평생을 사셨습니다. 우리 온 케네디 피츠제럴드 가족들은 진심으로 그녀를 사랑합니다. 그분은 이 세상에서 가장 아름다운 장미꽃이셨습니다."

지난 1월 22일 주일 104세를 일기로 세상을 떠난 로즈 피츠제럴드 케네디(Rose Fitzgerald Kennedy) 여사의 가족들이 발표한 사망소식이었습니다.

그녀는 미국의 제35대 대통령 존 F. 케네디 대통령의 어머니이며 미국의 신화를 창출한 케네디가의 대모였습니다.

일찍이 전쟁의 영웅 나폴레옹은 "세계는 남자가 다스린다. 그러나 남자는 여자가 다스린다."라는 유명한 말을 남겼습니다. 아무리 남자가 힘이 세고 머리가 좋다고 해도 결국 여인의 품에서 모든 것이 이뤄지게 된다는 의미입니다.

현모양처인 한 여인이 훌륭히 기르고 가르친 자녀들이 이 세상의 어느 분야에서든지 자기의 몫을 감당하면 치국평천하(治國平天下)는 물론 아름다운 세상이 창조되어 가는 것이지요. 마음씨 착하고 지조가 높은 아내를 반려자로 삼고 사는 남편은 세상에서 요긴한 인물로 큰 공헌을 하게 되는 것입니다.

바로 이 케네디 여사의 104년의 일생이 남긴 발걸음이 이런 사실을 증명하고도 남는 것 같습니다.

그녀는 일찍이 1890년 7월 22일 당시 보스턴 시장을 지낸 존 F. 피츠제럴드의 6남매 중 장녀로 출생하였습니다. 그녀는 경쟁심과 봉사정신이 투철한 가정의 영향을 받으며 성장하였습니다.

1914년 주식과 부동산 등으로 뉴욕 월가에서 돈을 모은 조셉 케네디와 결혼을 함으로써 케네디가의 대모로서의 먼길이 시작되었습니다. 그의 남편은 한때 주 영국, 미대사를 지내기도 했습니다.

그녀는 가톨릭 신자로서 언제나 식탁에서는 그날 그날의 세계소식과 신앙생활에 대해 이야기하도록 이끌어 갔다고 합니다.

엊그제 거행된 영결식에서 그의 유일하게 생존한 아들이요 매사추세츠 상원의원인 에드워드 케네디는 "우리 가족의 식탁은 항상 어머님의 강의실(Class Room)이었다."라고 회고하였습니다. "어머님은 우리 온 케네디 가족들을 하나로 묶는 접착제(Glue) 역할을 하셨습니다. 저의 아버님께서 모든 일의 심지에 불씨를 당기시면 어머님은 거기에서 발하는 빛이 되셨습니다. 그녀는 우리의 위대한 스승이요, 저녁 식탁은 우리들의 교실이었으며 주제는 온 인류에 일어나는 세계사였습니다."라고 찬사를 드렸습니다.

이와 같은 한 여인이, 어머니로서 이 거대한 미국의 제일 젊고 유능한 대통령 케네디의 신화를 만들게 하였고 로버트 케네디 법무장관과 상원의원, 그리고 1962년 이래 최장수의 상원의원인 에드워드 케네디를 탄생시킨 것입니다.

물론 그녀의 영광 뒤에 수많은 희생과 슬픔이 범벅되었던 것도 사실입니다. 생애 동안 큰아들이 제2차 세계 대전에서 전사당하고 세계의 존경을 받던 둘째아들 존 F. 케네디 대통령은 임기도 마치지 못한 채 암살을 당했는가 하면 그 뒤를 이어 대통령에 도전하던 셋째아들 로버트 케네디 의원도 암살당하는 비극을 맞았습니다. 그야말로 이 세상에서 제일 큰 영광과 슬픔을 함께 받은 여인이기도 합니다.

"어떻게 이 엄청난 슬픔을 극복하고 사십니까?"라고 묻는 기자들의 질문에 그녀는 "하나님을 믿는 신앙으로 이겨갑니다."고 대답했다고 합니다.

그녀의 104년의 삶은 슈베르트의 "아베마리아"와 찬송가 "How Great Thou Art"가 울려 퍼지는 가운데 자신이 유아세례를 받았던 보스턴의 성당(Old St. Stephen)에서 치른 장례식을 끝으로 막을 내렸습니다.

사랑하는 여러분!

우리가 이 세상에 와서 무엇을 위해 어떻게 살다가 무엇을 남기고 가느냐는 보편적인 질문은 참으로 중요하다고 생각됩니다.

세계사의 큰 획을 남기고 간 여인의 일생의 뒷자리를 살펴보면서 무언가를 한 번 느껴보게 하는군요.

1995년 1월 26일

사형집행 14시간 전에 감형된 여인

자기 남편을 죽인 죄로 인하여 사형선고를 받고 감옥살이를 하던 '귀네비어 가르시아(Guinevere Garcia)' 라는 37세의 여인의 사형집행 날짜가 바로 어제, 수요일 아침이었습니다. 그러나 짐 에드가(Jim Edgar) 일리노이 주지사는 그녀의 사형집행 14시간 전인 화요일, 그녀의 사형을 돌연 중지시키고 그녀의 형량을 가석방이 없는 종신형으로 감형한다고 선언하여 온 시민들을 깜짝 놀라게 하였습니다.

가르시아 여인은 자신을 학대하는 남편을 살해한 죄로 감옥에 갇혀 심한 자책감을 느끼고 빨리 사형시켜 달라고 호소하였다고 합니다. 그러나 사면권이 있는 주지사 에드가의 관대한 용서에 의해서 죽음을 면하게 된 것입니다.

시카고 트리뷴지의 피터 켄델(Peter Kendall)과 폴 갈로웨이(Paul Galloway) 기자가 공동으로 쓴 기사에 의하면 "정말 이

케이스에서 자비(Mercy)의 질이 무엇일까?"를 생각하게 합니다. 자비를 원치 않고 사형집행을 원하고 있는 이 여인에게 무엇이 자비란 말인가하는 물음이 일고 있습니다. 시카고 가톨릭 신학교의 윤리학 교수인 존 폴리코우스키(John Pawlikowski) 신부는 "자비란 단어는 이 여인의 경우에는 알맞지 않다고 생각한다."라고 주장하고 있습니다.

만약 이 여인의 사형이 예정대로 어제 집행되었다면 일리노이 역사상 57년 만에 최초로 집행된 여자 사형수로 기록될 뻔하였다고 합니다.

저는 이 여인의 "사형집행 정지" 기사를 접하면서 러시아의 대 문호 도스토예프스키의 생애를 연상해 봅니다. 그가 28세 되던 해에 사형선고를 받아 형장에 끌려가 나무에 꽁꽁 묶이우고 눈을 가리우기 직전에 집행관으로부터 "이제 최후의 5분간이 당신에게 남아 있으니 최후의 진술을 하시오."라는 말을 들었습니다.

마지막 5분간! 그는 빨리 머리를 써서 생각했습니다.

'최후의 1분간은 내가 살던 저 하늘과 땅, 아름다운 자연을 바라보리라. 또 2분간은 나의 사랑하는 사람들 부모 형제, 처자식들과 작별의 인사를 나누고 마지막 2분간은 하나님께 나의 영혼을 부탁하는 기도를 드려야지.' 이렇게 결심을 하고 고개를 들어 하늘을 바라보고 자연을 보며 남은 2분간에 사랑하는 사람들과의 작별인사를 나누려 하는 순간 멀리서 백기를 든 한 사람이 말을 타고 달려오면서 "사형집행 정지!"라고 외쳐대는 것이었습니다.

그는 러시아 제국의 황제가 보낸 특사였던 것입니다.

그렇게 해서 도스토예프스키는 사형집행 직전에 사면을 받아

다시 이 세상을 살게 되었습니다.

　그는 생을 덤으로 받아 살아가는 동안 한 순간 한 순간의 삶을 참으로 피를 짜내는 듯한 마음으로 살아갔다고 합니다. 그는 "나는 글을 쓸 때마다 펜에서 흐르는 잉크가 마치 내 심장에서 뿜어내는 피가 흐르는 것처럼 한 자 한 자 써갔다."라고 술회했습니다. 그래서 그는 「죄와 벌」, 「카라마조프가의 형제들」 같은 불후의 명작을 남기게 된 것입니다.

　사랑하는 여러분!

　여러분의 삶은 어떻습니까? 얼마나 여러분의 생이 남아있다고 생각합니까? 사실상 우리 모든 인간은 하나님의 자비와 사랑이 없이는 영원한 삶을 가질 수가 없는 존재입니다. 성경은 우리 인간을 "본질상 진노의 자식들"이라고 표현했습니다. 그의 지극하신 사랑으로 독생자 예수 그리스도를 성육신케 하셔서 이 세상에 보내심으로 누구든지 그를 믿는 자들에게 사형집행 자리에서 사면을 받게 하여 영생도 얻게 된다는 진리가 기독교 신앙입니다.

　저는 어제 형장의 이슬로 사라질 뻔했던 가르시아 여인이 지금은 무엇을 생각하고 있을까 궁금해집니다.

　한 번 연상을 해보았습니다. '그녀가 에드가 주지사의 자비가 아닌 하나님의 은총을 깨닫고 옥중수기라도 남길 수 있다면 얼마나 좋을까?'

　우리 모두도 한 줄의 글이라도 써서 남기는 삶이라면 얼마나 좋을까라고 생각해 봅니다.

1995년 1월 18일

미국이 테러를 맞은 교훈

참으로 엊그제 아침 미국은 전대미문의 가장 처절하고 비통한 테러공격을 받았습니다. 공산주의 종주국인 소련이 붕괴되어 냉전시대가 종식된 이래 이 지구상에서는 감히 초강대국인 미국을 공격할 만한 나라나 집단은 존재할 수 없을 것이라고 자부하고 있었습니다. 이런 미국의 심장부에서 테러가 터지리라고는 어느 누구도 상상할 수 없었던 것입니다.

세계경제와 미국 자본주의의 대표적인 상징인 세계무역 센터 (World Trade Center) 쌍둥이 빌딩은 전 세계 고층 건물중의 몇째 안 가는 미국의 위용을 자랑하는 최대 건물이었습니다. 그런데 바로 우리들이 보는 앞에서 어느 목격자의 표현대로 유리 집 (House of Glass)이 무너지는 것같이 한 시간여 내에 무너져 내리고 말았습니다.

그뿐만 아니라 겨우 한 시간 간격으로 우리 부시 대통령이 성

명을 낸 바로 그 다음 순간 세계의 자유와 국방의 Headquarters
인 미국 국방청사 펜타곤이 테러리스트들이 납치한 아메리칸 에
어라인 비행기에 의하여 한쪽 날개가 강타 당하고 말았습니다.
뉴욕의 맨하탄 거리는 그야말로 아비규환이었습니다. 이야말로
대환난이었습니다. 성경 다니엘서 12장의 "그때" 대환난의 때가
삽시간에 이 세상에 닥쳐왔습니다. 그 때를 신학자들 특히 미래
학자들은 종말의 시기로 보고 있습니다. 그날 이스라엘의 어느
학자가 말하기를 아마겟돈(지구의 종말전쟁)이 도래하는 것 같
다라고 하는 것을 들었습니다. 예수님께서도 각 나라들이 싸우
는데 그것은 종말의 시작이라고 하였습니다. 많은 미래학자들은
21세기를 그렇게 보고 있기도 합니다.

지금 우리들은 어제 미국의 대환난을 목격하고 몸으로 당하면
서 무엇을 생각하고 있습니까?

우리가 받은 교훈은 무엇입니까?

첫째, 우리 인간의 무력함과 겸손을 찾아야 한다는 교훈입니다.

사람의 손으로 지은 그렇게 탄탄하게 철골로 시멘트로 짓고
대리석으로 장식한 그런 세계 최대의 건물들이 한 순간에 무너
져 갔습니다. 과거 찬란한 비잔틴문화와 희랍의 철학시대와 로
마의 황금시대, 그리고 중국의 춘추전국시대가 이 지상에서 역
사의 뒤안길로 사라진 지가 오래입니다. 해가 지지 않던 영국의
황금시대도 벌써 옛말입니다.

오늘 미국의 이 찬란한 문화와 국력을 어제 테러리스트들은
조롱이라도 하듯 벌건 대낮에 쳐부수었습니다. 이 시대의 바벨
탑 문화가 무너지는 것이 아닌가 하는 느낌으로 보는 이들도 있
습니다. 그렇게 높이 탄탄하게 110층까지 올려놓은 세계 최고의
쌍둥이 빌딩이 힘없이 우리 눈앞에서 어이없게 무너지고 마는

현상을 보면서 우리는 우리 인간의 무능과 나약함을 고백하지 않을 수가 없습니다. 노아 홍수 후에 인간이 쌓으려던 하늘에까지 높은 타워였던 바벨탑이 무너진 교훈이 떠오릅니다. 인간은 피조물로서 하나님 앞에 겸손하여야 할 뿐입니다.

둘째, 하나님의 백성인 의인을 하나님은 보호하신다는 교훈입니다.

우리 사는 미국은 어제 부시 대통령이 대 국민 연설에서 언급한 대로 "내가 사망의 음침한 골짜기로 다닐지라도 두려워하지 않을 것은 주께서 나와 함께 하심이라 주의 막대기와 지팡이가 나를 안위하시나이다"(시 23 : 4)라는 믿음에 서 있습니다. 이 미국은 이 믿음인 청교도의 신앙의 기초 위에 건국된 나라입니다. 어느 누구도 이 기초를 흔들 자가 이 땅에는 없습니다.

오직 하나님만이 우리의 피난처와 피할 바위이십니다.

시편 127편 1절에 "여호와께서 집을 세우지 아니하시면 세우는 자의 수고가 헛되며 여호와께서 성을 지키지 아니하시면 파수꾼의 경성함이 허사로다"라 하였습니다.

이 미국은 하나님의 택하신 나라입니다. 하나님의 불꽃 같은 눈이 지키십니다.

이제 우리들은 겸손히 하나님의 손길을 구하며 항상 그분만을 믿고 의지하며 이 환난의 날을 지내며 사랑하는 사람들을 잃고 슬픔에 잠긴 우리 형제자매들을 위로하고 부상을 당하여 애타게 우리의 피와 도움을 기다리는 형제자매들에게 사랑의 손길을 뻗쳐야 하겠습니다.

생명의 경외

예수께서는 한 생명이 천하보다 더 귀하다라고 말씀하셨습니다.

"사람이 만일 온 천하를 얻고도 제 목숨을 잃으면 무엇이 유익하리요 사람이 무엇을 주고 제 목숨을 바꾸겠느냐?"(마 16 : 26).

우리나라에서 존경을 받는 법정은 "우리가 대자연 속에서 살면서 나무들의 숨소리들과 새들의 노래 소리를 들으면서 어찌 조물주가 주신 생명들을 해할 수가 있겠으며 어떻게 동물들을 먹이로 삼겠는가?" 라 하였습니다. 생명의 경외 신학을 수립한 알버트 슈바이처 박사는 의사요 목사요 신학박사요 세계적인 파이프 오르간 연주자로서 아프리카의 정글 람바네에 들어가 문둥병자들의 생명을 살리기 위하여 일생을 선교사로서 헌신하였습니다. 그런데 지금 우리가 살고 있는 이 지구촌에서는 전쟁이 그치지 않고 온 인류가 "사망의 음침한 골짜기"에서 갈 바를 알지 못하고 방황하고 있습니다. 세계적인 영적인 지도자요 부흥사인 빌리 그레이엄 목사님은 「희망(Hope)」이라는 저서에서 "우리들의 가정은 전쟁 지대이다. 세계 대전에 대하여 말할 필요가 없이 먼저 우리 가정에서 얼마나 평화를 원하고 있는가?"를 생각하여 보라고 하였습니다. 좋은 집과 좋은 차를 가지고 있지만 공허하고 고독한 현대인들의 마음을 어느 누가 메워 줄 수 있겠습니까? 그래서 현대인들은 공허한 마음을 채우기 위하여 광란적인 음악과 놀이를 하며 총을 이리저리 마구 쏴대는 세상이 되었습니다. 그러면 어디에 희망이 있느냐? 빌리 그레이엄 목사는 "God is our refugee and our strength, an ever present help in trouble. 하나님은 우리의 피난처시요 힘이시니 환난 중에 만날 큰 도움이시라"(시 46 : 1) "그러므로 땅이 변하든지 산이 흔들려 바다 가운데 빠지든지 바닷물이 흉용하고 뛰놀던지 그것이 넘침으로 산이 요동할지라도 우리는 두려워 아니하리로다"(시 46 : 2)라는 구약 시편의 말로 희망을 제시합니다.

　오늘 새벽 기도를 마치고 저는 우리 교회의 한 젊은 아기엄마의 순산을 위한 기도를 하기 위해 전도사님과 함께 심방을 하였습니다. 특별히 이 가정을 새벽부터 심방을 한 이유가 있습니다. 오늘 아기를 출산할 이 산모는 특별한 사람이기 때문입니다. 그렇다고 세상적으로 VIP 대접을 해야 할 그런 위치의 사람이란 의미는 아닙니다. 이 젊은 아기엄마는 5년전 백혈병(루케미아)에 걸려 의사의 가망이 없다는 사형선고를 받았던 사람입니다. 그때 저를 비롯하여 우리 교회의 온 교우들이 이 28세의 젊은 아기엄마를 살리기 위하여 골수를 기증하자는 운동이 벌어졌었습니다. 그리고 24시간 쉬지 않는 중보 체인 기도를 하였습니다. "오늘밤을 넘기기 어렵다"는 의사의 급한 연락을 받고 달려가

온 가족이 모인 가운데 쿡 카운티 병원에서 임종예배를 드리기까지 하였습니다. 그런데 하나님께서 그의 생명을 살려 주었습니다. 그야말로 기적이었습니다. 백혈병이 완치됨은 물론 2년 전에는 두번째 아들을 건강하게 낳아서 지금 두 살이 되었고 이번에는 세번째로 아들을 출산하게 되어 오늘 아침 병원에 들어간 것입니다. 이 방송이 나가는 이 시간에는 이미 아기를 낳았을지도 모릅니다. 이 얼마나 놀라운 생명의 기적입니까? 생명의 창조자 하나님께서 주신 은혜입니다. 우리 성도들의 기도의 응답임을 믿고 더욱더 기도하는 삶들을 살아가고 있습니다.

예수께서는 "구하라 그러면 너희에게 주실 것이요 찾으라 그러면 찾을 것이요 문을 두드리라 그러면 너희에게 열릴 것이니 구하는 이마다 얻을 것이요 찾는 이마다 찾을 것이요 두드리는 이에게 열릴 것이라"(마 7 : 7, 8) 하셨습니다.

영적인 존재인 우리 인간은 성령이신 하나님과의 대화인 기도 생활을 하여야 합니다. 그리고 유일하신 창조주 하나님께 기도를 하여야 합니다. 스코틀랜드의 메리 여왕은 "이 나라를 위하여 일 백 만의 대군보다 종교 개혁자 존 낙스 같은 기도의 사람 하나를 주시옵소서"라고 하나님께 기도하였다고 합니다. 우리도 이런 기도하는 한 사람의 대열에 서면 얼마나 좋을까요?

새것의 의미

1995년 새해가 밝아 왔습니다. 우리들은 "Happy New Year!" "새해 복 많이 받으세요!"라는 인사를 수없이 주고받았습니다.

우리 인간은 모두 다 새것을 좋아하고 복 많이 받아 누리고 살기를 원합니다.

과연 새것이란 무엇입니까?

이 새해가 우리에게 주는 의미는 무엇일까요? 지구가 공전하여 해를 한 바퀴 도는 데 걸리는 날이 365일이고, 지구가 스스로 자전하는 데 걸리는 시간이 24시간이기에 우리들은 스물네 시간마다 어둠을 뚫고 솟아나는, 밝은 태양이 빛나는 아침, 즉 새날을 맞이하게 됩니다. 지구덩이가 우리들을 싣고 태양을 돌면서 태양과 멀리 있게 되는 동지 섣달에는 꽁꽁 얼어붙는 추운 겨울이 되고 점점 가까이 가면서 따스한 춘삼월 봄날이 되는가 하면 태양이 아주 가까이 갈 때엔 뜨거운 여름을 맞이하게 되는 것이죠. 그러다가 다시 지구가 태양과 떨어질 때면 한 바퀴 돌아 낙엽 지는 가을, 겨울이 되고 우리는 원단(元旦)을 맞아 'Happy New Year!'를 다시 노래하게 되는 것이랍니다. 그렇게 70번 80번의 나이테를 경험하게 되면, 엄마의 태에서 떨어져 천사같이 아름답게 웃던 아기들의 모습이 주름지고 까칠한 늙은 모습이 되는 것이죠. 그리고 아무리 피하려 해도 피할 수 없는 북망산에 '허사가'를 노래하면서 묻히게 되는 것이 인생 아니겠습니까?

그래서 이 세상의 역사가 생겨난 이래 제일 큰 부귀와 높은 영화를 누리고 1천 명의 여인을 거느리고 쾌락을 즐겼던 솔로몬 왕은 구약 성경의 지혜서인 전도서에서 다음과 같이 읊었습니다.

"전도자가 가로되 헛되고 헛되며 헛되고 헛되니 모든 것이 헛되도다 사람이 해 아래서 수고하는 모든 수고가 자기에게 무엇이 유익한고 한 세대는 가고 한 세대는 오되 땅은 영원히 있도다 해는 떴다가 지며 그 떴던 곳으로 빨리 돌아가고 바람은 남으로 불다가 북으로 돌이키며 이리 돌며 저리 돌아 불던 곳으로 돌아가고······ 무엇을 가리켜 이르기를 보라 이것이 새것이라 할 것이 있으랴 우리 오래 전 세대에도 이미 있었느니라"(전 1 : 2~10).

그에 의하면 진정한 의미에서 새것이라 할 만한 것은 없다는 결론입니다. 어떻게 보면 허무주의자의 한탄의 노래와도 같습니다.

그러나 성경은 그런 허무주의의 일관이 아니고 새로운 것의 의미를 밝히기 위한 '안티테제'로 이 글이 소개되고 있으며, 그 다음에는 새것에 대한 진정한 의미를 계속 가르쳐 주는 것입니다.

첫째로 마음이 새로워야 새해, 새사람으로 산다고 가르쳐 줍니다.

사도 바울은 고린도후서 4장 16절에서 말하기를 "그러므로 우리가 낙심하지 아니하노니 겉사람은 후패하나 우리의 속은 날로 새롭도다"라고 선포하였습니다.

우리의 육체(겉사람)는 세월이 가고 나이가 들수록 주름살이 늘고 후패하기 마련입니다. 그러나 마음을 새롭게 하며 사는 사람은 그의 속사람이 늘 새롭고 젊고 강건하게 살아갈 수가 있는 것입니다. 그는 계속해서 말하기를 "그런즉 누구든지 그리스도 안에 있으면 새로운 피조물이라 이전 것은 지나갔으니 보라 새것이 되었도다"(고후 5 : 17)라고 노래합니다.

다음으로 중요한 것은 이전 것들을 버려야 새것이 온다는 사실입니다. 우리가 이전 것에 사로잡혀 있으면 새것을 경험하지 못합니다.

"어제의 쉰 보리밥을 먹었다고 새날이 된 오늘도 계속 구역질을 해 댄다면 그는 새것을 경험하지 못하고 죽습니다."

이전 것, 과거의 미움, 증오, 질투, 원수 맺음, 실패까지도 다 잊어 버려야 합니다. 그리고 우리 인류의 얽매이기 쉬운 죄에서 해방시켜 구원하러 오신 예수 그리스도 안으로 들어와 살게 될 때 여러분들은 날마다 새로움을 즐기며 살아가게 될 것입니다.

1995년 1월 5일

국제 결혼식장에서

저는 구랍, 그믐 하루 전날, 시카고 남쪽 힌스데일 연합교회 (The Union Church of Hinsdale)에서 거행되는 한 국제 결혼식에 참석했습니다.

우리 한인 1.5세 남자와 미국 백인 여인의 결혼식이 이채롭게 거행되었습니다. 키가 작달막하고 머리가 검은 우리 한인 1.5세 신랑과 키가 훤칠하게 크고 머리가 금발인 백인 신부의 결혼식 이었습니다.

이 두 부부는 서로 의사로서 의과대학에서 만나 결혼에 이르게 된 사람들입니다.

시간이 되어 오르간의 주악이 은은히 울려 퍼지고 신랑과 들러리들 다섯이 여자 목사님의 인도로 강단으로 걸어나와 신부가 들어오는 쪽을 향해 도열했습니다. 여자 들러리들이 들어오고 결혼행진곡이 울리며 신부가 자기의 아버지의 손목을 잡고 입장하여 결혼 예식이 시작되었습니다.

주례 목사님의 설교에 이어 신랑 신부가 서약하는 동안 신랑 어머니가 솔로 특송으로 'Wedding Blessing'을 불렀습니다.

"May the grace of Christ our savior and Father's boundless love, with Holy Spirit's favor."(우리 구주 그리스도의 은혜와 한량없으신 하나님 아버지의 사랑과 성령님의 감동, 감화가 함께할지어다.)라는 축하송이었습니다.

한국인으로서 신랑의 어머니가 축가를 부르는데 미국인 하객들이 감탄해 마지않는 모습들이었습니다.

그리고 신랑의 아버지며 저의 선배인 목사님께서 신랑, 신부의 예물교환 후에 그들의 새 가정을 위해 축복 기도를 드렸습니다.

두 분이 하나되는 'Lighting of Unity Candle' 시간, 하나됨의 촛불 점화를 신랑 신부가 하는 동안도 신랑의 어머니가 축하의 노래를 계속하는 것이 참으로 아름다웠습니다.

결혼 선포와 축도에 이어 헨델의 수상음악(Hornpipe from Water Music)에 의해서 신랑, 신부가 퇴장함으로써 예식은 끝이 났습니다. 결혼식은 순전히 서양예식을 따라 진행되었습니다.

그 뒤에 베풀어진 예식은 얼마나 뜻깊고 즐거운 잔치였는지 모릅니다. 곧바로 피로연에 들어간 것도 아닙니다. 'Vow Rite'라고 영어로 이름을 붙인 '폐백' 행사였습니다.

한참 후에 퇴장했던 신랑, 신부가 우리 나라의 전통 혼례복인 사모관대와 원삼 족두리를 쓴 채 큰상 앞으로 걸어나오는데 박수소리가 터져 나왔습니다. 신부측 미국 손님들은 진기한 풍경이 벌어지는 모습에 어안이 벙벙해지며 원더풀을 연발하였습니다.

한 번 상상을 해보십시오. 미국인 신부의 원삼 족두리를 쓴 모습을……

신랑의 친구인 한인 1.5세 사회자가 나와서 '폐백'에 대해 영어로 자세한 설명을 한 후 폐백이 시작되었습니다. 신랑의 부모님이 교자상 앞에 앉으니 신랑과 그리고 옆에서 사촌 시누이들의 부축을 받은 신부가 우리 나라 예절바른 큰절을 부모님께 드렸습니다. 부모님께서는 줄에 끼어져 있는 밤과 대추를 한 주먹씩 뽑아서 신부에게 던져주었습니다. 그 때 사회자의 설명이 있기를 "여기 신랑의 부모님이 던져주는 밤, 대추 중에서 밤을 몇 개 받느냐에 따라 그 숫자만큼 아들을 낳고, 대추를 받은 수만큼 딸을 낳게 된다."고 하니 장내는 폭소가 터져나왔습니다. 그렇게 차례대로 신랑측 식구들이 절을 주고받았습니다.

그 다음에 사회자가 설명하기를 "한국 전통으로는 신랑측 가족들만 절을 받는 것이 원칙이로되, 좀 현대적으로 바꾸어서 신부측 부모님과 어른들께도 절을 하는 순서를 가지겠노라."고 하였습니다.

먼저 미국 신부의 할아버지 할머니가 나오셨습니다. 나이 많은 할아버님은 휠체어에 앉으신 채로 절을 받았습니다. 그리고 신부의 부모 순서로 진행이 되었습니다. 또 한 가지 어른들께서 신랑, 신부의 절을 받은 다음 돈 봉투를 신부에게 전해주는 풍습 또한 의미로웠습니다. 신랑, 신부의 신혼여행을 위해 요긴하게 쓰라는 뜻인 듯했습니다.

아주 뜻있는 즐거운 결혼 예식에 참예하고 흐뭇한 마음으로 돌아왔습니다.

사랑하는 여러분!

이렇게 해외에 나와 살고 있는 우리들이고 보면 우리 자녀나 2

세, 3세들이 타민족과의 결혼은 절대 안 된다고 고집할 수만은 없지 않습니까?

그럴 때 이렇게 우리 민족의 고유한 전통예식을 함께 포함시켜 뜻있는 미풍양속을 전수해 감이 얼마나 좋을까 한번 생각해 보았습니다.

제6부
절망을 넘어선 사람들

새해 새 결심

새해 새날 동녘에 찬란한 태양이 밝아왔습니다.

성경은 다음과 같이 말씀하십니다.

"또 내가 새 하늘과 새 땅을 보니 처음 하늘과 처음 땅이 없어졌고 바다도 다시 있지 않더라 …… 보라 하나님의 장막이 사람들과 함께 있으매 하나님이 저희와 함께 거하시리니 저희는 하나님의 백성이 되고 하나님은 친히 저희와 함께 계셔서 모든 눈물을 그 눈에서 씻기시매 다시 사망이 없고 애통하는 것이나 곡하는 것이나 아픈 것이 다시 있지 아니하리니 처음 것들이 다 지나갔음이러라"(계 21 : 1~4).

이 말씀은 장차 도래할 하나님의 나라인 새 하늘과 새 땅을 계시하여 주고 있습니다. 새 하늘과 새 땅이 펼쳐질 그 때에는 우리 인간들의 가장 큰 적인 사망이나 고통, 질병이 사라지고 즐거움과 새로운 생명의 환희만 있는 낙원에서 삶을 살게 될 것이라는 예언입니다.

금년 한 해 우리 모든 청취자들의 가정과 심령 속에 이와 같은 새로운 세계가 열려지기를 소원합니다.

예수님께서는 "새 술은 새 부대에 담아야 한다. 만일 새 술을 헌 부대에 담으면 그 부대가 찢어져 새 술이 다 쏟아져 쓸 수가 없게 된다."라고 말씀하셨습니다.

우리 모두가 이 새로운 해라는 술을 옛 모습 그대로 헌 부대에 담으면 새해라는 술이 쏟아져 버리고 말 것입니다.

우리의 새 부대란 무엇일까요?

간단히 말해서 우리들의 심령을 말합니다. 성경은 또한 이렇게 말씀하고 있습니다.

"너희는 이 세대를 본받지 말고 오직 마음을 새롭게 함으로 변화를 받아 하나님의 선하시고 기뻐하시고 온전하신 뜻이 무엇인지 분별하도록 하라"(롬 12 : 2).

새해에는 우리 모두의 마음이 새롭게 변화되어서 유행 따라 살지 말기를 기원합니다.

세상 만사 마음먹기에 달려 있다고 합니다. 마음을 새롭게 고쳐먹으면 이 세상을 좀더 아름답고 행복하게 창조하며 살아갈 수가 있습니다.

지금까지 마음속에 깊숙이 묻힌 미움과 증오, 시기와 질투, 음흉한 것들, 원수진 것, 어제의 슬픔, 실패까지도 깨끗이 씻어내고 선하고 밝고 기쁜 심령의 옷으로 갈아입으시기를 바랍니다.

그래야 새해 새 출발(New Start)을 할 수가 있습니다.

그래서 성경은 또한 교훈하기를 "형제들아 나는 아직 내가 잡은 줄로 여기지 아니하고 오직 한 일 즉 뒤에 있는 것은 잊어버리고 앞에 있는 것을 잡으려고 푯대를 향하여 그리스도 예수 안에서 하나님이 위에서 부르신 부름의 상을 위하여 좇아가노라"
(빌 3 : 13~14)라고 하였습니다.

사랑하는 여러분!

새해 첫날 첫 시간, 여러분들은 어떤 결심들을 하셨습니까?

저는 우리 교우들과 함께 새해에는 "하나님의 사랑과 이웃 사
랑의 해가 되자"라고 다짐했습니다. 잘못하면 너무나 크고 추상
적인 '모토'에 불과하지 않나 오해할 수가 있습니다. 그러나 결
국 하나님의 사랑이란 하나님께서 우리 인간들을 사랑하여 자신
의 독생자이신 예수 그리스도까지 십자가에 희생케 하여 우리
영혼을 구하신 그 일입니다.

우리의 마음과 뜻과 성품을 다하여 하나님을 섬기는 일, 그분이
사랑하는 인간인 우리의 이웃들을 사랑하며 그들의 가난과 고통
을 함께 나누며 사는 삶, 그 일이 우리들에게 가장 귀한 일입니다.

토마스 아 켐피스는 「그리스도를 본받아」라는 책에서 "하나님
을 겸손하게 섬기는 한 농부가, 별들의 움직이는 길을 알면서도
영혼의 살 길을 등한시하는 교만한 지식인보다 훨씬 더 하나님
을 기쁘시게 한다."라고 하였습니다.

새해에는 하나님을 사랑하고 이웃을 내 몸같이 사랑하는 해,
그래서 모든 인류가 함께 행복을 누리는 해가 되기를 축원합니
다.

'카르데 드 비'
-삶의 질 향상

오늘 프랑스에서는 지난 8일 타계한 프랑수아 미테랑 (Francois Mitterrand)의 장례식이 거행되고 있습니다. 그는 정복자 나폴레옹 3세 이래 최장기인 14년간을 집권한 프랑스 대통령이었습니다. 그는 1965년 드골과의 대결에서 패배한 이후 1972년에 프랑스 사회당을 창당하여 1974년 대선에서 지스카르 데스텡에게 패배의 쓴잔을 거듭 마셔야 했습니다. 그러나 불굴의 투지로 '81년 대선에서 프랑스 역사상 처음으로 사회주의자로 대통령에 당선되어 14년간이라는 긴 좌파 정부를 이끌어온 지도자였습니다.

처음으로 그가 대통령으로 당선되었을 때 전세계가 놀라움을 금치 못했습니다. 특히 프랑스의 기득권자들과 재벌들은 그들의 재산을 빼돌리고 이삿짐을 싸 곧 탈출할 준비까지 했다고 합니다.

그러나 그는 그런 국민들의 염려를 불식시키고 오히려 평안과 좌우파의 공존을 유지하며 국리민복을 이끈 위대한 지도자로 추앙받게 되었습니다.

　　그는 대통령 선거의 공약부터 어떤 거창한, 추상적이고 환상적인 모토를 내걸지 않았다고 합니다.

　　'카르데 드 비', 즉 어떻게 하면 삶의 질 향상을 국민들이 개인과 가정에서 이룰 수 있는가에 두었다고 합니다.

　　서민들의 가정에서까지 1주일에 한 번 정도 외식을 할 수 있는 경제적인 향상, 국민들이 외국어 하나를 할 수 있고 악기 하나는 연주할 수 있는 문화적인 삶의 향상, 그리고 특히 훌륭했던 공약중의 하나는 아이들이 자기 집 밖에서 나쁜 행동을 할 때는 자기 자식이 아닐지라도 타이르고 나무랄 수 있는 도덕적인 질의 향상을 선거 모토로 내걸었고 그런 사회를 이루어 왔다는 것입니다. 얼마나 훌륭한 정치 철학입니까?

　　'보통사람'이란 이미지를 선거에 부각시켜 자기의 아방궁을 차려놓고 국민의 피를 빨아 수천억의 치부를 했던 자가 지금은 차가운 감옥에 갇힌 신세가 된 우리 나라의 전직 대통령과는 얼마나 대조가 되는 것입니까?

　　특별히 미테랑 대통령이 도덕적인 질의 향상으로 추진한 "남의 아이들이라도 나쁜 행동을 하고 잘못을 범할 때는 누구든지 나무랄 수 있게 만든 법"은 참으로 훌륭한 법이라고 사료됩니다.

　　우리들은 흔히 자기 자식이 엄연히 잘못했는데도 다른 사람들이 그 잘못을 지적하거나 타이르면 화를 내고 심지어는 싸우기까지 하지 않습니까?

　　학교에서 수업 시간이나 교내에서 잘못하는 아이들을 혼을 내고 벌을 주면 부모들이 학교에 쫓아와 그 선생을 고소하겠다며 야단을 치는 사회가 오늘의 미국 사회 아닌가요? 심지어는 자기 자식의 잘못을 혼내주고 좀 손찌검을 했다고 해서 '아동 학대 (Child Abuse)'라 하여 부모를 고발하고 주정부 아동국(局)에서는 자식까지 빼앗아가는 세상이니, 어찌 이 나라의 도덕이 바로 서 가겠습니까?

그러니 자식이 제 부모를 죽이고 그 재산을 강도질하는 사회로 전락된 것이지요. 남의 자식이라도 분명히 잘못 행동하거나 무례히 행하면 당장 타이를 수 있고 벌을 줄 수 있는 사회가 되어야 바른 사회가 구현될 줄 믿습니다.

우리 나라가 얼마나 좋은 동방예의지국이었습니까? 제가 어릴 때만 해도 우리 어린이들은 어느 한 집의 아이가 아니었습니다. 혹시라도 잘못을 범하면 어떤 동네 애들, 어느 집안 아이 하면서 상스럽다며 구설수에 올려놓았습니다.

그런 잘못이나 불명예를 범치 않기 위해서 여간 조심을 하고 언행심사, 일거수일투족을 주의해야 했습니다.

오늘날 경제적으로, 문화적으로 살기가 얼마나 편리해졌습니까? 그러나 도덕적으로는 완전히 나락에 떨어진 시대입니다. 어린아이들이 권총으로 동료뿐 아니라 제 부모와 같은 어른들을 쏴 죽이고 강도질을 하지 않습니까?

오늘 우리 사회에서도 미테랑 같은 좋은 지도자가 필요한 시대입니다. 그는 좌파 사회주의자로서 세계 민주주의, 자본주의자들의 염려와는 반대로 유럽 통합을 이룬 자요, 그 나라 국민들의 삶의 질의 향상을 위해 진력한 지도자였습니다. 비록 경제적으로 큰 향상은 이루지 못했으나 그 나라의 새로운 비전을 심은 지도자로 영원히 세계인의 기억에 새겨질 것입니다.

선천적인 거짓말쟁이 퍼스트 레이디

요즈음 우리가 살고 있는 이 지구촌은 온통 거짓말과 참말의 싸움판이 된 기분을 자아내게 하고 있습니다. 특별히 정치가들 사이에 일어나고 있는 말싸움이 그렇습니다.

요즈음 미국에서는 백악관의 안주인, 퍼스트 레이디(First Lady) 힐러리 클린턴의 '트러블 게이트, 화이트 워터' 스캔들이 전국을 벌집 쑤신 듯 떠들썩하게 하더니 결국은 미국 역사상 유래 없이 영부인이 상원 청문회에서까지 증언을 해야 하는 판국에 이르렀습니다.

미국 매스컴들은 재미가 있는 정치 문제 기삿거리가 생기면 닉슨의 워터 게이트 이후부터는 '…게이트'라는 신생 용어를 창출해 내는 명수들이 되었습니다. '워터 게이트'와 '월남전쟁의 패배'로 미국의 위상이 땅으로 떨어지게 될 때 이들은 '코리아 게이트'라는 신조어로 막 발전도상국으로 기지개를 켜려는 우리 한국을 납작하게 만들지 않았습니까?

클린턴이 대통령에 취임하자마자 "대통령보다 영부인인 힐러리가 훨씬 똑똑하다."라는 소문이 자자했습니다. 이를 증명이라도 하듯 의료제도의 개혁안을 들고 나와 동분서주하던 힐러리 여사의 모습이 TV화면을 매일 장식한 것도 엊그제 같은데, 그도 흐지부지 실패작으로 끝나고 말았습니다.

'트러블 게이트'는 1993년 5월, 백악관의 여행 담당 출장 직원 7명을 집단 해고시켰는데 그것은 힐러리 여사의 지시에 따른 것이었다는 여론이 일었고, 이에 대해 힐러리는 그렇지 않다고 발뺌을 한 데서 비롯되었습니다. 그런데 금년 1월 초, 전 백악관 행정보좌역 데이비드 위킨스의 메모가 일반에게 공개됨으로써 힐러리의 거짓말이 탄로난 것입니다.

더군다나 힐러리는 이미 클린턴이 아칸소 주지사 시절 한 부동산 회사인 '화이트 워터' 사의 파트너로 있으면서 부당 이익을 챙겼고 그것을 선거비용으로 사용했다는 사건 때문에도 '거짓말쟁이'라는 오명을 쓰고 있는 실정입니다.

이 두 사건과 클린턴의 섹스 스캔들은 클린턴의 재선에 제일 큰 악재로 작용하게 될 것이라는 여론입니다.

지난 주 발행된 시사 주간지 타임지의 크로니클스(Chronicles) 난에는 힐러리 클린턴이 보는 앞에서 클린턴 대통령의 큰 주먹이 뉴욕 타임스지의 칼럼니스트 윌리엄 사파이어(William Safires)의 코를 펀치하는 모습이 포스터처럼 크게 그려져 있었습니다.

왜냐하면 윌리엄 사파이어는 그의 칼럼에서 대통령의 영부인인 힐러리야말로 "타고난 거짓말쟁이(Congential Liar)"라고 힐난했기 때문입니다. 이에 대해 백악관의 한 보좌관이 "만일 클린턴이 대통령이 아니었다면 그의 주먹을 사파이어의 코에 날렸을 것이다."라고 논평한 데서 비롯된 착상이라고 봅니다. 이에 대해서 사파이어는 TV쇼에 대담하러 나오면서 권투 글러브를 가지고 나오는 익살을 피우기까지 하는 재미있는 일이 벌어지고 있습니다.

이에 대해 시카고 트리뷴(Chicago Tribune)의 칼럼니스트, 마이크 료코(Mike Ryoko)는 "정치가들이 진실만을 말한다면 세상에는 혼동이 올 것이다."라며 비꼬는 칼럼을 썼습니다. 세상에서 제일 거짓말을 많이 하는 자들이 정치가들이라는 것입니다. 정치가들이 선거운동에서 진실만 말한다면 당선되기 어렵다는 말이지요. 세상은 거짓말로 세뇌(Brainwash)된 세상이랍니다.

그러나 비록 적은 무리들이지만 정의와 진실을 말하면서 참되게 살아가는 자들이 있기 때문에 이 세상은 그래도 살맛이 있고 소망이 있는 것입니다.

구약 성경의 지혜서인 잠언 6장 16~19절에 보면 "여호와의 미워하시는 것 곧 그 마음에 싫어하시는 것이 육칠 가지니 곧 교만한 눈과 거짓된 혀와 무죄한 자의 피를 흘리는 손과 악한 계교를 꾀하는 마음과 빨리 악으로 달려가는 발과 거짓을 말하는 망령된 증인과 및 형제 사이를 이간하는 자니라"라고 하였습니다.

사랑하는 여러분!

우리 모두가 진실이 통하는 사회를 이루는 데 일조한다면 얼마나 좋을까요?

성덕 군을 살리자

　저는 어제 한국일보 본국판 사회면에 난 '성덕 군을 살리자—
전 사회 확산'이란 제목의 기사를 읽으며 눈시울이 뜨거워 견딜
수가 없었습니다. "동족애(同族愛)", "피는 물보다 진하다"는 말
이 있습니다.

　백혈병에 걸린 한국계 입양아, 미공군 사관생도 김성덕 군, 스
물한 살, 미국명 브라이언 성덕 바우만을 살리자는 열기가 미국
뿐만 아니라 본국 사회 각계각층에 확산되고 있다는 소식입니
다.

　지난 27일 신문 보도를 읽은 한국의 공군사관학교 생도들이
자진해서 유전자 검사를 위한 채혈에 나섰는가 하면, 교직원들
도 동참했다는 것입니다. 그리고 KBS 1TV 일요일 스페셜 프로
가 지난 28일 밤에 방영되자 전 국민들이 "성덕이를 살리자",
"그의 부모와 형제를 찾자"는 운동이 한창이라고 합니다.

그리고 엊그제 1월 30일에는 진해에 있는 해군사관학교에서 생도와 교직원 5백여 명이 성덕 군을 살리기 위한 채혈을 실시하였고 이날 육군 사관생도들도 성덕 군을 돕기 위해 가톨릭 골수정보은행에 가입하겠다는 뜻을 밝혔다고 합니다. 이미 1천여 시민이 성덕 군을 위해 골수정보은행에 가입했고 계속해서 문의 전화가 쇄도하고 있다고 합니다. 삼성항공 직원 6백여 명과 LG전자 창원공장 조리기 사업부, 육군 송추부대 장병 1백여 명도 단체 가입했다고 합니다.

뿐만 아니라 서울 신라호텔측에서는 콜로라도 주 스프링스에 위치한 미공군 사관학교로 화상 시스템을 갖춘 버스를 보내 성덕 군과 그의 가족들과 한국인 골수 기증자들을 연결하면서 동시에 호텔에서 바자회를 개최하여 모금운동을 펼칠 예정이라고 합니다.

이런 일련의 일들은 참으로 콧잔등이 시큰하게 느껴지는 동족 사랑의 발로들이 아니고 무엇이겠습니까?

성덕 군은 세 살 때인 1977년에 25세의 생모 신금수(경북 출신)에 의해서 외가에 맡겨졌고 다시 얼마 후 고아원에 보내져 입양기관인 아동복지회를 통해 미네소타 주의 바우만 씨 가정으로 입양되어 왔다고 합니다. 성덕 군은 자라면서 줄곧 우등생이었고 고교 때는 총학생회 회장직을 맡는 등 리더십도 뛰어나 입학이 어려운 미 공군사관학교에 들어가 금년 5월에 임관을 앞두고 있습니다. 그런데 이 무슨 청천벽력입니까? 작년 10월 만성골수염, 즉 백혈병 진단을 받아 시한부 인생을 선고받는 불행을 맞게 된 것입니다. 그를 살릴 수 있는 유일한 길은 그와 같은 유전자의 골수를 찾아 이식받는 것이라고 합니다.

그와 골수가 일치할 확률은, 외국에서는 20만~30만 명에 1명꼴이고, 같은 동족에서는 2만 명에서 1명꼴이라고 합니다. 제일 좋은 길은 그의 친부모나 형제가 나타나면 같은 유전자의 골수일 가능성이 제일 클 것이므로 한국에서는 그의 부모 형제를 찾는 캠페인이 벌어지고 있습니다.

재작년 시카고에서도 우리 교포 자녀 문영호 군의 백혈병을 치료하기 위한 골수이식 운동을 펼쳤을 때 우리 교회도 동참한 일이 있었습니다.

안타깝게도 문 군은 하늘나라에 가고 말았습니다. 이 불쌍한 성덕 군을 살리는 일에도 우리 모두가 동참했으면 하는 바람입니다.

저도 1973년 유학을 오면서 홀트 양자회에서 미국의 양부모들에게 보내는 입양아들을 데리고 왔습니다. 오헤어 공항에서 그 젖먹이들을 떼어놓으면서 같이 에스코트하여 온 여학생과 함께 울었던 기억이 떠오릅니다. '그 아이들은 이제 모두 성인이 되어 잘 살아가고 있겠지.' 하고 생각해 봅니다.

사랑하는 여러분!

동족 사랑, 이웃 사랑 바로 그것이 천부께서 우리들에게 주신 참사랑의 뜻이 아닐까요?

절망을 넘어선 사람들

몇 년 전 전해 들은 아름다운 이야기가 있습니다. 한국의 유명한 어느 여류작가요 교회 권사님의 이야기입니다.

그분은 50대 초반 한창 열심히 글도 쓰고 많은 일을 하면서 분주히 살아가고 있는 분인데 한 번은 가슴에 이상이 있어서 병원에 가서 진찰한 결과 '암'이라는 진단을 받았습니다. 앞으로 2～3개월밖에 살 가망이 없다는, 그야말로 사형선고를 받은 것입니다.

눈앞이 깜깜하다더니 바로 그걸 두고 하는 말인 것을 깨달았답니다.

"이제 나는 끝장이다. 아직도 할 일도 많고, 하고 싶은 일도 많이 남았는데 이대로 죽다니" 한참을 절망 속에 푹 빠져 들어가 허우적대고 있었습니다.

그러다가 어느 날 새벽에는 일찍이 깨어서 응접실에 나아가 무릎을 꿇고 기도를 드리는데 갑자기 머리에 섬광처럼 떠오르는 것이 있었습니다. 아니, '세미한 하나님의 음성'이 들려오는 것 같았습니다.

"왜 낙심하느냐. 일어서서 나가 일하지 않고……."

그녀는 미친 듯이 일어섰습니다. 그날 이후로 매일매일 밖으로 나갔습니다. 자기의 가진 것을 하나하나 정리하면서 돈이 되는 것은 가지고 나가서 팔기도 하고……. 그래서 그녀는 고아원으로, 양로원으로 그리고 교회로 다니면서 자기가 그 동안 돌아보지 못한 불쌍한 고아와 과부들, 외로운 노인들을 열심히 섬기기 시작했습니다. 신바람이 나서 돌아다녔다고 합니다. 그러다가 세월이 가는 것도 몰랐습니다. 그런데 그녀의 시한부인 2~3개월이 훌쩍 지나가 버렸습니다.

"응? 내가 아직도 살아 있지?"

'암' 선고를 받은 자신이 3개월이 지났는데도 살아 숨쉬고 있다는 것이 신기했습니다. 그래서 자기를 진단한 의사에게 달려갔습니다. 다시 검진하던 의사는 고개를 갸우뚱하면서 "아니! 선생님, '암' 덩어리가 다 없어지고 말았습니다."라고 했습니다.

그 후 어느 여기자가 그 여류작가에게 인터뷰하면서 "억울하지 않습니까? 혹시 그 의사가 오진한 것 아니었나요? 그 많은 재산을 팔아 다 남을 도왔으니 이젠 어떻게 합니까?"라고 물었답니다. 그녀의 대답은 분명했습니다.

"내 50평생, 지난 2~3개월이 제일 기쁘고 행복한 삶이었습니다. 세월이 가는 것조차 모르고 남을 위해 뛰었습니다. 앞으로 남은 생이 얼마인지 모르지만 이런 일을 하려 합니다."라고 대답했다고 합니다.

지난 2월 2일 LA의 레이커스의 매직 존슨이 4년 만에 농구 코트에 컴백해서 시카고 불스의 마이클 조던과 다시 코트를 누볐습니다.

그는 1991년 HIV(후천성 면역 결핍증)의 진단을 받고 앞으로 AIDS라는 전염병에 걸릴 위험성이 있어 홀연히 코트를 떠나고 말았습니다. LA뿐만 아니라 전 미국, 나아가서는 온 세계의 스포츠 팬들에게 큰 충격과 아쉬움을 남기고 떠났습니다.

그는 시카고 불스의 마이클 조던과 함께 전세계 농구 팬들의 총애를 받는 스타입니다. 흑인 청소년들의 우상이요, 영웅입니다.

그런 그가 사형선고와 비슷한 AIDS에 걸리는 전초전인 HIV보균자로서 생명처럼 아끼는 농구 코트를 떠나고 말았습니다.

더군다나 3년 전에는 시카고 불스의 마이클 조던까지도 사랑하는 아버지의 갑작스런 죽음의 충격으로 은퇴를 선언하고 그가 어려서부터 꿈꾸던 야구를 위해 시카고 삭스 구단에 들어갔습니다.

그 후로는 저 자신도 농구 게임을 보고 싶은 마음이 사라질 정도였습니다.

그런데 작년 봄 마이클 조던이 시카고 불스에 컴백하여 승승장구하고 있더니 이젠 매직 존슨이 LA 레이커스에 돌아와 전세계 스포츠 팬들을 흥분시키고 있습니다.

오늘 저는 단순히 스포츠계의 희소식이나 두 스타의 인기를 찬양하려는 것은 아닙니다.

절망과 슬픔을 딛고 일어난 승리자들의 용기와 아름다움이 아직도 이런 절망 속에 있는 자들에게 큰 희망을 가지게 한다는 데 힘찬 박수를 보내고 싶은 것입니다.

청지기의 도

남미 아르헨티나에서 선풍적인 명성을 떨치다가 지금은 캘리포니아 가든 그로브의 로버트 슐러 목사가 담임하고 있는 크리스털 교회의 히스패닉 목회를 담당하고 있는 후안 카를로스 오르티즈 목사가 있습니다.

그는 지금 이 세상에는 두 가지 철학이 지배하고 있다고 말합니다.

하나는 자본주의(Capitalism)요, 다른 하나는 사회주의 즉 마르크시즘(Socialism, Marxism)입니다. 자본주의는 이 세상의 모든 '부'는 그것들을 모아들인 개인의 소유라고 주장하는 사회입니다. 즉 모든 소유는 자기의 재주와 힘으로 그것을 벌어들인 자의 것이 된다는 이론입니다. 그래서 자본주의 사회에서는 "내 집, 내 자동차, 내 돈"이라며 거기에 자기의 이름을 붙여 자신의 소유를 삼을 수가 있습니다. 대부분의 민주주의 국가가 이에 속합니다. 미국을 비롯해서 영국, 독일 그리고 일본, 우리 나라의 경우는 남한만 이에 속합니다. 자본주의 국가에서는 개인의 사유재산과 자유를 존중한다는 장점이 있지만 부익부 빈익빈의 차이가 너무 심하고 치열한 경쟁의식이 강하게 사람들을 억누르고 있다는 단점이 있습니다.

또 다른 하나의 이데올로기는 사회주의입니다. 칼 마르크스에 의해서 주장된 이 철학은 "세상의 부는 그것을 벌어들인 개인의 것이 아니고 사회의 것이요 모든 사람들에게 속한다."라고 주장합니다. 그래서 모든 것을 국가가 소유하여 국민들에게 공동 분배하여야 한다는 사상입니다. 이는 얼핏 듣기에는 참으로 이상적인 이데올로기지만 실제로는 공산당에 속한 자들만 혜택을 누리고 주인 의식이 없는 국민들은 강제 노동과 수탈에서 헤어나지 못하는 피폐된 사회를 이룩하게 됩니다. 이 같은 이론으로 70년 동안 세계의 절반을 지배해 온 공산주의 종주국인 구 소련이 붕괴되고 우리 나라의 절반인 북한 땅은 최근에 먹을 식량이 없어 세계에 구호의 손길을 호소하고 있는 지경에 이르렀습니다.

성경은 이 두 가지의 경제 철학을 모두 배제합니다. 물론 자본주의 이론이나 사회주의 이론이 모두 성경의 일면에서 나온 것은 사실입니다. 성경은 하나님께서 창조한 한 사람 한 사람의 인권과 소유를 존중함과 동시에 빈부귀천 없이 똑같이 가진 자나 못 가진 자가 함께 나누며 사는 사회를 지향해 가야 함을 가르쳐 줍니다. 그러나 그것은 어떤 자본주의자들처럼 "내 것이다" 또는 사회주의자들의 이론과 같이 "국가의 소유이다"라는 개념을 초월한 "하나님의 것임"을 말씀하고 있습니다.

성경의 첫 장인 창세기 1장 1절은 "태초에 하나님이 천지를 창조하시니라"라는 말씀으로 시작됩니다. 이는 분명 이 지구를 포함한 온 우주가 하나님의 소유라는 진리입니다. 하나님께서는 우리 인간을 하나님의 형상으로 지으시고 이 모든 것을 우리들에게 관리하라고 맡기신 것입니다. 그런 면에서 우리들은 청지기 (Steward) 입니다.

이 모든 부와 재물을 우리들이 살아 있는 동안 잘 맡아 관리하여 우리의 이웃과 더불어 함께 나누며 행복하게 살아가도록 하셨습니다. 예수님의 비유와 같이 어떤 주인이 타국으로 떠나면서 그 종들에게 능력에 따라 다섯 달란트, 두 달란트, 한 달란트를 맡김과 같습니다. 그래서 다섯 달란트, 두 달란트 맡은 종처럼 잘 관리해서 이윤을 남기어 주인을 기쁘게 해야 합니다. 한 달란트 받은 종처럼 땅 파고 묻어 두었다간 책망을 받고 빼앗기고 말 것입니다.

지금 우리 조국과 일본 사이에는 독도 소유권 분쟁으로 초긴장 상태에 돌입해 있습니다. 독도는 역사적으로나 지정학적으로 볼 때 신라 때부터 우리 땅임이 분명합니다. 왜적들이 36년간 우리 땅이 저희들의 것이었으니 지금 와서 내놓으라는 이론과 같습니다.

하나님이 우리 나라에 주신 땅을 잘 맡아 관리하여야 착하고 신실한 청지기라는 칭찬을 받게 될 것입니다.

미주 땅의 우리들도 모두 다 선하고 착한 청지기의 도를 다합시다. 있는 것까지 빼앗기는 우를 범해서는 안되겠습니다.

하바나 '이종두의 날'

지난 주간 회의차 인디애나 폴리스에 갔다가 동료 목사로부터 들은 흐뭇한 이야기 한 토막이 있습니다. 이곳 시카고에서 서남쪽으로 운전 거리 4시간 정도에 위치한 '하바나'라는 도시에 우리 동포 외과의사 한 분이 살고 있는데 그 도시에는 그분의 이름을 딴 '이 종두의 날'이 있다는 것입니다. 그 연유를 물으니 그 목사님은 다음과 같은 이야기를 들려주었습니다. 그 의사는 자기가 가진 아파트 등을 팔아서 장학재단을 설립하고 매년 여러 학생들에게 장학금을 지급하는가 하면 그렇게 바쁜 의료 진료의 시간을 쪼개서 아프리카 등지를 다니면서 병들고 가난한 환자들을 치료하며 복음을 전파하는 단기 선교활동을 펴고 있다고 합니다. 얼마 전에도 아프리카의 우간다에 가서 의료선교를 하고 돌아왔다고 합니다.

그가 근무하는 병원에도 그의 이름으로 병동을 기증하기도 했다고 합니다.

몇 년 전 그는 사랑하는 아내와 사별하였는데 아내가 못다 한 빈자리까지 맡아 전심전력으로 일하며 재혼도 생각할 겨를 없이 복음선교와 인술을 위하여 헌신하고 있다는 것입니다.

그분의 타계한 부인은 저도 몇 번 만난 적이 있는 장지원 여사입니다. 아시는 분들도 계시리라 사료됩니다만 장 여사는 오랫동안 우리 조국의 민주화와 인권운동을 위하여 헌신하신 분입니다. 아직도 한창 일하실 나이에 한국의 민주화와 통일의 날을 보지 못한 채 하늘나라로 가셔서 그녀를 아끼는 많은 분들의 가슴에 아쉬움을 남겨 놓기도 하였습니다.

그분의 부군 되시는 닥터 리는 아내를 사랑하는 마음과 그녀가 남기고 간 사회와 나라와 그리고 복음선교의 사업을 함께 도맡아 하면서 부지런히 봉사를 하고 있다는 소식이었습니다. 의사로서 부와 재물도 가지고 얼마든지 행복하게 살고, 다른 사람들처럼 재혼도 하여 인간적인 낙도 누리며 살아갈 수 있으련만 그보다 더 귀중한 생의 가치와 의미를 찾아서, 그리고 하나님의 부르심에 합당한 사역에 몰두하며 하루하루를 보람있게 보내시는 분이라는 이야기였습니다.

그래서 그가 살고 있는 하바나 시에서는 그를 기리는 뜻에서 '이종두의 날'을 설정하여 매년 지키고 있다는 것입니다. 얼마나 흐뭇한 미담입니까?

우리들이 먼 외국 땅에 이민 와서 나와 내 식구들만을 위하여 밤낮없이 일하고 돈을 모아 교외에 대궐 같은 집, 공원 같은 정원을 꾸미고 행복하게 사는 것도 참으로 자랑스럽고 대견스런 삶입니다. 그러나 이와 같이 우리가 살고 있는 커뮤니티에서 인종과 환경을 초월해서 자신에게 부여된 천부적인 소질과 배운

전문기술을 통해 헌신 봉사하고 휴가기간이 아니더라도 1년에 얼마간의 기간을 정해서 하나님께서 명하신 복음선교를 위하여 아프리카 등지에 나아가 선교하는 일이야말로 참으로 보람되고 의미 있는 생이라고 생각합니다.

인종차별이 심하고 부익부 빈익빈이 사람들의 마음을 냉각시키는 이 미국 같은 자본주의 사회에서 '나의 것'이 아닌 '우리 모두의 것'이라는 사랑의 마음으로 서로 나누고 섬기며 살아간다면 우리의 피부 색깔이 노랗든 검든 희든 간에 한 인간으로서 존경과 사랑을 받고 살아갈 수가 있지 않을까 생각해 봅니다.

'No Fear'

어느 누구나 인간이라면 두려움, 근심, 걱정 그리고 문제들 속에서 살아가고 있습니다. 특별히 현대인들은 많은 전쟁과 경제적인 어려움, 인종의 갈등, 빈곤, 실직, AIDS, 암 같은 질병 등의 두려움에서 벗어나지 못하고 살아가고 있습니다. 더군다나 20세기 문명의 찌꺼기인 '핵 우산' 아래서 살고 있는 우리들은 언제 어디서 핵폭탄이 터져 우리들이 산화되어 버릴지 모르는 두려움과 공포 속에 살아가고 있습니다.

그래서 미국 사회는 시대별로 사람들 사이에 인사말로 쓰여지는 슬로건(Slogan)이 다르다고 합니다.

산업혁명으로 공장에서 땀흘리며 일하다가 세계 제1, 2차 대전을 치르며 산 1946년 이전에 태어난 세대들의 슬로건은 "No Sweat", 즉 "땀흘리지 말라"는 인사였다고 합니다.

이 말은 쉽게 이야기해서 '괜찮다'는 의미로 쓰여졌습니다. 저도 1946년 이전에 출생한 사람으로 1960년대 카투사로서 미군들과 같이 생활했는데 미군 친구들이 "No Sweat"란 말을 많이 썼는데 처음엔 그 뜻을 몰랐습니다. 알고 보니 '너무 염려 말라', '괜찮다'는 의미로 쓰이는 '슬랭'이었습니다.

그 다음 세대인 1946년~1954년대에 출생한 사람들의 세대를 '베이비 부머(Baby Boomer)' 세대라고 합니다. 이때에 유행된 슬로건은 "No Problem"이었다고 합니다. 전쟁이 끝나고 산업사회가 발달하는 세대에 나서 살고 있던 저들에게는 "No Problem"(문제없다, 별거 아니다)이라는 슬로건이 저들의 입에서 술술 나온 것이지요.

그 다음 세대인 1964~1983년대의 사람들은 "No Fear"(두려워 말라)이라는 슬로건을 쓰고 살고 있다고 합니다. 무서운 것, 두려움이 없는 세대입니다. 민권폭동과 월남전쟁의 시대를 살고 있는 저들에게 쏟아지는 두려움, 그것을 극복하는 삶, 그래서 "No Fear"를 슬로건으로 내걸고 산 것입니다.

지금 1984년부터 오늘의 시대의 슬로건은 "No Worry(Don't Worry)"라고 합니다.

이 시대야말로 내일을 예측할 수 없는 '염려의 시대'이기도 합니다. 이런 때 우리들이 지향하고 나갈 슬로건은 "No Worry"입니다.

얼마 전 회의에 갔다가 기도회 시간에 설교를 하던 인도자가 한 청년을 불러내어 그의 재킷을 벗게 하여 티셔츠의 뒷면에 새겨진 글을 보여 주었습니다. 거기에는

"Know God" "No Fear" "No God" "Know Fear"라는 글이 크게 새겨져 있었습니다.

어떻게 들으면 발음이 비슷해서 혼동하기 쉬우나 뜻을 새겨보

면 참으로 의미심장한 글이었습니다.

처음 "Know God"(하나님을 알면) "No Fear"(두려움이 없다)

그 다음의 "No God"(하나님이 없는 자에게는) "Know Fear"(두려움을 알게 된다, 즉 두려움이 온다)이라는 의미입니다.

하나님을 믿고 그의 인도하심을 받는 사람에게는 현재나 미래에 대한 두려움이 없습니다. 두려움이 사라집니다. 그러나 하나님을 믿지 않고 하나님을 모르는 사람은 그에게 있어서 현재도 미래도 두려움과 공포로 염려 속에서 살아가는 삶이 있을 뿐이란 뜻입니다.

이사야 41장 10절에 하나님께서 말씀하십니다.

"두려워 말라 내가 너와 함께함이니라 놀라지 말라 나는 네 하나님이 됨이니라 내가 너를 굳세게 하리라 참으로 너를 도와주리라 참으로 나의 의로운 오른손으로 너를 붙들리라"

사랑하는 여러분!

오늘도 두려움 없이, 걱정, 근심 없이 하나님의 손에 붙잡혀 살아가는 여러분의 하루가 되시기를 바랍니다.

내 몸의 한 부분을 줄 수 있다면

  미국 목사 한 분이 자기가 목회하는 교구의 한 교인으로부터 어려운 상담요청을 받았습니다. 그 내용은 이렇습니다.

  마르쿠스라는 교인의 젊은 부인이 교통사고로 머리를 다쳐 병원을 찾아갔더니 "당신의 부인이 살아날 확률이 적은데 장기를 기증한다는 서류에 서명을 해주시기를 요망합니다."라며 간호사가 서류를 내놓았습니다.

  마르쿠스는 그 사실을 가족들과 상의하였습니다. 그러나 가족들은 슬픔 가운데서 여러 가지 의견을 내놓으면서 반대하였습니다. 그의 장모님은 "자네가 장기 기증 서류에 서명을 한다면 그것은 자네가 아내를 배신하는 행위네."라고 강한 어조로 반대하는 것입니다. 그리고 그의 딸은 "엄마가 장기의 한 부분이 없이 장사된다면 어떻게 되겠어요?"라며 반발하고 나섰습니다.

  "그러니 이 어려운 상황에서 제가 택할 수 있는 길이 무엇입니까?"

목회자로서 이와 같은 상담을 하게 될 때 참으로 어렵기 그지 없습니다. 먼저 성서적으로 그리고 신학적으로, 기독교 윤리적인 면에서 말씀을 해드리게 됩니다.

물론 먼저 그 남편 마루크스 씨의 의중을 들어보는 것이 중요하지요. 이 문제를 가져온 그 남편은 아내를 사랑하는 마음이 깊기에 그러나 크리스천으로서 어떻게 해야 하는가에 대한 복합적인 심정을 가질 수 있으리라 생각됩니다. 단순히 가족들의 다수 의견이 반대 입장이니 그도 따르겠다는 심정이었으면 목사에게 상담하러 오지도 않았을 것입니다.

목사는 상담자로서 그를 위로하며 성경에 나오는 하나님의 사랑, '아가페'에 대해 말씀을 드리게 되지요. 하나님의 사랑은 독생자 예수 그리스도를 온 인류를 위하여 이 세상에 보내 주시므로 십자가에 달려 그의 전 몸, 전 장기를 다 찢기시고 물과 피를 다 쏟아 주셔서 구원하였음을 말씀드릴 수 있습니다.

그리고 모든 인생의 공포의 대상인 죽음을 이기시고 부활하심으로 말미암아 우리로 하여금 사후의 영생이 있음을 확신케 합니다. 그리고 예수님께서는 "이웃을 네 몸같이 사랑하라"고 교훈하셨음도 대화로 나누게 됩니다.

위의 마르쿠스의 장모님은 자기의 딸을 사랑하는 마음으로 사위에게 '배신'이란 말을 한 줄로 사료됩니다. 목회자는 그런 가족들에게 '하나님의 사랑'과 '이웃 사랑'에 대해 알려주고 부활의 희망을 전해 줌으로써 오히려 자기의 사랑하는 사람의 몸의 한 부분이 다른 생명을 살리고 광명을 준다는 귀중한 의미를 깨닫게 함이 중요하다고 생각합니다.

엊그제 우리 조국에서는 열한 살짜리 초등학교 4학년 김태완 군이 백혈병으로 세상을 떠나면서 자기 눈의 각막을 기증한 눈물어린 기사가 신문에 실린 것을 읽어보았습니다. "다른 친구가 내 눈을 통해 세상을 본다면 내가 보는 것과 같다."라고 어머니를 위로했다는 태완 군은 열한 살의 어린 나이에도 불구하고 죽음을 초월한 크고 넓은 사랑이 그를 감싸고 있었던 어린이입니다. 지난 2월에도 어린 초등학교 학생 김민우 군이 세상을 떠나면서 각막과 시신을 기증하여 다른 어린이들에게 광명을 찾아주게 되었다는 소식을 들었습니다.

지난 1월 31일에는 저의 선배 되는 전주중앙교회의 김옥남 목사가 한양대학병원에서 생면부지의 이정숙이라는 여인에게 자기의 신장을 이식시켜 그녀의 생명을 구했다는 소식을 전해 들었습니다. 그 후에 이를 감사한 이정숙 씨의 남편이 자기의 신장을 다른 신장병을 앓고 있는 환자에게 이식해 주어 소생케 했다는 아름다운 이야기가 전해 오고 있습니다.

김옥남 목사는 1993년 11월, 사랑의 장기기증운동 전주지역본부가 창립될 때 중추 역할을 하면서 자기의 신장기증을 본부에 등록하고 이번에 자기와 조직형이 일치하는 이 여인에게 이식을 하게 되었다는 것입니다.

사랑하는 여러분!

참으로 아름다운 세상입니다. 그렇게 각박한 세상만은 아닙니다. 이렇게 몸의 일부분까지 떼어주는 사랑의 사람들이 있기에 세상은 희망이 있습니다.

지금 이 기간은 우리 기독교의 사순절 기간입니다. 우리 인류를 위해 몸의 한 부분이 아닌 전체를 주신 예수 그리스도의 고난에 함께 참여하는 때입니다.

유턴을 하시오

사순절을 맞아 우리 레익뷰 노인 선교회에서는 1박 2일 예정으로 특별기도회를 위해 가나안 기도원에 갔습니다. 어르신들은 어린이마냥 즐거워 하셨습니다. 답답한 도심을 벗어나 한적한 곳을 찾는 것처럼 즐거운 일은 없는 모양입니다. 하이웨이를 달리며 차창으로 내다보이는 드넓은 들판들, 아직은 앙상한 채로 서있는 나무들이지만 머잖아 기지개를 켜고 일어나 봄바람이 불어다주는 푸른 옷을 갈아입을 채비로 바쁜 듯이 나무들은 바람결에 흔들흔들 춤을 추는 듯하였습니다.

기도원에 도착하여 바로 성전으로 들어가 모두 다 머리숙여 감사의 기도를 드렸습니다. 저는 기도 인도를 하고 곧장 떠나와야만 했습니다. 물론 특별강사를 모셨고, 인도하는 전도사님에게 부탁을 하고 오후 2시에 시카고에서 교회 일로 약속한 Conference를 위해 바쁘게 달려야 했습니다.

벌써 시계는 한 시를 가리키고 있었습니다. 부랴부랴 차를 돌려 시골길을 달려나오는데 제 앞서 떠난 교회 관리인이 운전하는 교회 버스가 시야에 들어왔습니다. 그런데 웬일입니까?

분명히 50번 도로선상에서 좌회전을 해야 시카고로 가는 94번 고속도로를 만날 터인데 교회 버스가 우회전을 하여 정반대 방향으로 달려가는 것이었습니다.

참으로 낭패였습니다. 보지 못했으면 몰라도 우리 교회 차가 분명히 정반대 방향으로 달려가는 것을 보았으니, 만약 그대로 둔다면 레익 제네바 쪽으로 가서 위스콘신 주를 헤맬 것이 뻔한 일입니다. 그러나 외국인들과 교회 관계 회의인데 늦으면 큰 실례가 될 것이니 갈등이 참으로 이만저만이 아니었습니다.

그렇지만 '그대로 둘 수는 없지.' 하는 결심이 서서 쏜살같이 달리기 시작했습니다. 스피드를 60마일, 70마일 올려 밟기 시작했습니다. 다행히도 50번 도로상에 신호등이 나타나더니 빨간불로 바뀌고 교회 버스가 정차하는 것이었습니다. 달려가 옆으로 차를 대고 클랙슨을 빵빵하고 누르니 우리 관리인이 웬일이냐는 것입니다. "집사님은 지금 정반대 방향으로 달리고 있는 것이에요, 저를 따라오세요." 하고 거기서 유턴(U-Turn)을 하여 94번 하이웨이가 나오는 쪽으로 달려왔습니다. 이제는 약속 시간을 지켜야 한다는 강박감이 일어나 페달을 70마일 80마일을 밟았습니다.

그런데 뒤를 쫓아오는 관리인도 나를 놓칠세라 막 달려옵니다. '이젠 바른 길로 들어섰으니 좀 천천히 올 일이지…….' 했으나 소용이 없었습니다. 다행히 제 시간 안에 약속 장소에 도착하였습니다.

그러나 저는 이 일로 인해서 많은 교훈을 얻게 되었습니다.

'바로 우리 인생길이 이와 같이 목적지를 향하여 달려가는 길이 아닌가? 그런데 한 번 길을 잘못 들어서면 방향도 없이, 아무리 열심히 빠르게 달린다 해도 결국은 목적지에 도달하지 못하고 지치고 쓰러지고 말 것이 아닌가? 목사인 나 자신이 그렇게 잘못된 길로, 정반대 방향을 향해 달리는 사람을 보고 나의 영달이나 내 일 때문에 그냥 내버려두고 간다면 어떻게 하나님과 사람 앞에 설 수 있단 말인가?' 제 자신을 돌아보는 계기도 되었습니다.

사랑하는 여러분!

지금 우리들이 달려가고 있는 길이 바른 방향, 바른 목적지를 향해 달려가고 있는지, 혹시 우리 앞에 잘못 들어왔다고 알려주는 'Wrong Way' 도로 표지판이 나타나지나 않았는지요? 한 번 돌아보면서 잘못 가는 길이면 유턴을 하여 바른 길로 들어서야 하지 않을까요?

예수 그리스도께서는 이렇게 잘못된 방향으로 달려 멸망(사망)에 이르게 될 우리 인생을 구원하러 세상에 오셔서 십자가의 희생으로 생명의 길을 열어놓으셨습니다. 그러면서 친히 "내가 곧 길이요 진리요 생명이니 나로 말미암지 않고는 아버지(하나님)께로 올 자가 없느니라"(요 14 : 6)라고 말씀하셨습니다.

제7부

나도 덤으로 삽니다

세족 목요일

오늘을 우리 기독교력(曆)에서는 성 목요일, 세족 목요일(洗足 木曜日, Maundy Thursday)이라고 합니다.

예수님께서 잡히시기 전날 밤에 다락방에서 제자들과 함께 성 만찬식을 베풀고 자신이 온 인류를 죄와 사망에서 구원하기 위 하여 십자가에서 살을 찢기시고 피 흘려 죽을 것을 말씀하여 주 셨습니다.

예수님께서 성만찬을 베푸시는 도중에 자리에서 일어나 겉옷 을 벗고 수건을 가져다가 허리에 두르시고 대야에 물을 담아 제 자들의 발을 씻기시며 그 두르신 수건으로 닦아 주셨습니다. 그 때 예수님의 수제자인 베드로는 "제 발은 절대 씻기지 못하리이 다."라고 하였습니다. 선생님이 친히 자신의 발을 씻겨 주심을 감당치 못하겠다는 뜻이었습니다. 그러나 예수님께서 "내가 너 를 씻기지 아니하면 네가 나와 상관이 없느니라"라고 말씀하시자 베드로는 "주여 내 발뿐만 아니라 손과 머리도 씻겨 주옵소서." 하였습니다. 예수님은 "이미 목욕한 자는 발밖에 씻을 필요가 없느니라. 온몸이 깨끗하니라 너희가 깨끗하나 다는 아니니라"(요 13 : 1~10) 말씀하시니 이는 자기를 팔 자가 가룻 유다이심을 아셨기 때문이었습니다.

예수님께서는 제자들의 발을 씻기신 다음 옷을 입으시고 저희들에게 교훈하여 주셨습니다.

"내가 너희에게 행한 것을 너희가 아느냐 너희가 나를 선생이라 또는 주라 하니 너희 말이 옳도다 내가 그러하다 내가 주와 또는 선생이 되어 너희 발을 씻겼으니 너희도 서로 발을 씻기는 것이 옳으니라 내가 너희에게 행한 것같이 너희도 행하게 하려 본을 보였노라"(요 13 : 12~15).

예수님께서는 섬기는 종의 도를 제자들과 그를 믿는 모든 크리스천들에게 교훈하여 주신 것입니다.

제가 22년 전 오하이오 주에서 신학교를 졸업하던 전날 밤에 졸업생들과 교수님들이 함께 성만찬식을 하게 되었습니다. 성만찬식 석상에서 학장님이 자리에서 일어나시더니 겉옷을 벗으시고 수건을 허리에 두른 다음 대야에 물을 떠서 우리 졸업생들의 발을 하나하나 씻겨 주시기 시작하였습니다. 일흔 가까운 노학장님께서 졸업하고 목사가 되어 목회할 제자들의 발을 하나하나 씻겨 주시며 일일이 포옹해 주시는 것이었습니다.

그리고 마지막 말씀으로 "너희들의 발을 스승인 내가 씻어 주었으니 너희들도 목회 현장에 나아가서 다른 사람의 발을 씻어 주는 종들이 되어라."라고 가르쳐 주셨습니다.

어쩌다가 모교를 방문하면, 그 노학장 잭슨(William Jackson) 박사님은 하늘나라에 가시고 안 계시지만 그 때의 마지막 교훈이 제 귀에 쟁쟁히 들려오며 제 가슴속 깊이 찡해져 옴을 느낍니다.

오늘도 부족한 사람이 과연 주 예수 그리스도의 종으로 섬기는 삶을 살아가고 있는지, 오히려 섬기려 하기보다는 섬김을 받으려고 하고, 낮아지기보다는 높아지려고 하고 있지 않은지 자신을 돌이켜 보며 부끄러워 얼굴이 달아옴을 느끼게 됩니다.

사랑하는 여러분!

오늘 우리 만민의 죄를 대속하시기 위하여 십자가의 고난을 당하신 예수 그리스도의 세족식을 본받아 우리 모두 서로 발을 씻겨 주는 섬김의 도를 행하는 삶을 산다면 얼마나 아름다운 세상이 될 것인가를 생각하는 하루가 되셨으면 합니다.

네크로필리아

　심리학자 에리히 프롬에 의하면 인간의 성격 가운데 악성 공격성으로 '네크로필리아' 가 있다고 합니다. 네크로필리아란 '죽은 자에 대한 사랑' 이란 그리스어에서 온 용어입니다.

　이는 성적으로 죽은 여자의 시체와 어떤 성적 접촉을 행하고 싶다는 남자의 욕망과, 비 성적인 네크로필리아는 시체를 만지고 그 곁에 있고 바라보고 싶다는 욕망, 특히 시체를 산산조각으로 만들고 싶다는 욕망 두 가지로 분류할 수가 있습니다.

　에리히 프롬은 "인간은 살인자라는 사실이 동물과 다르다. 인간은 자신의 종족에 속하는 무리를 아무런 생물학적인 혹은 경제적인 이유도 없이 죽이고 괴롭히며 또한 그렇게 함으로써 만족감을 맛보는 유일한 영장류이다."라고 정의하였습니다.

　유대인 육백만을 잔인하게 학살한 독일의 독재자 아돌프 히틀러의 파괴성을 분석한 에리히 프롬은 히틀러도 하나의 네크로필리아 성격의 소유자였을 것으로 보고 있습니다.

히틀러의 파괴의 대상은 도시와 인간이었다고 합니다. 새로운 비엔나, 린츠, 뮌헨 그리고 베를린의 위대한 건설자이며 열광적인 설계자인 그가 파리를 파괴하고 레닌그라드를 붕괴시키고 마지막엔 독일의 멸망을 바랐던 동일 인물이었다고 합니다. 그는 1944년 9월 독일 영토를 적군이 점령하기 전에 초토화시킬 것을 다음과 같이 명령했다고 합니다.

"모든 것, 생활을 유지하기 위해 필요한 모든 것, 즉 배급카드의 기록, 혼인관계의 기록들, 주민등록, 은행계좌의 기록들을 파괴하는 일, 또한 농장을 불태우고, 가축을 죽이고, 식량도 완전히 없애 버려라. 기념비, 궁전, 성, 교회, 극장, 오페라 하우스도 모두 파괴해 버려라."

자기 동족을 1천만 명 가량 대량 학살한 구 소련의 스탈린도 이와 같은 파라노이드(정신편집증) 환자였다고 합니다.

잔인한 4월이 다가왔습니다. 우리 나라에서는 15대 총선이 실시되어 오늘 그 개표 현황이 이곳 시카고에서도 중계되고 있지만, 자유당 독재에 항거하여 우리 젊은 대학생들이 얼마나 많은 피를 흘렸던가요? 4·19 그날은 우리 민족이라는 나무에 젊은이들이 피를 흘려 밑거름을 준 날입니다. 예나 지금이나 독재자들에게는 이같이 잔인한 네크로필리아의 성향이 짙게 나타나고 있는 듯합니다.

그같은 성향은 비단 독재자나 정치가에 국한되지 않습니다. 개인에게도 편집증으로 나타나면 무서운 파괴로 이어집니다. 그것이 바로 작년 4월 19일, 오클라호마 시의 연방정부 빌딩을 폭파하여 수많은 인명을 살상한 티모시 맥베이와 같은 자들이 아니겠습니까?

지난 3일 몬타나 주의 산간 통나무집에서 체포된 유나범버 데오도 카젠스키(Theodore Kaczynski)의 경우도 파라노이드 환자로서 네크로필리아의 성향을 가진 자라 할 수 있습니다. 차를 타고 가다가 길거리에 지나가는 순진한 사람들을 향해 자동소총을 발사하여 죽이고 쾌감을 느끼고 초고속으로 차를 질주하여 달아나는 폭력배들이 이 같은 성향을 띤 자들입니다.

유나범버의 용의자로 체포된 데오도 카젠스키의 살아온 과정을 보면 그가 왜 그런 죄를 저질렀는지 언뜻 이해가 안 됩니다. 그는 저와 같은 해인, 53년 전 시카고 서버브의 에버그린 파크 (Evergreen PK)에서 태어나 부유하지는 않지만 안정된 가정에서 자라 벌써 20세에 세계적인 명문 하버드대 수학과를 졸업했습니다. 그야말로 수재였다고 합니다. 그리고 미시간 대학에서 Ph. D를 받고 U.C Berkly에서 교수 생활을 시작했으니 그야말로 천재요 행운아인데 무엇이 못마땅해서 그런 범죄를 했을까요? 이해가 안 됩니다.

우리는 정신 분석가들이 말하는 네크로필리아, 파라노이아 증세를 그에게서 찾아볼 수가 있습니다.

이를 성서에서는 '악령의 지배하에 들어갔다' 고 말합니다. 자기가 아닌 사단의 영의 지시를 받는 것이지요.

성서는 이를 심리적인 치료 이전에 하나님의 영인 성령의 역사로 치료되어야 함을 가르쳐 줍니다.

사랑하는 여러분!

우리 인간이 영적인 존재임을 깨닫는 것, 그리고 악령이 아닌 성령의 사람이 되어야 한다는 것도 한 번 생각해 보시지 않겠습니까?

'아이고' 와 'I GO'

"아이고" "아이고" "아이고" "아이고"!

어느 교포 할머니가 검푸른 미시간 호수를 멀리 쳐다보며 땅을 치며 울고 있었습니다. 따스한 봄날, 파릇파릇 새싹이 움터오는 계절인데 할머니의 가슴은 아직도 엄동설한처럼 얼어붙어 이 세상에 '나 혼자' 라는 외로움으로 견딜 수 없는 고독 속에 울고 있었습니다.

행복했던 그 옛날, 사랑하는 남편과 함께 아들딸 5남매 기르며 살던 젊은 시절이 주마등처럼 스쳐갑니다. 먼저 간 영감님은 꿈속에라도 보고픈데 나타나지 않고, 한국에 있는 아들들은 나와서 같이 살자 하지만 이젠 남의 식구 같아 더부살이하는 느낌이라 돌아가고 싶지가 않았습니다.

딸의 초청으로 미국에 온 지 15년이 넘었는데 혼자서 조그만 아파트에 갇힌 새가 되었다 생각하니 설움과 고독에 견딜 수 없어 혼자 울고 있는 것입니다.

그 동안은 외손자 기르느라 힘은 들었지만 아이들이 학교 간 다음에는 집 후원에 호박이랑 가지, 고추, 배추 등을 심어 물주고 가꾸는 재미라도 있었습니다. 그러나 이젠 아이들이 다 커서 딸네 집에도 더 있을 수 없어 노인 친구들이 즐겁게 지낸다는 노인 아파트로 얼마 전 이사를 온 것입니다. 이사 온 첫날 밤에는 절해고도(絶海孤島)에 혼자 던져진 느낌이 들어 얼마나 울었는지 모른다고 합니다.

처음엔 자주 찾아오던 자식들도 얼마 지나니 발길이 뜸해지더니 이젠 가뭄에 콩나듯이 오게 되었습니다.

감기라도 걸려 열이 나고 오한이 들 때는 한밤을 끙끙 앓으며 물 한 모금 떠다 주는 이 없는 외로운 밤을 지새며 울적한 심정을 달랠 길이 없었습니다.

그러다가 그날도 돌아간 영감 생각, 새끼들이 다 날아가 버린 빈 둥지에 앉아 있다는 외로움과 고독감에 젖어 바람이나 쏘이려고 나와 혼자서 미시간 호수를 바라다보니 저 바다 건너 있는 조국 땅이 그리워 소리내어 울고 있었던 것입니다.

해는 지고 어둠이 찾아오는데 할머니의 울음은 그칠 줄을 몰랐습니다.

"아이고" "아이고"

그런데 그곳을 지나치던 미국 영감님 한 분이 호수를 바라다 보며 "아이고" "아이고"를 연발하며 울고 있으니 아무래도 이상하다 싶어 할머니 곁으로 다가갔습니다.

이 할아버지 생각은 "아이고" "아이고" 소리를 연발하며 울고 있는 그 할머니가 미시간 호숫물 속으로 "나는 간다(I Go)" "나는 간다"로 생각을 한 것 같습니다.

그래서 이 미국 할아버지는 할머니가 호수에 빠져 자살이라도 하면 어떻게 하나 싶어 할머니를 태워서 자기 집으로 모시고 갔습니다. 집에 도착하여 커피를 대접하고 방도 하나 내어주어 쉬게 하였습니다. 이 영감님도 오래 전 부인과 사별하고 혼자 사는 분이었습니다.

며칠 후에 자식들이 찾을 것을 염려한 할머니가 딸네 집에 전화를 하였습니다. 자녀들이 놀라서 찾아와 보니 미국 할아버지가 문을 열고 하는 말이 "너의 어머니는 나의 집에서 잘 지내고 계시다."라고 했습니다. 그 때 환하게 웃으며 응접실로 나오시는 어머니를 향해 "어머니, 우리들은 깜짝 놀랐어요. 이제 그만 집으로 돌아가세요."라고 했더니, 어머니의 말씀 "얘야, 나는 여기가 좋다. 여기서 살 것이니 걱정 말고 너희들이나 가 잘 살아라." 했다는 것입니다.

그래서 '쉐리단' 지역 아파트에서는 "아이고, 아이고"가 미국 영감 얻게 했다며(이런 이야기가 사실인지 아닌지는 모르지만) 구전으로 전해지고 있다는 것입니다.

사랑하는 여러분!

봄이 찾아왔습니다. 이런 계절에 아직도 가슴속 겨울에서 벗어나지 못하고 있는 어르신들뿐만 아니라 외로움에 떨고 있는 이웃들에게 우리의 따스한 사랑의 손길을 나눠야 되지 않을까요?

올림픽 인상

지난 주말 저는 조지아 주 애틀란타에 있는 가나안 장로교회에 집회 인도차 다녀왔습니다. 가는 날이 마침 4월 19일(금)이기에 공항에서는 검문 검색이 삼엄했습니다. 우리 한국에서는 4·19 학생혁명이 일어난 날이기도 하지만 작년 4·19일은 오클라호마 시의 연방정부 청사가 티모시 맥베이 일당에 의해 폭파되어 수백 명의 사상자를 내 전 주민이 전율하던 날입니다. 특별히 탁아소에 맡겨졌던 공무원의 어린 자녀들이 처절하게 죽고 부상당한 장면은 차마 눈뜨고 볼 수가 없었던 날입니다.

애틀란타에 도착해 보니 화창한 봄날 훈풍에 나무들은 벌써 파란 옷으로 갈아입고 꽃과 화초들이 만발해 있었습니다. 그리고 금년 6월에 거행되는 '센텐니엘 썸머 올림픽' 경기를 위해 도로와 경기장, 선수촌 등 건축이 한창 마무리 단계에 들어서 있었습니다.

온 세계의 건아들이 모여 자기 나라의 명예를 걸고 한 달여에 걸쳐 펼칠 올림픽 게임은 상상만 해도 홍분이 되는 세계인의 축제입니다.

저는 마침 집회차 갔기에 그 첫날 밤 설교에서 두 가지를 인사말과 함께 했습니다.

첫째는 고대 올림픽의 발상지인 그리스의 철인 플라톤이 쓴 「Republic(共和國)」에 나오는 가면을 쓴 세 부류의 인간이 올림픽 경기장에 등장하는 이야기를 소개했습니다.

그 첫째 부류의 사람은 돈을 목적으로 상업적인 동기에서 올림픽 경기장에 들어온 사람들입니다. 이들은 마치 경마장에서 자기가 좋아하는 말에 돈을 걸고 내기를 하듯이 어느 한 선수에 돈을 걸고 그가 이기면 돈을 따기 위해서 온 자들입니다.

둘째 부류의 사람들은 이 올림픽의 주인공들인 선수(Star)들입니다. 이들은 돈을 목적으로 경기를 하는 자들이 아닙니다. 현대 스포츠 스타들은 물론 돈을 잘 벌고 있지만, 고대의 올림픽 선수들은 돈보다는 명예와 인기가 그들의 제일 큰 목적입니다.

세 번째 부류의 사람들은 관중들입니다. 이들은 돈을 벌기 위해서 온 자들도 아니요, 명예나 인기를 얻기 위해 온 자들도 아닙니다. 이들은 오히려 돈을 내고 들어와 명예와 인기를 얻기 위해 온 힘을 다하여 뛰고 있는 선수들을 바라보면서 홍분의 도가니 속에서 환호하며 손뼉치며 기뻐하는 대중들입니다.

거기서 지금까지 쌓인 모든 스트레스를 풀고 행복과 즐거움을 가지고 자기 사는 가정과 지역 사회로 돌아가 이웃과 더불어 그 즐거움을 나누며 사는 자들입니다.

이상하게도 철인 플라톤은 이 세 부류의 사람들 가운데 이 관중들, 대중들에게 그의 관심과 초점을 두고 있습니다. 어떻게 보면 바보스럽게 보이는 관중들이지만 그 대중들이 행복해질 때 공화국이 행복한 나라로 세워져 갈 것이기 때문입니다.

그래서 저는 금년 올림픽이 벌어질 애틀란타에 사는 시민들인 교우들에게 이 글을 소개하고 금년도 올림픽 경기장에 들어가 관중들로서 참 행복을 얻으라고 부탁했습니다.

그것이 바로 올림픽 정신이기 때문입니다.

애틀란타는 참으로 유서 깊은 곳입니다. 민권운동가 마틴 루터 킹 목사가 태어나 자라고 목회하고 돌아가 묻힌 곳이요, 또한 인권운동에 정책의 초점을 두었던 지미 카터가 출생하고 지금도 살고 있는 곳이기도 합니다.

며칠 동안 집회를 인도하며 교우들과 함께 하나님의 사랑과 은혜를 나누고 돌아왔습니다.

사랑하는 여러분!

우리의 삶이 마치 올림픽 경기장에 있는 것 같지 않습니까? 하나의 투기꾼(Gambler)으로 또는 선수로, 아니면 우리 모두 관중의 하나로 살아가고 있는 것입니다.

우리가 비록 선수는 아니지만 평범한 대중, 관중으로 거기서 가지는 즐거움과 행복으로 우리의 사는 공동체를 보다 행복하게 이루어 가야 되지 않을까요?

가정의 달에 관한 상념

빈 둥지처럼 우리 두 내외가 살고 있으니 저녁 때 함께 심방을 갔다 올 때든지 교회에서 돌아올 때면 가끔 맥도날드나 한국식당에 들를 때가 있습니다. 엊그제도 로렌스 한인타운의 한 식당에 들러서 설렁탕과 순두부를 주문하고 기다리고 있는데 앞에 식탁에서 50대의 중년 신사 두 분이 식사를 마치고 즐거운 대화를 나누고 계셨습니다. 두 분이 진로 소주 한 병씩을 다 비우셔서 얼굴은 불그스레한 홍조를 띠고 기분도 아주 좋아 보였습니다.

남의 대화를 훔쳐 들으려 한 것은 아니었습니다. 스무 평 남짓한 조그만 식당에서 앞뒤가 맞닿은 식탁에 나란히 하고 있는데다가 두 분의 톤이 높아서 식당 안에 있으면 누구든지 들을 수 있었기에 그분들의 대화를 빠짐없이 들을 수가 있었습니다.

식당에는 우리를 포함해서 예닐곱 명의 손님밖에 계시지 않았는데 두 분의 대화가 얼마나 즐거운지 거기 앉은 모든 손님들의 얼굴에 웃음이 가득했고 우리들도 웃음을 머금고 듣고 있었습니다.

우리가 들어갔을 때는 그분들의 인생철학의 대화가 한창 진행되던 중이었습니다.

그분들은 신앙에 대한 소견들을 진지하게 나누고 있었습니다. 자기들의 부인의 신앙에 관한 것, 자기들의 신앙을 통한 수련 그리고 천주교의 신앙에 대해서, 아무래도 그중 한 분은 천주교 신자 같았습니다. 그리고 이슬람교에 대한 이야기, 나중에는 돈에 대한 이야기, 그러더니 교회 가면 십일조를 하는데 교회생활은 세속생활과 달라서 돈을 초월해야 할 터인데 그런 강조가 격에 맞지 않는다는 것 등을 피력하였습니다. 목사인 나로서도 그분들의 이야기가 솔깃하게 와닿는 것을 느꼈습니다. 그리고 천주교든 기독교든 모슬렘이든 하나님, 마호메트를 믿는 이 땅에 왜 전쟁이 있어야 하는지 등에 대해서도 깊은 의문을 토로했습니다.

우리 내외는 식사를 마치고 돌아오는 차 안에서 그 두 분의 대화들을 다시 한번 음미하는 대화를 하였습니다.

그분들이 한 마지막 대화는 친구에 관해서였습니다. 마주 앉은 두 분도 가까운 친구이기 때문인 것 같았습니다. 우리가 살면서 많은 사람을 만납니다. 눈을 뜨면 날마다 만나는 사람들, 사랑하는 처자식들, 부모 형제들, 직장 동료들 그리고 며칠 만에 한 번 만나는 사람들 그 가운데는 일주일에 한 번은 꼭 만나는 교회의 식구들도 있습니다.

그 다음은 일생에 한 번 스쳐가는 사람들이 있습니다. 길에서 스쳐지난 사람, 비행기나 차를 타고 가면서 옆자리에 동승했던 사람들은 그다지 기억에 남지 않고 사라지는 사람들입니다. 그러나 전에는 매일 만나던 학교 클래스메이트나 고국의 직장 동료들, 친척들도 있습니다.

그런데 그 두 분의 대화는 그 많은 사람들 그리고 친구들이 지금은 다 어디 가고 몇 사람의 친구들만 주변에 있다는 것입니다. 친구는 많아야 되는 것은 아니고 참으로 하나의 친구일지라도 서로의 마음을 열고 흉허물 없이 대화할 수 있는 그런 친구가 필요하다는 것이었습니다.

서로의 이름을 스스럼없이 부르고 아무리 섭섭한 말을 주고받아도 얼굴 붉히지 않고 들어주고 이해해 줄 수 있는 그런 친구 말입니다.

그리고 그분들의 결론은, 그 하나의 제일 좋고 귀한 친구가 바로 자기들의 사랑하는 부인(아내, 마누라)이라는 것이었습니다. 하루하루의 그 어렵고 힘든 이민 생활 속에서 피곤에 지친 몸을 이끌고 집 대문을 들어설 때 따스한 손길로 맞아주는 아내, 외로울 때 친구가 되고 마음 아플 때 어루만져 주는 어머니의 정으로, 그러다가 언젠가 병들어 몸져누울 때 뜨거운 눈물이 얼굴 위로 떨어질 아내의 눈물어린 모습, 이 세상을 떠날 때 마음놓고 자식들 그리고 자신이 못다 한 모든 일들을 모두다 맡기고 떠날 수 있는 그 친구는, 자기들의 사랑하는 아내밖에는 없다는 결론이었습니다.

저는 그 두 분의 그 이야기를 들으며 얼마나 감동을 받았는지 모릅니다. 그분들이 참으로 훌륭한 철학자같이 보였습니다. '사람은 누구나 자기 나름대로 깊은 인생철학을 가진 철인이구나' 하고 생각해 보았습니다. 우리 한국의 지성이요 석학이었던 고 함석헌 옹은 이런 시구를 읊었습니다.

당신은 마지막 숨을 몰아쉬는 그 순간
당신의 처자식을 맡기고 떠날 영원한 그런 친구를 가졌는가?

그분은 그 친구, 영원한 벗을 예수 그리스도로 믿고 세상을 떠나셨습니다.
사랑하는 여러분!
이 5월 가정의 달에 여러분의 존경하는 남편, 사랑하는 아내, 자녀들에게 영원한 친구가 되신 예수 그리스도를 소개해 드리고 싶습니다.

탕자 돌아오다

어떤 사람에게 두 아들이 있었습니다. 하루는 둘째아들이 아버지께 와서 자기에게 돌아올 유산을 미리 달라고 하였습니다. 그래서 아버지는 그의 몫을 나누어주었습니다. 둘째아들은 재산을 팔아 가지고 집을 떠나 먼 외국으로 갔습니다. 얼마나 신이 났겠습니까?

그는 먼저 이곳저곳 관광부터 다니기 시작했습니다. 마치 우리들이 처음 미국 왔을 때처럼 어디를 가나 아름답고 신기하게 보였을 것입니다. 돈도 두둑이 있는 그는 마음껏 즐겼습니다. 가는 곳마다 좋은 여관에서 잠을 자고 최고의 나이트 클럽에서 미녀들과 술을 마시며 고성 방가를 하며 세월 가는 줄 모르고 쾌락과 음란에 빠졌습니다. 그야말로 주지육림(酒池肉林) 속에서 지낸 것입니다.

그의 주변에는 많은 친구들이 따랐습니다. 술과 여자와 도박,

이것은 3총사처럼 그를 호위하고 다녔습니다.

그런데 때가 왔습니다. 돈이 뭐 샘솟듯 솟아나겠습니까? 아무리 부잣집 아들이지만 그가 분깃으로 받아온 돈도 바닥이 나기 시작했습니다.

오랫동안 머물던 여관에서도 처음 며칠은 봐줬지만 숙박비를 못 내는 그를 얼마나 머물게 보아주겠습니까? 얼마 못 가서 내쫓겼습니다. 그리고 참으로 신기하게도 그렇게 밤낮없이 따라붙던 여자들도, 그렇게 입에 있는 것까지 빼줄 듯이 가깝게 지내던 친구들도 다 사라지고 말았습니다.

그야말로 돈 떨어져 신발 떨어져 친구 떨어져 다 떨어져 버렸습니다. 오갈 데 없는 방랑자가 되었습니다. 완전히 거지 신세가 된 것입니다.

누가 변변한 일자리 하나 주지도 않습니다. 며칠 동안 거리에서 굶으며 헤매던 그가 겨우 일자리를 얻어 들어간 곳이 돼지 치는 곳이었습니다. 돼지우리의 오물을 치우고 돼지 죽과 돼지가 먹는 쥐엄 열매를 먹고 우리 옆에서 웅크리고 잠을 자야 했습니다.

그날 밤에는 달도 유난히 밝았습니다. 팔베개하고 누워 곰곰이 생각에 잠겼습니다. 눈물이 흘렀습니다. 떠나온 고향, 부모 형제가 몹시도 그리웠습니다. 그러다가 깊은 생각에 잠겼습니다.

'그래, 아버지 집으로 돌아가자. 아버지 집에는 종들도 많은데 가서 종의 하나로라도 써달라고 하자.'

생각이 거기에 미치자 그는 당장 일어나 고향으로 발걸음을 옮겼습니다.

그 동안 아버지는 하루도 편히 잠들지 못하시고 집나간 둘째

아들이 돌아오기만을 기다렸습니다. 그날도 저물어 가는데 동구 밖에 서서 혹시 아들이 돌아오지나 않나 기다리던 아버지의 눈에 희미하게 거지꼴의 청년이 가까이 다가오는 것이 보였습니다. 자세히 보니 자기 아들이 틀림없었습니다. 아버지는 달려가 아들을 부둥켜 안았습니다. 목을 껴안고 입을 맞추고 집으로 데려와 목욕을 시키고 옷을 갈아 입히며 그에게 자기의 금가락지를 끼워줬습니다. 그리고 살진 송아지를 잡고 이웃들을 초청하여 잔치를 베풀었습니다.

이 이야기는 예수님께서 하신 비유입니다. 우리 인간은 탕자처럼 하나님의 집을 떠나 허랑방탕했던 둘째아들과 같은 존재였습니다. 하루속히 우리 자신의 처지를 깨닫고 하나님 아버지 품으로 돌아와야 산다는 교훈입니다.

근착 시사주간지 타임지 표지에 '탕자' 빌리 그레이엄 목사님의 아들 프랭클린에 대한 특집이 실려 있었습니다. 그는 세계적인 영적 지도자요 대설교가인 빌리 그레이엄 목사의 아들이란 소리가 듣기 싫어서 술과 여자와 모터사이클을 타고 락 뮤직을 하며 타락에 빠졌던 탕자였다고 합니다.

그러다가 스물두 살 되던 해 아버지 어머니의 기도를 통해 거듭나(Born again) 이제 아버지의 후계자가 되었다는 이야기입니다.

사랑하는 여러분!

5월은 가정의 달입니다. 우리의 자녀들을 탕자가 아닌 바르고 착하고 의로운 자녀로 세워 가실 수 있으시기를 바랍니다.

정든 책상

　어제는 17년 가까이 쓰던 책상을 내놓고 새 책상에 속에 든 물품들을 옮기게 되었습니다. 교회 본당에서 횃불선교회 목회자 세미나를 하고 있는 중이었는데 사무원이 와서 새 책상이 도착하였으니 예전에 쓰던 책상을 비워 놓으라고 하여 부랴부랴 정리를 시작하였습니다.

　참으로 정이 많이 든 책상인데, 저는 은퇴할 때까지 사용하려 했으나 교회의 직원들이 보기에 거슬렸는지 좀 큰 책상으로 주문하였던 것 같습니다.

　지난 4월 영어권 젊은이들을 위해 부목사가 새로 부임해 오자 제가 쓰던 방을 부목사실로 주기로 장로님들이 결정하였습니다. 그 덕에 저는 좀더 큰 공간을 차지하게 되어 며칠 동안 서재를 정리하고 집 서재의 책도 옮겨오는 등 바쁜 시간을 보냈습니다. 새 책상은 좋아 보였습니다. 그러나 17년 동안 설교를 준비하고 방송할 원고들, 여기저기 강의할 내용들을 쓰던 헌 책상이었으므로 저에게는 아내처럼 정든 물건이었습니다. 그래서 책상 서랍 하나 하나를 빼서 지난 17년 동안 쌓아 둔 스크랩들, 자료들을 하나하나 옮기기 시작했습니다. 아직도 몇 날은 꼬박 시간을 더 할애해야 할 것 같습니다. 어젯밤도 아내가 도와주어 책을 정리했지만 그대로 박스에서 꺼내어 책장에 넣었기에 책의 종류별로 분류해 정리하려면 두고두고 해야 할 작업입니다.

저는 가끔 묵은 신문 스크랩들을 읽으면서 많은 감상에 젖어보는 습관이 있습니다. 책상을 정리하면서 제 눈에 들어오는 신문 스크랩 중에는 '85년도 5월 한국일보가 제정한 제22회 훌륭한 어머니 상(賞)을 수상한 유인자 여사에 대한 기사가 눈에 들어왔습니다. 특별히 가정의 달인 5월이기에 내용을 다시 한번 읽어보면서 큰 감명을 받았습니다.

갓 스물일곱 살에 남편을 잃고 어린 두 아들과 함께 병든 시아버지와 중풍으로 쓰러진 친정 어머니를 모시고 꿋꿋하게 살아온 그녀의 일생은 참으로 피눈물나는 삶이었습니다.

1949년 6 · 25가 발발하기 1년 전 경찰관으로 있던 남편이 공비를 토벌하다가 전사당하게 되자 그녀는 청상과부로서 아들들과 함께 고난의 가시밭길을 걸어왔습니다. 그 동안 안 해본 장사가 없습니다.

쌀장사, 과자 노점상, 삯바느질, 화장품상 등 닥치는 대로 뛰면서 아들 둘을 정성껏 길렀습니다. '아버지 없는 자식'이라는 소리를 듣지 않도록 하기 위해서 올바르고 착하게 자라게 했습니다. 큰아들은 약사를 만들어 약국을 하게 하다가 약사 며느리를 얻어 약국 일을 맡기고 다시 의학 공부를 시켜 의사가 되게 하고, 작은아들은 상업학교를 졸업시켜 조흥은행 업무부 대리로 일하게 하는 등 성공적인 삶을 살았습니다. 그녀는 청상과부로서 그 동안 홀시아버지가 폐결핵으로 그리고 친정 어머니는 중풍으로 앓고 계셨는데 그 뒷바라지를 모두 감당해냈습니다.

참으로 훌륭한 한국의 어머니 상(像)입니다. 그 동안 얼마나 많은 유혹이 그녀에게 있었는지 모른다고 합니다. 청상과부기에 재혼을 권유하는 사람, 그리고 심각하게 유혹하는 손길들, 그러나 그녀는 두 아들을 기르고 가르치며 시아버님과 친정 어머님을 봉양하느라 고독할 틈도 없이 바쁘고 힘든 인생을 살아온 것입니다.

1985년 당시 60세이셨으니 이젠 칠순을 넘으셨을 유인자 할머니! 세상에 많은 여자가 있으나 참으로 귀하고 아름다운 인생을 산 여인이라는 생각이 듭니다. 구약성경 잠언 31장의 르무엘 왕의 모친이 남긴 말씀과 같은 모범적인 여인입니다.

사랑하는 여러분!

이 세상의 모든 어머니들에게 이와 같은 아름다운 사연들이 담겨 있을 때 이 세상은 참으로 아름답고 행복한 동산이 되지 않을까요?

나도 덤으로 삽니다

오늘 아침 저는 선배 손승배 목사님이 얼마 전 우리 교회에서 개최된 횃불선교회 목회자 세미나에 오셔서 증정해 주신 「덤으로 사는 인생」이란 책을 읽었습니다. 그날 특별 강사로 오신 손 목사님께서는 '목회자의 탈진(Burn Out)'이란 주제로 명강의를 해주셨습니다.

특별히 동역자로서 우리 이민 목회자들의 피땀어린 사역을 위로해 주시면서 자신이 이민 교회를 개척할 때 겪었던 아픔과 슬픔, 그러나 하나님께서 주시는 은혜와 능력으로 스트레스와 탈진 상태를 극복하셨던 경험들을 함께 나누었었습니다. 그 이후 잠깐 고국에 다녀오신 손 목사님이 다시 한번 횃불 모임에 오셔서 설교를 해주셨는데 그 다음 주일에 그만 뇌졸중으로 쓰러지셨다는 소식을 접하고 얼마나 가슴이 아팠는지 말로 할 수 없습니다. 어제도 손 목사님의 안부를 물었더니 이제 회복이 되어가면서 필설로 대화는 나눌 수 있으나 동역자들의 면회를 받게 되면 충격이 있을 것 같다는 말씀을 듣고 찾아뵈려던 마음을 누르고 말았습니다.

손 목사님은 그의 「덤으로 사는 인생」이란 글에서 이미 6·25 한국전쟁 때 피난을 나오면서 여섯 번의 죽을 고비를 넘으셔서 누구보다도 더 많은 하나님의 구원의 손길에 감사를 느끼며 살아간다 하셨습니다. 그런데 몇 년 전 9월 노동절 연휴 기간 성도 가정을 심방하고 오다가 빗길에서 다른 차에 받혀 다시 한번 죽음의 계곡으로 들어갔었다고 합니다. 갈비뼈가 4대 부러지는 중상을 입고 하마터면 돌아가실 뻔하였는데 하나님께서 주의 종을 다시 살려주셔서 '덤으로 사는 인생'이 되었다고 간증하신 것입니다. 참으로 7전 8기의 삶을 사시는 것입니다.

그는 아픔 가운데서도 하나님의 음성을 듣고 감사의 기도를 드리며 이사야의 글을 떠올렸습니다.

"네가 물 가운데로 지날 때에 내가 함께할 것이라 …… 네가 불 가운데로 행할 때에 타지도 아니할 것이요"(사 43 : 2).

이러한 확고한 믿음 위에서 더 달려갈 길을, 믿음의 선한 싸움을 싸우시던 손 목사님은 분명히 이번에도 다시 새 힘을 얻고, 일어설 것을 기도하고 있습니다. 여러분! 손 목사님의 쾌유를 위해 기도해 주시기를 부탁드립니다.

저 자신도 금번 메모리얼 데이 연휴 동안 손 목사님과 똑같은 교통사고를 당하여 '내가 지금 숨쉬고 있음이 바로 덤으로 사는 인생이로구나' 실감하여 "날 구원하신 예수를 영원히 찬송하겠네"라고 찬송을 부르게 되었습니다.

연휴가 시작되는 지난 금요일 밤, 저와 제 아내가 교우 가정의 연합 구역예배를 인도하고 또 교회에서 시작된 중고등부 부흥회에 참석하려고 차를 운전하던 중이었습니다. 골프(Golf Rd.) 길에서 돌아서 워싱턴(Washington) 북쪽 방향으로 들어서 한 블럭쯤 왔는데 왼쪽 좁은 길에서 정지 신호도 무시한 채 달려오던 폰티악 차가 운전석을 들이받는 것이었습니다. 아차하는 순간 나의 차는 옆집의 울타리를 뚫고 들어갔고 상대방 차는 어디로 갔는지 보이지를 않았습니다. 아내와 둘이서 서로 얼굴을 마주보고 그 현장에서 감사를 드렸습니다. 아찔한 순간 '살아 있음'이 감사했습니다.

얼마 후 청년이 달려오더니 괜찮으냐고 물었습니다. 나의 차문이 열리지 않았습니다. 그 청년이 뒷문을 열어서 나만 겨우 빠져 나가고 한참 후 제 아내도 나올 수가 있었습니다. 그 청년이 바로 나의 차를 친 사람이었습니다. 서로의 생명이 무사함을 감사했습니다. 얼마 후 경찰과 앰뷸런스가 달려왔습니다. 그러나 그 순간에는 어디를 다쳤는지 별로 나타나지 않아서 병원에 가지 않았는데 하룻밤을 지내고 나니 아내가 일어나지 못할 정도로 온몸이 아프다고 했습니다. 주치의에게 가서 진찰을 해보니 갈비에 금이 가는 등 부상을 입은 것입니다. 그러나 우리 둘이서 하나님께 감사의 기도를 드렸습니다. 이제는 '덤으로 사는 삶' 하나님과 이웃을 사랑하며 더욱더 남은 생을 보람 있게 살리라 다짐해 봅니다.

사랑하는 여러분!

죽음이 순식간임을 깨닫습니다. 하루하루 생명 있음을 감사하며 뜻있고 보람된 삶을 살아가시기 바랍니다.

우리가 세워 보자!

미국에 와서 부럽게 느낀 시설들이 몇 가지 있습니다. 그것은 학교와 병원과 도서관들입니다. 물론 한국도 지금은 미국이나 유럽 못지않은 의료 시설, 학교와 도서관들이 현대식 건물로 많은 장서들을 갖추고 있습니다. 하지만 아직은 미국보다 못한 면이 있는 것 같습니다. 3년 전에 우리 교회의 교인 한 분이 서울의 한 병원에 입원해 있어 한국 방문중 심방을 하였을 때 '아직도 개선할 점이 많구나.' 하는 것을 느꼈습니다.

오늘 저는 이런 시설 비교에 대한 말씀을 드리려는 것은 아닙니다. 평소에 병원과 도서관을 많이 가게 되는 저로서는 미국의 병원이나 도서관의 시스템들을 늘 부러운 마음으로 눈여겨보기에 엊그제도 파크릿지(Park Ridge)에 있는 루터란 종합 병원(Lutheran General Hospital)에 입원한 성도를 심방 갔다가 그 병원의 유래(Heritage)를 전시해 놓은 사진들을 보며 느낀 점들을 나누고 싶었습니다. 더욱이 최근에 새로 건물을 확장한 참으로 거대한 병원입니다. '어떻게 이렇게 큰 병원을 세워서 운영해 나갈 수가 있을까? 어떤 재벌이기에 이와 같은 병원을 소유하고 있는가?' 본래 병원이란 사람들의 생명을 존귀하게 여기고 질병을 치료하는 인술 기관입니다. 돈을 버는 이익 사업체가 아닌 줄 압니다. 그런데 어떻게 이렇게 날로 번창해 가는 것일까? 금번 그 병원의 유래를 사진을 통하여 보면서 그 의문점이 풀리고 얼마나 많은 교훈과 도전을 받게 되었는지 모릅니다.

본래 그 병원은 지금부터 99년 전인 1897년에 시카고의 Artesian 과 Le Moyne Street이 만나는 곳의 조그만 이층 벽돌집에서 루터 자선 가정병원(Lutheran Deaconess Home and Hospital)으로 발족되었습니다. 스칸디나비아 반도의 노르웨이에서 이민 온 루터교 교인들이 세운 병원이었습니다. 낯선 외국 땅에 이민 온 그들은 피땀 흘려 일을 했습니다. 지금처럼 자동차가 있거나 일자리가 많은 때가 아니었습니다. 길거리에서 과일을 파는 사람, 조그만 잡화상을 하는 등 그들은 열심히 일하였습니다. 저들의 전통적인 루터교 신앙은 교회를 중심으로 공동체가 발전되어 갔습니다. 그들은 교회를 세운 후에는 반드시 교구 학교를 교회 안에 세워 자녀들에게 철저한 종교교육을 시켰습니다. 그러자 저들 2세 자녀들이 좋은 대학을 가고 여러 분야에서 우수한 전문인, 목사, 의사, 변호사, 엔지니어, 비즈니스맨들이 배출되었습니다. 그 2세들이 다시 공동체로 돌아오면서 스칸디나비안 커뮤니티들은 도약적 발전을 하게 되고 미국 사회에서도 각 분야에 두각을 나타낸 것입니다.

노르웨이인 커뮤니티가 발전되면서 시카고에서 조그마하게 시작된 이 병원(Lutheran Deaconess Home & Hospital)은 1957

년도에 파크릿지로 옮겨서 큰 대지 위에 새로운 건물을 짓고 간호대학을 세우면서 도약적인 발전을 하였습니다. 이 병원 건물의 지붕은 자비의 상징(Symbols of Mercy)으로 설계되었고 그 위에는 그리스도의 사랑의 십자가가 우뚝 서 있습니다. 이름도 루터란 종합병원(Lutheran General Hospital)으로 개명하여 오늘에 이르게 된 것입니다. 우리 한인타운이 가까운 포스터(Foster)와 킴블(Kimbal)과 캘리포니아(California) 거리에는 우리 교포들이 많이 가는 Swedish Covenant Hospital이 있습니다. 그 병원도 노스 파크(North Park) 대학과 함께 세운 병원입니다. 이민자들에 의해 대학과 병원이 세워진 것입니다.

사랑하는 여러분!

20세기 중반, 늦게 이 땅에 이민 온 우리들이지만 얼마나 열심히 일하여 이 땅에 우뚝 서가고 있습니까? 장하고도 장합니다. 그러나 지금 우리들 대에서만 만족한다면 우리의 후세에 물려줄 뜻있는 유산들이 무엇이겠습니까? 우리의 눈을 높이 뜨고 멀리 바라보는 큰 비전을 가져야 되지 않을까요? 흔히 미국 사람들이 쓰는 용어대로 "Why not!" "우리도 할 수 있다"는 신념으로 나아갈 때 학교, 병원, 양로원 그리고 박물관도 세워 갈 수 있지 않을까요?

Bulls! Bulls!

어젯밤은 온 세계 스포츠 팬들이 손에 땀을 쥐었습니다. 시카고 불스가 NBA 월드 챔피언이 되어 다시 시카고 시민들뿐만 아니라 세계 스포츠 팬들을 열광시키는 밤이 될 줄로 기대하고 있었습니다. 오늘 그들이 승리의 월계관 챔피언 트로피를 안고 O'Hare 비행장에 내릴 때 온 시민들은 열광적인 환영을 퍼부을 준비가 되었을 것입니다. 이미 그랜트 파크(Grant Park)에서는 대축제를 열 준비를 완료하고 수요일 밤 게임을 지켜보고 있었습니다. Division과 Dearlove 거리에서는 불스 승리의 축하 퍼레이드가 벌어질 것을 대비하여 시카고 경찰들이 장사진을 치고 사고 대비에 만전을 기하고 있었습니다. 그러나 벌써 두 차례에 걸쳐 불스 난동을 겪은 우리 동포들은 남부상가 상우회와 한인 복지회를 중심으로 다시 일어날지도 모를 난동 대비에 총력을 기울이고 있었습니다. 복지회 사무실에 핫라인을 설치해 놓고

시카고 경찰국과 비상망을 연결하여 만약의 사태를 대비하고 상
우회원들과 복지회 직원들이 철야를 한다는 소식이었습니다. 그
러나 어제 수요일 밤은 너무나 조용히 그리고 싱겁게 지나가고
말았습니다. 한편 생각하면 다행이지만 아직도 오는 금요일 밤
그리고 주일과 다음 수요일이 무사히 지나갈 수 있을지 우리 동
포들과 함께 저의 마음도 좋여옵니다.

저는 어젯밤 교회에서 수요예배를 인도하고 집으로 오면서 차
의 라디오를 통해 스코어 32 : 53으로 시애틀의 슈퍼 소닉(Super
Sonics)이 앞서고 있음을 알았습니다. 참으로 제 마음이 이상하
게도 한편으로는 '다행이다'는 생각과 다른 한편으로 시카고 불
스가 패하고 있다는 데 대한 서운함이 동시에 겹쳐왔습니다. 지
면 서운하고 이기면 걱정이 되는 이 마음은 시카고에 사는 우리
동포들이 갖는 똑같은 심정이 아닐까요? 집에 들어서자마자 TV
를 켰습니다. 계속 3쿼터가 진행되는 데도 불스가 슈퍼 소닉을
따라 잡지 못하고 20포인트 이상을 뒤지고 있었습니다. 슈퍼 소
닉의 코치 조지 칼(George Karl)은 선수들에게 이렇게 코치를
한다고 합니다.

"그저 미친 듯이, 다른 말로 하면 신들린 듯이 플레이를 하라.
총력을 다해서 뛰라."

어젯밤 소닉 선수들은 과연 그렇게 뛰는 것 같았습니다. 결과
는 107 : 86이라는 엄청난 포인트 차로 시애틀 소닉이 승리하고
말았습니다. 스포츠 컬럼니스트들은 불스가 플레이 오프 기간에
뉴욕의 닉스 온 홈(Knicks on Home) 구장에서 한 번 진 것과
같이 시애틀의 소닉도 한 번 이긴 것이 아닌가라고 평하는 자들
도 있습니다. 그런데 "이 프로농구 구단주들의 수익을 위해서는
연 4승보다는 한두 번 져 주어야 수입이 오르는 것 아닌가."라고

쓰는 자들은 하나도 없었습니다. 제 마음에 그런 생각이 떠오르는 것은 왜일까요? '한 게임만 더한다면 수백만 달러, 아니 광고 수입까지 합한다면 몇천만 달러가 오고갈 터인데…….' 부질없는 생각 같지만 오는 금요일 밤도 시카고 불스가 져주고 시카고 유나이티드 센터(Untited Center)에 소닉을 끌고와서 피날레를 장식하여 시카고의 불스 팬들뿐만 아니라 전세계의 팬들을 열광하게 할 것이 아닌지…….

사랑하는 여러분!

현대는 3S가 사람들의 마음을 지배한다고 합니다.

첫째는 섹스(Sex)요, 둘째는 스포츠(Sports)요, 셋째는 스크린(Screen), 즉 영화 · TV · 비디오(Movie · TV · video)입니다.

이 모두 다 정신 세계가 아닌, 보이는 육체의 세계에 지배되어 살아가고 있다는 증거입니다. 스포츠 스타만 되면 대통령 부럽지 않게 인기와 부를 누리고 살 수 있습니다. 그러나 그것이 인생의 전부일까요? 정신적, 영적으로 발전하지 않는다면 오는 21세기에는 어둔 그늘이 드리울 것입니다. 오늘도 나 하나부터 밝은 내면의 세계를 바라보기 시작해야 되지 않을까요?

제8부
레인보우를 바라보라!

책을 읽고 나면

금년은 봄도 없이 여름이 질펀한 갯벌 위에서 마냥 빗속에 찾아온 듯합니다. 지난 2월부터 시작된 교우들의 사업체 심방이 이제 겨우 끝나가기에 간간이 독서를 할 수가 있게 되었습니다.

누구나 그렇듯이 목사로서 사역하는 사람들에게는 한 주일이 얼마나 빨리 지나가고 또 주일이 얼마나 빨리 다가오는지 모릅니다.

주일 설교를 마치고 나면 마치 임산부가 아기를 분만하고 느끼는 쾌감과 시원함이 찾아옵니다. 그러나 월요일이 되면 곧바로 다음 주일 설교의 본문과 내용이 온몸을 감싸기 때문에 다른 책보다 성경 본문을 먼저 읽고 그 말씀이 주는 메시지를 듣기 위해 사투 아닌 사투를 벌이게 됩니다. 그리고 그 본문의 주제에 맞는 책들을 읽고 묵상하다 보면 문학 서적이나 교양 서적들을 여유 있게 읽을 시간이 별로 없습니다. 그래서 어떤 때는 운전하면서 신호등에 걸렸을 때, 또는 병원의 복도에서 기다리는 시간들을 독서 시간에 할애하기도 합니다. 그래서 요즘은 닥치는 대로 가벼운 수기류들을 읽어 가는데 한 사람, 한 사람 글쓴이들이 지닌 진지한 삶의 이야기들이 얼마나 고귀하고 아름다운지 그 삶 속에 제 자신을 몰입시키고 함께 웃고 울고 가슴을 저미다가 쓸어내리는 체험들을 하고 있습니다.

외국 땅에서 살면서 메말라진 마음에 때로는 봄비처럼, 때로는 여름날의 소나기처럼 쏟아 부어져, 그 비에 젖는 푸른 산천초목처럼 마음의 밭이 풍요해짐을 느끼고 있습니다.

언젠가는 이 명상의 시간에 함께 나눠보고 싶은 책이요 사람들의 세상 살아가는 이야기들입니다. 요즘은 제 아내도 자동차 사고 후유증으로 앉아 있는 시간이 많기에 자기가 먼저 읽은 책들의 내용을 이야기해 주면 저는 단숨에 그 책을 읽고 대화를 나누곤 하는 즐거움도 있습니다.

우리 교포들에게 귀감이 되고 희망을 심기에 충분한 전신애 여사의 「미국 장관 십 년 해보니」를 읽고 난 제 아내는 너무나 감동을 받고는 그 이야기를 금방 여름방학을 맞은 막내딸에게 해주었습니다. 그래도 안타까운지 전 여사가 영어로 썼더라면 우리 2세, 3세들에게 얼마나 귀감이 될까를 되뇌이더니 그분의 전화번호라도 알아봐 달라는 것이었습니다. 그분의 오늘의 성공적인 삶의 이야기는 참으로 보배와도 같습니다.

알프스 산장의 여류화가 이정순 님이 쓴 그의 생생한 인생 이야기 「강한 여자는 수채화처럼 산다」는 제목의 책 역시 한밤에 읽었습니다. 아버지의 고귀한 정신으로 이어받은 제일학원이 파산하고 절망 속에서 온 가족이 자살까지 시도하였지만, 언젠가 연애시절 남편과 스키타러 찾아갔던 강원도 진부령에서 '알프스 산장'을 만들고 겨울엔 스키어들과 애환을 같이하고 봄이면 배추농사를 지으며 삶을 재건한 자전적 이야기, 그리고 두 아이를 십대 어린 나이에 오스트리아로 스키 유학을 보내었다가 자신도 유학 가서 40이 넘어 미술사로 박사 학위를 받고 귀국하여 모교의 교단에서 후배를 가르치는 보람들, 그러나 그 사이에 사랑하는 남편에게 생긴 다른 여인 때문에; 자궁암이란 병까지 얻어 절망 상태에서 그 여인도 남편도 용서하려 했던 여인의 초자아적인 마음, 다시 회복되었을 때 용서해 준 여인이 자기 남편을 되돌려주고 떠난 피날레는 감동의 스토리였습니다.

어젯밤엔 수요일 예배에 예기치 않은 여자 교수가 한국에서 오게 되어 수요강단에 서셨습니다.

충북 진천이라는 시골에서 예수 제자들의 집을 세워 180세대의 불신자 마을을 복음화한 주인공이었습니다. 영국 브리스톨 대학과 미국 존 홉킨스 대학에서 공중보건학을 전공하고 명문 콜럼비아 대학교에서 공중보건학으로 박사 학위를 받은 수재인 그가 아세아 신학대학 교수를 하면서 충청도 산골에 가서 예수의 사랑의 실천을 위해 섬기는 삶을 통해 영혼을 구원하는 사역에 온몸을 바친다는 이야기를 「그의 손길, 그의 숨결」이란 책에 썼습니다.

사랑하는 여러분!

피곤한 삶이지만 잠깐 잠깐 손에 든 책, 그 이야기 속에서 삶의 풍요를 발견할 수 있다면 더없이 좋지 않을까요?

21세기의 지도자

금년 여름은 봄도 없이 성큼 다가와 꽃향기도 제대로 풍미하지 못하고 맞이한 것 같습니다. 그러나 푸른 산천초목들, 지저귀는 새소리, 참으로 아름다운 성화의 계절입니다. 금년 여름 특별히 우리 시카고에서는 대성회가 열려 모든 교포들뿐만 아니라 전세계 젊은 대학생들과 선교사들에게 놀라운 하나님의 역사를 체험케 하는 계절이 되고 있습니다. 할렐루야 대전도 대회, KOSTA, 세계 한인 선교대회가 모두 금년 여름 우리가 사는 시카고에서 열리고 있습니다.

제11회 북미 유학생 수양회(KOSTA)가 6월 25일 국제 복음주의 학생연합회 주최로 시카고 근교의 휘턴 대학에서 열렸습니다. 미국을 비롯해서 캐나다, 독일, 영국 심지어는 구 소련에 이르기까지 해외에 유학가 있는 우리 나라의 젊은이들이 모여 함께 기도하며 말씀을 듣고, 어떻게 하면 우리 조국과 하나님의 나라를 위하여 섬기는 삶을 살 수 있을까를 진지하게 토론하는 장을 이루어가고 있습니다.

저도 세미나 강사로 '21세기의 지도자 상'이란 주제로 세 강좌를 맡아 함께 참여하고 있습니다. 이제 21세기가 불과 3년 반밖에 남지 않은 이 시점에서 21세기를 이끌어갈 이 젊은 주역들에게 올바른 '지도자 상'을 심어주기 위해서입니다. 세계는 젊은 지도자를 부르고 있습니다. 예수님께서는 "들을 보라, 곡식이 익어 추수할 것은 많은데 추수할 일꾼이 없도다."라고 한탄하셨습니다. 오늘도 역시 일꾼, 즉 다가오는 21세기를 이끌어갈 지도자가 필요한 시대입니다.

지도자(Leader)란 어떤 집단이나 조직의 통일을 유지하며 구성원(Member)이 행동함에 있어 그들에게 방향을 제시하여 주는 인물을 뜻합니다. 세계를 주도하는 지도자뿐만 아니라 국가와 민족 그리고 사회, 교회, 학원들에 이르기까지 좁은 의미에서는 한가정의 가장으로부터 국가의 대통령에 이르기까지 그 집단을 리드해 가는 지도자가 있어야 합니다. 참으로 진실무망하고 유능한 지도자가 있는 국가나 사회는 밝고 빛나는 나라와 사회를 이루어가지만 악하고 못된 지도자를 만나면 사회든 단체든 지리멸렬해 갈 수밖에 없습니다. 우리는 세계 역사를 통해서 많은 사례를 보아오지 않았습니까?

석가나 공자, 맹자 같은 동양의 성현들은 수천 년 동안 동양의 정신 세계를 이끌어온 정신적 지도자들이요, 예수 그리스도는 지난 2천 년 동안 온 세계의 영적인 지도자로서 정신 세계뿐만 아니라 실생활 면에도 지대한 영향을 주며 세상을 이끌어 오고 있습니다. 그 동안 세계에는 악한 지도자도 많았습니다.

히틀러나 뭇솔리니 같은 파시스트들은 수많은 인명을 살상하고 세계를 대전의 참화 속으로 이끈 악한 지도자들이었습니다. 우리 나라만 해도 한쪽은 공산주의 1인 독재자가 6 · 25 전쟁을 도발하여 조국 강산을 피로 얼룩지게 했는가 하면, 남한 역시 30년 가까운 독재로 백성을 우민으로 만들어 온 역사였습니다.

21세기는 어떤 지도자가 필요할까요? 마케팅 전문가인 조지 바나는 21세기의 사람들의 성향을 다음과 같이 분석했습니다.

21세기 사람들은 소유의 양보다 질을 더 가치 있게 여길 것이라고 했습니다. 돈보다는 시간을, 전적인 헌신보다는 융통성, 집단의 정체성(Identity)보다는 개인주의가, 일을 통한 만족감보다는 여가를 통한 만족감을, 즉 가치 세계에 최고의 의미를 두고 살 것이라고 예견했습니다.

전자, 컴퓨터, 인터넷을 통한 정보화 시대가 이미 시작되었습니다. 집단이 필요치 않은 집안에서 인터넷으로 세계의 정보를 다 보는 세상입니다. 이런 사람들을 이끌 지도자는 과연 누구입니까?

21세기의 지도자는 어떤 카리스마적인 지도자도 아니고, 권위적인 독재자는 더더욱 아닙니다. 영적이고 희생적이며 섬기는 종의 모습을 지닌 지도자가 필요합니다.

예수님께서는 말씀하셨습니다.

"……너희 중에 누구든지 크고자 하는 자는 너희를 섬기는 자가 되고 너희 중에 누구든지 으뜸이 되고자 하는 자는 모든 사람의 종이 되어야 하리라"(막 10 : 43~44).

어린이들 속에서

저는 요즈음 어린이들 속에 파묻혀 살고 있습니다. 마치 향기 진동하는 꽃 속에서 나비들과 함께 춤추고 있는 환영을 느끼고 있습니다. 지난 주간에는 여름 성경학교를 열어 방학을 맞은 교회 학교 어린이들에게 성경공부와 동화, 소창 등 즐거운 시간들을 갖게 했습니다. 저 자신도 어린 시절 여름 성경학교 때 배운 성경 이야기와 동화가 신앙생활과 목회에 얼마나 큰 도움을 주고 있는지 모릅니다. 그리고 이번 주일부터 다섯 주간에 걸쳐 레익뷰/나일스 여름학교가 개학됩니다.

본래는 160명만 모집하여 교육하고자 했으나 우리 동포들의 적극적인 요청에 따라서 200여 명이 넘는 어린이들이 모여와 즐거운 비명을 지르며 어린이들의 교육에 만전을 기하고 있습니다. 아침에 정문에 서서, 차에서 내려 뛰어오는 어린이들의 초롱 초롱 빛나는 눈망울을 바라보노라면 내일을 향한 새로운 꿈과 희망이 저의 가슴 가득히 넘쳐납니다. 지금도 일터에서 비지 같은 땀을 쏟아가며 어린 자식들의 교육과 미래를 위해서 일하고 계신 부모님들을 생각하면서 이 긴 여름방학 동안 아이들이 자칫 잘못하여 길거리를 헤매다가 잘못된 길로 들어설 수도 있고 온종일 방안에 갇혀 TV나 보며 지겹게 여름을 지낼 것을 염려한 나머지 6년 전부터 여름학교(Summer School) 프로그램을 해오고 있습니다.

오전 동안은 새 학년에 올라가 공부할 과목들을 각급 학교의 정교사들에 의해서 미리 공부하게 하고, 오후엔 현장학습(Field Trip)과 수영장을, 그리고 여러 특별 과목들을 교육하여 신앙 지도를 하고 있습니다. 어떤 분들은 "주일학교 교육만으로도 족한데 무슨 사회교육까지 하는가?"라고 하십니다. 그 말씀도 옳습니다. 그러나 우리 교회는 19년 전 창립 당시 30대의 창립 멤버들 15명이 같은 마음으로 "2세의 교육, 신앙을 위한 교회를 이루자"는 데 목표를 두고 시작했습니다. 우리 1세들이 열심 있는 신앙생활을 함과 동시에 우리의 후세대를 위한 교회를 세워 가자는 데 뜻을 같이하였습니다. 그러던 차에 하나님께서 학교 건물을 구입하게 하시고 거기에 성전을 세워 신앙교육은 물론 2세들의 Korean-American의 정체성(Identity)을 세워 주기 위한 나일스 한국학교를 시작하게 하신 것입니다.

지금은 500여 명이 넘는 우리 2세들이 한국어는 물론 조국의 문화, 예절, 그리고 성경을 통한 신앙교육을 받고 있고 매일 방과후 학교도 개설하여 학습지도도 하고 있습니다. 이런 계기를 통하여 학부형들도 기독교 신앙에 대해 관심을 가지다가 복음을 듣고 교회에 나오시는 분들도 많이 있습니다.

유대인 지혜서에 보면 다음과 같은 이야기가 나옵니다. 어느 노인이 땀을 뻘뻘 흘리며 사과나무를 심고 있는데 지나가던 젊은이가 물었습니다. "할아버지, 연세가 몇이신데 이제 사과나무를 심어 어느 세월에 사과를 따 잡수실 수가 있겠습니까?" 그 때 할아버지는 "여보게, 내가 태어났을 때도 우리 할아버지께서 심어 놓으신 사과나무가 있었다네."라고 대답하였다는 이야기가 실려 있습니다.

우리들은 당대만을 위해서 열심히 일하고 그 결과를 얻으려 하기 쉽습니다. 우리들의 뒤를 이을 2세, 3세들을 위하여 우리도 사과나무를 심어야 하겠습니다. 그것이 바로 교육이라고 생각합니다.

예수님께서 "천국에서 제일 큰 자가 누구니이까?"라고 묻는 제자들에게 "너희가 어린이와 같이 되지 않으면 천국에 들어갈 수가 없다."라고 하시며 어린이가 제일 큰 자라고 하셨습니다. 그리고 "어린이가 내게 오는 것을 막지 말라."라고 말씀하셨습니다.

사랑하는 여러분!

우리의 자녀들, 곧 천국의 주인공, 내일의 희망인 어린이를 꽃처럼 가꿔가기를 경주합시다.

레인보우를 바라보라!

제가 서울에서 대학을 다닐 때 여름방학이 되어 시골에 내려가 있는 동안, 집에 불이 나서 하마터면 온 집채를 전소시키고 길거리로 나앉을 뻔한 적이 있었습니다. 그날 이른 아침 아버님께서 새벽기도회에 다녀오신 후 외양간을 살피시다가 소가 모기에 시달리는 것을 보시고 쑥나무 햇불을 만들어 모기를 쫓으려다가 그만 이엉에 불이 붙고 그 불이 집채로 옮겨 붙은 것이었습니다.

아침밥을 지으려던 어머니는 허겁지겁 물바가지를 들고 오줌항에 가셔서 오줌을 퍼서 불에 뿌리고 아버님은 곁에 있는 오줌바가지를 들고 부엌의 물두멍에 가셔서 물을 퍼 뿌리셨으나 삽시간에 불이 번지기 시작했습니다. 저도 놀라서 밖에 나와 "불이야!" 하고 소리를 지르려는데 도저히 목소리가 나오질 않았습니다.

"부이야, 부이야!"

소리를 못 내고 발을 동동 구르고 있는데 마침 건너편에서 샘물을 길러 나오던 동네 사람들이 이를 보고 샘에서 물을 한 통씩 길어 연속적으로 달려와 다행히도 불을 꺼주었습니다.

그 때의 이웃에 대한 고마움은 지금까지 그리고 저의 평생에 잊을 수가 없습니다.

지난 화요일 밤, 우리 교회에서는 시카고 한국방송과 한국일보가 주최하고 13개 한인 기관이 후원하는 '방화 흑인 교회 돕기 자선음악회'가 열렸습니다.

작년부터 지난 달까지 전국적으로 방화(放火)된 흑인 교회가 70여 개에 달한다고 합니다. 엊그제는 LA에 있는 우리 한인 교회도 화재를 당했다는 기사를 보았습니다.

클린턴 대통령도 직접 방화된 교회를 시찰하며 방화자들을 처벌하기 위한 법률을 대폭 강화할 것을 국회에 촉구하고 1천만 달러의 자금을 교회 재건을 위해 융자할 계획을 세웠다고 합니다.

왜 하필이면 이 미국의 남부에서 하나님의 성전들을 방화하고 있는 것일까요?

청교도의 나라요, 지상의 천국이라던 미국에 살고 있는 사람들이 왜 교회당에 불을 지르고 있는지 참으로 아이러니가 아닐 수 없습니다.

잿더미 위에서 예배드리는 성도들을 생각하니 마음이 아파서 견딜 수가 없었습니다. 역지사지(易地思之)하여 '바로 내가 섬기는 교회가 한국 교회이기 때문에 타민족들에 의해 방화되었다면 내 심정이 어떨까?' 하고 생각해 보니 기가 막힐 노릇입니다. 이런 일이 참으로 인종 갈등이 빚어낸 결과라면 얼마나 큰 불행인지 모릅니다.

화요일 밤 자선음악회가 시작될 때 기도(meditation) 순서를 맡은 시카고 남부의 제3침례교회 원로목사인 엠러 플라워 (Emler Flower) 씨는 우리 코리안 아메리칸들이 한 번도 보지 않은 남부의 불행을 당한 Afro-American 형제들을 위해 이런 자선음악의 밤을 갖는다는 데 너무나 감명을 받는다고 전제하고 우리가 살고 있는 미국은 '무지개(Rainbow)'를 지향하는 나라임을 천명했습니다. 흑, 백, 황, 홍 등 각종 인종들이 아프리카, 유럽, 아시아 등 지구의 여러 곳에서 모여와 조화를 이뤄 무지개처럼 찬란하게 서가는 나라가 되어야 한다고 했습니다. 특히 그는 구약 성경 욥기서를 인용하면서 욥이 고난 속에서도 '우리 모두가 세상에 올 땐 빈손으로 왔다가 갈 때도 빈손으로 가는 것, 오직 하나님을 찬양할지라.' 라고 한 것처럼 이 땅에 사는 날 동안 서로 돕고, 사랑을 나누며 살아가야 할 것이라는 말씀을 하셔서 우레 같은 박수를 받았습니다.

시카고 시청의 Human Relation의 커미셔너요, 의장인 클레렌스 워드(Clarence Word) 씨는 격려사에서 "우리가 이민자로서 식당에 갔을 때 'White Only' 'Korean Only' '백인 전용식당' '한인 전용식당' 또는 화장실이나 버스 칸의 자리에 그 같은 사인이 붙어 있는 것을 본다면 어떻겠습니까?"라고 전제하고 그와 같은 차별을 당했던 아프리칸-아메리칸들의 아픔을 생각하게 했습니다.

천국에 가면 장로교인 코너, 천주교인 코너, 백인, 흑인, 황인종 코너가 구별되어 있지 않을 터이니, 모든 인종이 하나로 화합된 사회를 만들자고 호소했습니다.

사랑하는 여러분!

우리 이민자의 후손들이 살아갈 이 미국의 내일을 위해서 우리도 레인보우의 찬란한 빛을 세워 가야 할 줄로 압니다.

환영, 선교사님들!

어제, 중국 땅에 가서 선교하던 한명성, 김지은 선교사가 귀국하였습니다. 2년 전 우리 레익뷰 장로교회에서 중국과 북한 선교를 위하여 파송한 선교사 부부입니다. 우리 교회 교인들은 그 동안 커뮤니티와 국내 선교, 자체 교회 프로그램 등에 역점을 두어오다가 우리 주님의 지상명령이신 "모든 족속으로 제자를 삼으라"는 말씀을 따라 해외 선교사를 파송하였습니다. 우리 성도들이 직접 가서 선교 일선에 임하지는 못하지만 뒤에서 기도와 선교 헌금으로 동참하여 왔습니다. 주일마다 그리고 매일 새벽마다 온 교우들은 선교사님을 위한 기도를 쉬지 않았습니다.

아직도 자칫하면 보안 당국의 조사와 추방의 위협까지 따르는 곳이기에 그 동안 생명을 건 선교사들의 고충이 어떠했으리라는 것은 말하지 않아도 충분히 알 수 있습니다. 미국에서 대학을 나오고 신학대학원을 졸업한 뒤 목사 안수를 받고 얼마든지 목회할 교회가 있음에도 불구하고 어려운 선교사의 길을 택한 분들입니다. 그 동안 선교지의 대학교에서 젊은이들에게 영어를 가르치면서 직접 "예수 믿으라"고 전하지는 않았지만 그들이 스스로 선교사님들을 따라 교회에 나오기 시작하고 자기들끼리 성경공부도 하게 되었다고 합니다. 선교사님들의 인격과 삶 속에서 저들이 그리스도를 만나게 되는 놀라운 일이 일어났습니다. 그리고 주일에는 섬기는 교회를 통하여 어린이 교육을 할 때, 아이들이 학교에 가서 "교회 나간다"라는 비판을 받으면서도 열심히 나온다는 것입니다. 젊은 부부가 얼마나 열심히 뛰었던지 사모님은 첫 아이를 임신했다가 잃는 아픔도 겪어야만 했습니다.

지난 6월 말로 만 2년의 임기를 마치고 마침 시카고 휘튼에서 열리는 제3차 세계 한인 선교대회에도 참석할 겸 귀임하게 되었습니다. 선교대회가 끝나면 잠깐 휴가기간을 통해 오하이오 주에 계신 부모님을 방문하고 한 달여간 우리 교회를 중심으로 해서 여러 교회를 순방하며 선교 보고회를 가지려고 계획 중에 있습니다.

얼마 전에는 북한의 대학교수들이 선교사가 섬기는 대학에 찾아와 장시간 대화를 통해서 북한의 초청까지 받았다고 합니다. 그리고 한 선교사 내외는 중국에 있는 신학교에서도 강의를 맡아 장차 중국 교회를 이끌어갈 목회자들도 양성하고 있습니다.

오늘 밤부터 노스파크 대학교에서는 다음 월요일부터 열리는 세계 한인 선교대회에 참석차 오신 선교사 800명과 시카고 한인 교우들이 함께하는 선교대회가 열립니다. 저 아프리카의 검은 대륙에서 그리고 인도차이나의 오지와 러시아, 중국, 필리핀, 인도네시아 등에서 목숨을 걸고 선교하는 선교사님들이 오십니다. 우리 모두 이 선교사님들을 뜨겁게 환영합시다.

그리고 직접 만나서 그들의 손을 잡아 주고 기도와 물질의 아낌없는 후원이 있기를 바랍니다.

진젠도르프 백작이 인도한 모라비안 교도들은 교우 5가족당 한 명의 선교사를 파송하여 세계 선교에 앞장섰다고 했습니다.

지금부터 111년 전 미국 장로교의 언더우드 선교사와 미 연합 감리교의 아펜젤러 선교사 부부가 어둠의 나라였던 우리 나라에 선교의 불길을 당김으로써 오늘 1천 2백만의 크리스천 신자를 가진 선교의 장자국을 이루었고, 찬란한 문화의 부강한 나라가 된 것입니다.

머지않아 우리 선교사들이 지구의 땅 끝까지 복음을 전하는 날 중국 12억뿐만 아니라 북한 땅까지 복음이 전파되고 우리의 숙원인 통일의 날도 도래하리라 믿습니다.

눈물은 언제, 왜 흘리는가?

아마도 한평생 살면서 한 번도 눈물을 흘리지 않은 사람은 없을 것입니다. 모태에서 세상에 나오는 그 시간부터 우리들은 많은 눈물을 흘리며 살아갑니다. 특별히 우리 민족은 한과 눈물이 많습니다.

어떤 사람은 아기가 태어나자마자 큰 소리로 우는 것은 이 고해와 같은 세상에 태어나 고생하고 눈물을 흘리며 살아갈 것이 억울해서라고 말하기도 합니다. 눈물은 색깔도 맛도 없지만 그 가치는 천만금보다도 값진 것입니다. 부모님이 자식을 위하여 흘리는 사랑의 눈물, 나라를 사랑하는 애국의 눈물을 생각해 보십시오. 그러기에 고당 조만식 선생님은 "나의 묘비에 두 눈을 새겨넣어 달라. 한 눈으로 일본이 망하는 것을 볼 것이요, 한 눈으로는 해방된 조국을 보고 싶다."라고 하셨습니다. 지금도 살아계시다면 조국의 통일을 보고 싶다며 얼마나 많은 눈물을 흘리시겠습니까?

지금도 조국의 통일을 위해 수많은 성도들이 눈물을 흘리고, 그 눈물이 강물같이 흘러 휴전선을 넘을 것입니다.

구약의 예레미야 선지자는 자기의 조국이 바빌로니아에 망하여 왕뿐 아니라 수많은 백성들이 포로로 잡혀가 외국 땅에서 고난당하는 것을 보며 매일 눈물로 살았다 하여 '눈물의 선지자'라 일컬었습니다. 그가 쓴 책이 예레미야 애가(哀歌)입니다. 정복자들에 의하여 성전이 무너지고 예루살렘이 폐허가 된 채 백성들은 모두 포로로 끌려간 민족의 비극을 비탄에 잠겨 노래했습니다.

"슬프다 이 성이여 본래는 거민이 많더니 이제는 어찌 그리 적막히 앉았는고 본래는 열국 중에 크던 자가 이제는 과부 같고 본래는 열방 중에 공주 되었던 자가 이제는 조공 드리는 자가 되었도다"(애 1 : 1).

이번 주간 저는 많은 눈물을 흘리며 지냈습니다. 어떤 병고나 어려움 때문이 아니었습니다. 지난 1984년 이래 세 번째 열리는 한인 세계선교대회가 시카고 남서쪽 휘튼 대학에서 열리고 있습니다. 저는 바쁜 일정을 뒤로 하고 월요일부터 참석하고 있습니다. 전세계 120여 개국에 나가 있는 800여 명의 선교사들을 비롯해서 한국과 미국에서 참석한 3,300여 명의 크리스천들이 모여 지금까지 선교한 보고와 2000년대 세계선교의 전략들을 모색하는 뜻깊은 대회입니다.

저는 그들 선교사들의 보고를 들으며 자꾸만 콧등이 찡해 오고 눈물이 흐르는 것을 참을 수가 없었습니다. 어제는 아프리카에서 사역하는 우리 1.5세 선교사로부터 가슴아픈 얘기를 들었습니다. 그는 병든 딸을 데리고 마침 안식년을 맞아 좋은 병원에서 치료를 받으면 회복될 줄 믿고 미국으로 왔으나 그냥 죽고 말았다고 했습니다. 이 눈물겨운 보고를 들을 때 얼마나 가슴이 아팠는지 모릅니다. 오직 그리스도의 복음 선교를 위해 목숨을 걸고 자식까지 잃으며 사명을 감당하는 선교사님들의 이야기를 들으며 부끄럽기 한이 없었습니다.

그리고 어제는 한국선명회 총재인 이윤구 박사님의 '구제와 선교사역'에 대한 주제 강연을 들었습니다. 그분은 세계 방방곡곡을 다니며 굶주림으로 죽어가는 이웃들을 구제하는 사업을 통하여 선교의 일익을 담당하는 사랑의 사도입니다. 그분의 강연 가운데 우리 북한의 굶주린 형제들의 이야기를 듣고 얼마나 많이 눈물을 흘렸는지 모릅니다. 지금까지 조국의 통일을 위해 기도는 했지만 북한에 있는 동포들이 나의 사랑하는 형제 자매임이 피부에 와 닿지는 않았었습니다.

저는 남한에서 태어나 자라서 미국에 와 살기 때문에 북한에는 아무 연고자도 친척도 없습니다. 통일을 위한 기도는 드리면서도 북한의 동족들이 이렇게 생생히 제 가슴속에 사랑하는 형제로 파고 들어오기는 이번이 처음이었습니다. 그 형제 자매, 그리고 천진난만한 어린이들이 굶어 죽어가고 있다니, 얼마나 먹을 것이 없으면 사람을 잡아 그 고기를 먹고 팔다가 들켜 현장에서 총살형을 받았을까요. 참으로 눈물 없이 들을 수 없는 내용이었습니다.

이곳에서는 너무나 풍성해서 남아서 버리는 음식이 많기도 한데 북한 동포들은 굶어 죽어가고 있다니…… 공산주의자들의 이념과 그 지도자들을 생각하면 얄미웁기 그지없습니다. 우리가 보내는 쌀이 군량미로 쓰인다고 하지만, 어떻게 북한의 동포를 살리고 통일 조국을 이룰 방법은 없는 것일까요? 그래도 사랑의 손길로 저들의 강철 같은 마음을 녹여야 하지 않을까 하는 눈물겨운 생각을 해보는 것입니다.

테러의 공포

사람의 심성이 본래부터 악한 것입니까? 그렇다고 주장하는 성악설 논자가 있는가 하면 "그렇지 않다, 갓 태어난 아기를 보라. 천사같이 예쁘고 천진난만하지 않느냐? 악이란 후천적으로 오는 것이다."라며 성선설을 말하는 자들도 있습니다. 언제부터 사람이 이렇게 무섭고 두려운 존재가 되었는지 모릅니다.

몇 년 전 저와 아내가 심방하다가 아파트 문 안에서 흑인 청소년 두 명이 뿌린 스프레이에 눈을 못 뜰 정도로 아파하는 순간 그들이 아내의 핸드백을 낚아채어 도망간 후부터 얼마 동안은 '흑인 공포증'에 시달린 적이 있었습니다.

작년 4월, 백인 청년 티모시 맥베이가 오클라호마 시의 연방정부 청사를 폭파한 후에는 백인 청년들도 마치 K.K.K단 청년들로 보여 하나의 무서운 존재들로 느끼게 되었습니다. 그래도 아직은 우리 동양 사람들로부터는 어떤 무서운 일을 당해 보지는 않았습니다.

이렇게 말하면 인종 편견자가 아닌가 할지 모르지만 그래도 대하기가 편안한 사람들이 같은 민족임을 실토하지 않을 수가 없습니다.

지금 온 지구촌 사람들은 테러의 공포 속에 떨고 있습니다. 세계인의 축제인 올림픽의 성화가 활활 타오르고 있는데 평화를 깨고 행복을 짓밟으려는 테러 집단들이 도처에 도사리고 숨어 있습니다. "열 사람이 한 사람의 도둑을 못 지킨다."고 하지 않습니까? 그렇게 삼엄한 경계 태세를 갖춘 애틀란타의 센테니엘 올림픽 공원에서까지 폭발물이 터지리라고 누가 상상이나 했겠습니까? 지난 17일 밤 공중 폭파된 TWA 800기의 공포가 채 가시지도 않은 이때에 우리의 가슴은 뛰다가 터질 지경이 되었습니다.

아직도 그 TWA기에 탔던 펜실베이니아 주 몬투어스빌의 소년 소녀들의 꿈이 산산조각난 슬픈 이야기가 저의 가슴을 에이게 하고 있습니다. 16명의 열일곱, 열여덟 살의 프랑스어 반 소년 소녀들이 1년이 넘게 캔디를 팔고 세차(Car Wash)를 하여 모은 돈으로 비행기표를 사서, 그중에는 난생 처음으로 비행기를 타 보는 소녀도 있었는데, 모든 꿈이 다 깨어지고 목숨까지 잃고 말았으니……. 그들 부모와 친구들, 그리고 그 소식을 접하는 모든 사람들의 마음을 이토록 아프게 하고 있지 않습니까? 아직 원인 규명이 정확히 되지 않았지만 90%가 테러리즘의 결과로 나타나고 있다니 이 또한 우리 모두를 두려움으로 몰아가고 있습니다.

세상 어디에도 안전한 곳, 피할 곳을 찾을 수 없는 지경이 되고 말았습니다.

더군다나 애틀란타 센테니엘 올림픽 공원의 파이프 폭파범이 그 공원을 지키고 인명을 보호하는 안전요원(Security Guard) 리처드 주웰(Richard Jewell, 33세)일지 모른다는 F.B.I의 발표대로라면 세상에 누굴 믿고 살란 말입니까?

중동의 테러 집단국들이 비난하는 대로 오히려 미국이 미국의 백인들에 의해서 폭탄 테러를 당하고 있다면 참으로 불행한 일이 아닐 수가 없습니다.

미국은 우리 나라 사람들이 명명한 대로 아름다울 미, 나라 국으로 아름다운 나라였습니다. 청교도의 신앙으로 세워져 그들의 후예들이 신앙으로 나라를 부강하게 만들어 전세계의 가난한 자를 돕고 약한 자들을 보살피는 박애의 나라였습니다.

그러나 19세기 후반부터 인본주의와 과학의 첨단기술이 발달한 20세기에 이르는 동안 미국민들은 하나님을 버리고 세상의 쾌락, 경제적인 부를 붙잡았습니다. 학교에서는 성경과 도덕교육이 쫓겨나고 실용 과학기술과 이론(理論) 학문만 가르쳐 왔습니다.

그리고 스포츠와 섹스와 스크린(TV, VTR)이 사람들을 횡격막 이하만 만족하며 살게 하는 하등동물로 전락시켰습니다.

그 악한 열매를 지금도, 또한 오는 21세기에도 거두며 살아가야 될 것입니다.

지금 미국은 다시 청교도의 믿음으로 깨어나야 합니다. 이 백성이 하나님을 찾아야 살 것입니다.

사형 구형된 전직 대통령

　요즘 저는 역사의 아이러니를 실감하고 있습니다. 전직 대통령 "전두환 씨 사형, 노태우 씨 무기 구형"이라는 신문의 머릿기사를 보면서 말입니다. 서슬퍼렇게 철권을 휘두르던 유신정권의 박정희 씨가 사랑하던 부하 김재규 씨에게 암살당하자 12·12 사태를 일으켜 정권을 찬탈하였던 군인들이 역사의 뒤안길에서 재판을 받고 사형 구형을 받기에 이르렀다니, 불행하고 암울했던 조국 현대사를 착잡한 심정으로 보게 됩니다.

　그러니까 1981년으로 기억됩니다. 전두환 씨가 정권을 잡고 난 후 5·18의 배후 주모자로 김대중 씨에게 사형언도를 내린 때였습니다. 당시 외무부 장관에 오른 이범석 씨가 시카고를 방문하여 지금은 없어진 뉴코리아 하우스에서 교민 초청 간담회를 가진 일이 있습니다. 질의 응답 시간에 저는 이 장관에게 "정말 김대중 씨가 공산주의자로 5·18의 배후 조종 인물입니까?"라고 물었습니다. "그가 공산주의자라면 어떻게 대통령 후보자로서 국민의 거의 반수가 그를 지지하는 투표를 하였고 박정희 정권에서 그를 그냥 두었겠습니까?"라고 질문을 하였습니다. 그 때이 장관은 분명한 어조로 "그는 공산주의자입니다."라고 대답을 하여 교민들의 거센 항의를 받은 바가 있었습니다.

그 후 몇 년이 지나서 당시 대통령 전두환 씨를 수행하여 버마 순방중, 아웅산 국립묘지에 참배하러 갔다가 폭탄 테러를 당하여 이 장관을 비롯하여 저의 영어 선생이기도 했던 함병춘 대통령 보좌관까지 죽는 불행을 당했다는 소식을 듣고 얼마나 가슴 아팠는지 모릅니다.

저는 작년 여름 한국을 다녀와서 당시 총무처 장관이었던 서석재 씨가 "전직 대통령 중 4천억 비자금 은닉하고 있다"는 메가톤급의 뉴스를 터트려, 전국이 술렁대고 끝내 서 장관이 사표를 제출했다고 했습니다.

문민정부는 그저 적당히 넘어가는 듯했으나 결국은 노태우 씨가 그보다도 더 많은 천문학적 숫자인 '5천억' 그 뒤에는 7천억, 더 어처구니없이 뒤를 이어 전두환 씨는 1조억 원이라는 엄청난 액수의 비자금과 뇌물로 치부한 사실이 알려지면서 국민들 사이에서는 "설렁탕 한 그릇에 1억이요."라는 농담까지 나오게 된 것입니다. 저들은 교도소에 수감되면서까지도 큰소리를 치고 반성은커녕 거드름을 피우더니 결국은 그들의 죄상이 만천하에 밝혀져 사형과 무기라는 구형을 받기에 이른 것입니다.

얼마나 역사적인 아이러니입니까?

그들이 탄압하고 죽이려 했던 김대중 씨는 지금도 정치 일선에 서서 야당을 이끌고 차기 대통령 후보로 나서겠다는 것이고, 온갖 역경과 수모를 겪으면서도 조국의 민주화를 위해 투쟁하던 김영삼 씨가 "호랑이 잡으러 호랑이 굴에 들어간다"며 노태우, 김종필 씨와 손을 마주잡고 대통령에 당선되더니 과연 그는 지금 큰 호랑이 둘을 잡고만 격이 되었습니다.

사실 그 동안 문민정부의 김영삼 대통령도 고민을 많이 했을 것입니다. '개혁의 칼'로 '역사 바로 세우기'를 한다고 해놓고 자기의 손을 높이 들어 대통령 후보로 뽑아 준 노태우 씨와 그의 후견인 전두환 씨를 어떻게 단죄한단 말입니까? 그래서 처방으로 내세웠던 것이 "5·18과 12·12는 역사적 심판에 맡기자" 또는 "공소권 없음"이라는 결정을 내리기도 한 것 아닙니까?

그러나 어느 누가 도도히 흐르는 역사의 심판의 물결을 막는단 말입니까? 하나님과 온 백성들의 초롱초롱한 눈빛이 역사를 주시하고 있음을 알아야 합니다.

신약 성경 요한계시록에는 다음과 같은 글이 쓰여 있습니다.

"또 내가 보니 죽은 자들이 무론대소하고 그 보좌 앞에 섰는데 책들이 펴 있고 또 다른 책이 펴졌으니 곧 생명책이라 죽은 자들이 자기 행위를 따라 책들에 기록된 대로 심판을 받으니"(계 20 : 12).

광복과 통일

오늘은 조국 광복 51주년 되는 뜻깊은 날입니다. 36년 동안 일
본의 식민지로 우리 민족은 말과 문화를 빼앗기고 젊은 대학생
들, 심지어는 17~18세의 소년들까지도 학도병으로 또는 노무
자로 끌려가서 남양군도의 '정글' 등에서 불귀(不歸)의 객이 되
어야 했습니다. 어린 소녀와 처녀들은 정신대로 끌려가 갖은 학
대와 수모를 당했습니다.

창씨개명으로 이름까지 빼앗기고 신사참배와 동방요배를 강
요하여 황국신민을 만들려는 그들의 음모로 우리 기독교인들을
비롯하여 많은 종교인들이 투옥되거나 죽어갔습니다.

일제 말기에 박순천 여사가 여고 교사로 신사참배를 하지 않
은 죄로 주재소에 끌려갔는데 어느 나무꾼이 만세를 부르다가
붙잡혀 왔더랍니다. 그 나무꾼은 순사가 뺨을 치면 "대한 독립
만세" 또 치면 "대한 독립 만세", 두 번 치면 "대한 독립 만세"를

두 번 외치더랍니다. 순사가 "이놈아, 너는 맞으면서도 대한 독립 만세냐?"하니까, 그 나무꾼이 "내 몸 속에는 '대한 독립 만세'로 꽉 차 있소이다. 그러니 내 몸을 건드리기만 하면 '대한 독립 만세'가 흘러나올 수밖에 없습니다."라고 하는 소리를 들었답니다. 그 소리를 듣고 박 여사는 틀림없이 우리 조국에 광복이 올 것을 믿었다는 이야기를 들은 적이 있습니다.

얼마나 많은 애국지사들이 해외에서 또는 국내에서 조국광복을 위해 순국하고 몸 바쳐 독립운동을 펴왔습니까? 일제는 최후의 발악으로 태평양 전쟁의 막바지에 진주만 공격까지 감행하였지만 1945년 8월 6일 오전 8시 15분 미국 B29에서 투하된 원자폭탄이 히로시마 시가지를 불바다로 만들었고, 9일에는 나가사키를 강타하여 21만여 명의 목숨을 눈 깜짝할 사이에 앗아가고 말았습니다. 아직도 32만 명이 그 후유증으로 고생을 하고 있습니다.

그해 8월 15일, 드디어 천황 히로히토가 연합군 사령관 맥아더 원수 앞에 항복을 하고 제2차 세계 대전이 종식됨과 아울러 우리 조국도 해방을 맞게 된 것입니다.

그날의 감격, 평양의 감옥이 열리고 서울의 형무소의 문이 열리며 수많은 애국지사들이 출옥하여 "대한민국 만세"를 목이 터져라 외쳤던 것입니다.

그 감격의 날이 아직도 생생한데 51년이 지난 오늘, 우리 조국의 현실은 어떤가요?

아직도 조국은 두 동강이 난 채 허리 잘린 사람처럼 숨도 제대로 못 쉬는 환자처럼 살아가고 있지 않습니까?

남한은 국민의 GNP가 1만 달러를 넘어섰고 금년 애틀란타 올림픽에서도 197개국 참가국 중에서 10위권에 드는 강대국이 되었음을 자랑하고 있습니다.

그러나 북한은 51년 동안 공산주의 체제하에서 일인 독재로 이제는 백성들이 주려 죽어가고 있다는 슬픈 소식입니다. 해외에 이민 와 살고 있는 우리 동포의 조국은 어디입니까? 반쪽인 남한 만입니까? 또는 북한만입니까?

백두산으로부터 제주도 한라산까지가 우리 조국 대한민국입니다. 꿈에도 소원인 통일 조국을 이루는 것이 우리들의 제일 큰 과제입니다. 우리들은 전쟁의 위험도 없고 이곳에서 평안히 잘 산다고 강 건너 불구경하듯 하면 그만이란 말입니까?

어떻게 우리가 통일과업에 이바지할 수 있을까요? 남과 북을 바로 보면서 교량 역할을 할 수 있는 사람들이 우리 해외 동포가 아닙니까? 조국 독립이 해외에서 더욱 활발히 펼쳐졌던 것처럼 조국 통일을 위해서 특별한 대처를 우리들이 이루어 가야 할 줄 압니다. 이제는 공산주의 종주국 소련은 무너졌으니 우리가 사는 미국 정부와 유엔에 우리 조국 통일의 수행을 위해 목소리 높여 외쳐야 하지 않겠습니까? 우리들은 인적 자원도 충분하지 않습니까?

우리가 못 다 하면 2세들도 함께해서 말입니다.

"통일이여 어서 오라!" 오늘도 소원합니다.

제9부
가을 포도같이 익은

어린이 생명을 구한 고릴라

우리는 기차가 달려오는 데도 모른 채 철길에서 놀고 있는 아이를 밖으로 밀어내어 살리고 자신은 기차에 치어 숨진 어머니나, 강에서 수영하다 빠진 사람을 구조하려다가 자신이 물에 빠져 죽은 사람의 미담을 들으면 가슴 찡한 감동을 받게 됩니다.

지난 16일 시카고의 브룩필드(Brookfield) 동물원의 원숭이와 고릴라들을 관광하던 세 살짜리 어린이가 부주의로 높이 18피트 우리의 밑바닥으로 떨어진 것을 일곱 살 난 엄마 고릴라가 구조한 아름다운 이야기를 들었습니다.

빈티-주아(Binti-Jua)라는 이 고릴라는 아이가 자기 우리 콘크리트 바닥에 떨어져 졸도하자 즉시 달려가 자기 새끼 쿨라(Koola)는 등에 업고 아이를 자기 팔로 안아서 다른 고릴라들이 해치지 못하도록 빙빙 돌아서 관리인의 손이 닿을 만한 문간으로 가 눕혀 놓았다고 합니다. 아이는 곧 가까운 로욜라(Loyola) 의료센터에 옮겨져 치료를 받고 있는데 심한 머리 부상을 입었지만 점점 호전되어 정상으로 돌아와 말도 하고 먹기도 시작하여 금주중으로 귀가하게 되리라는 기쁜 소식입니다.

모든 매스컴들이 당시의 고릴라가 아이를 안고 있는 모습들을 계속해서 뉴스에 방영하고 그 고릴라의 영웅적인 행위를 극찬하고 있습니다.

지난 20일자 시카고 트리뷴지에 빈티-주아 고릴라야말로 훈장을 받을 만한 영웅적 행동을 했다고 극찬하고 현대인의 차가운 가슴에 뜨거운 감동을 불러오고 있다고 기술한 것을 읽었습니다.

참으로 그렇습니다. 오늘을 사는 현대인들의 가슴은 점점 더 돌같이 굳어 냉랭해져 가고 있습니다. 사람들이 하나의 기계 부속품처럼 아무 감동 없는 메마른 삶을 살아갑니다. 컴퓨터의 발달로 사람들이 사무실이나 집안에 앉아 마우스 하나만으로 데이터들과만 매일 시간을 보내는 시대가 되니 사람과 만날 필요 없이 모든 문제를 해결하고 비즈니스를 하여 더욱더 강퍅한 세상으로 전락해 가고 있습니다.

현대인들의 대화는 전화나 컴퓨터, 인터넷만으로 이뤄지니 어떻게 사랑이니, 신뢰니 하는 인격적인 만남을 이루어갈 수 있겠습니까? 더군다나 '신' 과의 만남이 이뤄지지 않을 때 그의 영혼과 심령은 삭막해지고 죽을 수밖에 없는 것입니다.

그래서 예로부터 어른들께서 말씀하신 대로 "짐승만도 못한 X"로 타락되어 가는지도 모릅니다.

이같이 각박한 세대에 한낱 고릴라가 우리에 떨어져 죽어가는 세 살바기 어린이를 구해 주었으니, 이 얼마나 눈물겹도록 감동적인 미담입니까?

또다시 동물학자들 간에는 「종의 기원(The Origin of Species)」을 쓴 찰스 다윈(Chales Darwin)의 진화론을 들어 동물들도 감정(Emotion)이 있다는 가설을 떠올리고 있습니다.

일찍이 17세기의 프랑스 철학자 데카르트(Rene Descartes)는 "동물의 영혼은 없다. 단지 기계적(본능적)인 행동이 있다."라고 갈파하였습니다.

어떻든 간에 우리는 동물이 가진 감정이든 본능이든 엊그제 시카고의 한 동물원에서 있었던 실화를 보고 들으면서 사람들이 '짐승만도 못한 존재'로 전락하지 않기를 바랍니다.

인간은 어서 속히 만물의 영장으로서의 제자리로 복귀해야 합니다.

"우는 자와 함께 울고 기뻐하는 자와 함께 기뻐하라." 하신 예수님의 말씀대로, 차갑게 냉각되어 가는 이 세대에 뜨거운 바람을 불어넣는 인간 본연의 자리로 돌아가야 합니다.

New Holy Land, 유레카 스프링스

어떤 분이 농담조로 거지와 목사가 비슷한 점이 몇 가지 있는데 그것은 "거지와 목사는 입만 가지고 먹고 산다." 그리고 "오라는 곳은 없어도 갈 곳은 많다."라고 하였습니다. 들어보니 그런 것 같기도 합니다. 또한 제 자신이 목사로서 과연 '내가 입만 가지고 사는 인간이 아닌가? 이 한 치의 혀가 얼마나 무서운 도구인가? 자칫 잘못하면 다른 사람들에게 큰 상처를 주고 더러는 사람을 죽일 수도 있는 위험한 칼 같은 무기가 아닌가?' 생각해 보았습니다.

그러나 '이 혀로 사랑과 위로와 용기와 희망을 전달하는 생명 기구 역할을 할 수 있다면 참으로 목사가 된 보람이 있다.'라며 제 자신의 위치를 성찰해 보는 시간을 가졌습니다.

사실 저 같은 목사를 비롯해서 성직자의 삶이란 유리관 속 (Show Window)에서 빤히 들여다보이는 삶을 살아가야 하기 때문에 실로 많은 제약과 스트레스를 받지 않을 수가 없습니다. 그저 입으로 말을 한다고 다 설교가 되는 것도 아니고 우리의 기본 텍스트인 성경은 하나님께로부터 주어지는 신비하고 심오한 진리이며 복음이기 때문에 조금만 게으름을 피우면 그 말씀을 먹고 영혼의 영양을 섭취하려는 성도들에게 그리고 그 말씀을 하시는 하나님 앞에 큰 죄를 범하는 일이 되기 때문에 한순간도 한눈을 팔 수가 없습니다.

그러기에 목사에게도 1년에 한두 주일 이상의 계속 교육과 묵상과 연구의 기간이 필요한 것입니다.

이런 차제에 얼마 전 시카고 지역에 설립된 목회자 횃불선교회에서는 매주 수요일 목회자들을 위한 세미나를 계속하게 되어 얼마나 감사한 일인지 모릅니다. 국내외적으로 권위 있고 우수한 강사들을 초빙하여 우리 이민 목회와 다가오는 '21세기의 비전'에 대한 특강들을 듣는 시간을 갖고 있습니다.

8월 한 달은 휴강을 하면서 지난 12일부터 14일까지 2박 3일간의 일정으로 미국의 새 성지(New Holy Land)로 불리는 아칸소 주의 유레카 스프링스(Eureka Springs, ALKANSAS)에 가서 성막 세미나와 목회자 정보 세미나 등의 스케줄로 교역자 수양회를 개최하였습니다. 시카고 지역에서 70여 명의 교역자 부부와 댈러스에서 온 20여 명의 교역자들이 함께 가진 수양회는 참으로 뜻깊은 행사였습니다.

첫째 날은 댈러스에서 온 김원기 목사의 '성막론' 강의를 통하여 이스라엘 백성들이 출애굽하여 광야 40년 동안 성막을 중심으로 피의 제사를 드리며 약속의 땅 가나안을 향해 진군해 간 역사를 들으며 깊은 감동과 은혜를 받았습니다.

둘째 날은 새벽기도회를 성막에 가서 드리기로 하고 일찍 일어나 성막으로 향했습니다.

본래 유레카 스프링스가 미국 안에 있는 새로운 성지로 명명된 데는 아름다운 이야기가 있었습니다.

위스콘신에서 출생하여 목사가 되어 헌신하던 제럴드 E. 스미스 여사가 은퇴 후 여생을 지낼 거처로 찾아간 곳이 바로 그곳이었습니다. 그들이 1963년에 그곳에 집을 지을 땅을 사고 주위를 돌아보다가 아름다운 산 언덕에 이르는 순간 '아! 이 자리야말로 예수 그리스도께서 서 계실 거룩한 곳이구나.' 하는 함성이 터져 나왔습니다. 그와 동시에 그는 사재를 몽땅 헌납하고 후원자들을 모집하여 1965년 The Elna M. Smith Foundation을 설립하고 그 산 언덕에 7층 높이와 100만 톤의 무게가 나가는 예수 그리스도의 상(Statue of Jesus)을 세우게 된 것입니다.

그리고 1968년에는 그 산에서 예수님의 마지막 수난주간, 고난당하시고 십자가에 돌아가시며 부활하신 내용을 담은 "The Great Passion Play(수난극)"을 공연하기 시작했습니다.

우리 일행이 새벽에 찾은 성막은 시내 광야에서 모세가 만든 성막을 그대로 본따 1993년에 지은 것이었습니다. 성막 자체가 예수 그리스도의 흘리신 구속의 피를 상징하는 제단이라는 안내자의 말씀을 들으면서 깊은 감명을 받았습니다.

마지막 날 밤에는 노천극장에서 예수 그리스도의 수난극을 관람하면서 우리를 위해 고난 당하시고 돌아가신 그리스도 그리고 부활의 소망을 주신 예수님께 눈물을 흘리며 감사와 영광을 돌리고 돌아왔습니다.

이스라엘 성지에 가기 어려운 분들은 한 번 순례해 볼 만한 New Holy Land가 아닌가 합니다.

오늘도 찾는 선한 사마리아인?

    제가 신학대학원에 다니면서 우리 교단 본부의 교육부 일을 겸하여 할 때였습니다. 저의 1년 선배 되시는 박진탁 전도사님이 제 사무실에 자주 오셨는데 당시 그분은 아직 목사 안수는 받지 않으셨어도 수도의과대학 부속병원의 원목으로 시무하던 중이었습니다.

    한 번은 제게 찾아와 문득 이런 말을 하셨습니다.

"이 전도사 피좀 뽑아 기증하지 않겠나?"

"네? 선배님, 무슨 말씀이세요?"

"놀랄 것 없어, 내가 지금 헌혈운동을 시작하고 있어. 나는 내 피 한 방울이 죽어가는 생명 하나를 구원한다는 신비한 체험을 하였어. 며칠 전 병원에서 퇴근하려고 사무실 문을 나서는데 응급실에서 피를 너무 많이 흘린 환자가 처참하게 누워 있는데 병원 안의 피가 모자라고, 서울 시내 다른 병원들도 자기 병원 환자들 수혈할 피도 모자라다는 것이야! 그러면서 나에게 피 좀 기증하실 수 있느냐는 화급한 요청을 해왔어. 잠시 당황한 나는 내 팔을 벗어붙였지. 마침 내 혈액형이 그 환자와 일치하더군. 나는 그 환자 옆에 누워서 나의 피가 죽어가는 환자의 혈관 속으로 들어가는 광경을 본 것이야! 나는 눈을 감고 하나님께 그 환자의 생명을 살려 달라고 간절히 기도했어. 생면부지의 환자! 일그러진 얼굴! 그 생명뿐만 아니라 그의 영혼을 하나님께 부탁한 것이야! 그런데 며칠 후 방문해 보니 그는 살아나 있었어. 이 전도사! 이런 생명의 신비! 나의 피 한 방울이 죽어가는 생명을 살리는 이 아름다운 신비! 그래서 나는 헌혈운동을 시작하기로 했어."

우리 동창들은 그것도 모르고 그가 나타나면 정말 흡혈귀나 거머리를 본 듯 피하곤 했었습니다. 그런데 그의 간증을 듣고 부끄러워 머리 둘 곳이 없어 우리 동창들 모두 다 적극적으로 협조하기로 했었습니다.

그분이 한국 역사상 최초로 헌혈운동과 장기기증 운동을 시작한 박진탁 목사님이십니다. 그분과 그분의 아들이 한 헌혈만도 100회를 넘고 자신도 장기기증 리스트에 올려놓고 있습니다.

4년 전 목회 훈련차 LA 동양선교교회에 갔다가 마침 그 자리에 온 박 목사님을 반가이 만났습니다. 동양선교교회의 젊은 여집사 한 분이 신부전증으로 고생하다가 박 목사가 펴는 장기기증 운동본부의 주선으로 장기이식을 받고 건강이 회복되었다는 반가운 소식을 거기서 들었습니다.

매스컴을 통해서 들으셨겠지만 제가 섬기는 우리 레익뷰장로교회 교우 가운데 스물일곱 살 난 젊은 부인 노지연 자매가 지난 2월, 백혈병 진단을 받고 지금 고생하고 있습니다. 로욜라 의료센터의 종합진단 결과 3주 내에 골수이식 수술을 받아야 한다는 소식입니다. 그는 두 살짜리 아들을 둔 성실히 살려고 노력하는 젊은 아낙네입니다. 온 교우들이 동포들의 사랑의 손길을 기다리고 있습니다.

형제들의 골수를 조사했으나 맞지 않아서 우리 교회에서는 1차로 오는 15일 주일에 온 교우들과 교민 여러분을 중심으로 혈액채취와 모금운동을 펴기로 하였습니다.

오늘도 "내 이웃이 누구니이까?"라고 묻는 젊은 바리새인에게 예수님께서는 "선한 사마리아인의 비유"를 말씀하십니다.

예루살렘에서 여리고로 내려가던 중 강도 만나 다 죽어가던 사람이 있었습니다. 그런데 제사장도 레위인도 이를 보고 다 지나쳤으나 당시 유대인들의 학대와 차별을 받던 사마리아 사람은 당장 달려가 그를 치료해 주고 자기가 타고 가던 나귀에 태워 여관집에 가서 돌보아 주었다고 했습니다.

참으로 선한 사마리아인입니다.

사랑하는 동포 여러분!

오늘 우리도 다같이, 죽어가는 이웃을 위해 선한 사마리아인처럼 한 생명을 구하는 일에 동참할 수 있기를 거듭 부탁해 마지 않습니다.

가을 단상

어느 교우 가정에 붙여 놓은 액자 속에 참으로 뜻깊은 글이 실려 있어 종이에 옮겨와 저의 책상 유리 받침 속에 끼워 놓았습니다. 특별히 "春不耕種 秋後悔"라는 글이 이 가을에 저의 마음에 와 닿았습니다. "봄에 씨를 뿌리지 않으면 가을에 가서 후회하느니라."라는 교훈입니다.

오늘날 얼마나 많은 사람들이 심지도 않고 거두려는 욕심을 품고 삽니까?

불로소득(不勞所得), 노력하지 않고 얻으려는 사람들 말입니다. 또한 성경은 우리에게 심기는 심어도 좋은 씨앗을 심어야 한다고 가르쳐 줍니다. "심은 대로 거둔다."는 진리입니다. "콩 심은 데 콩 나고 팥 심은 데 팥 난다."는 만고불변의 진리입니다.

그리고 예수님께서는 좋은 씨를 어떤 밭에 뿌리느냐가 중요함을 가르쳐 주셨습니다. 봄이 왔다고 아무 데나 씨를 뿌린다고 풍성하고 좋은 결실을 거둘 수 있는 것은 아닙니다. 길바닥 같은 마음밭에 아무리 좋은 하늘나라 복음의 씨를 뿌린다 한들 무슨 소용이 있겠습니까? 새들이 와서 다 먹어버릴 것입니다. 가시밭 같은 마음에 뿌린다면 싹은 나도 가시들이, 즉 세상의 재리(財利)와 근심이 그 싹을 시들게 하여 결실할 수가 없게 됩니다.

그러므로 우리 인간의 마음에 하나님 나라가 싹트고 풍성하게 자라 아름답고 풍요한 열매를 맺으려면 옥토(沃土) 같은 마음을 이뤄야 합니다.

우리들의 마음은 밭과 같아서 길바닥같이 굳어진 마음이 있는가 하면 돌짝밭처럼 얕고 떼굴떼굴 구르는 마음도 있습니다. 그런 사람을 대해 보면 찬바람이 돌고 사람이 경박해 어딘지 마음을 나눌 수 없는 안타까움이 남습니다.

어떤 사람은 겉으로 보기에는 푸른 숲과 같은데 그 속에는 가시가 있어서 도저히 다른 사람을 용납지 않고 비판적입니다. 천국 복음의 씨앗이 들어간 것 같은데 잠시뿐, 찌르는 심성 때문에 도저히 자라지 않아 결실하지 못합니다.

옥토 같은 마음을 가진 사람이 이 땅위에 많기에 세상은 살맛이 나고 예수님의 "천국은 너희 가운데 있느니라"라고 하신 말씀을 실감하며 살 수가 있습니다.

사랑하는 여러분!

제가 서두에 어느 가정에서 본 액자 속에 있는 글은 주자(朱子)의 "십회(十悔)", 즉 '사람들이 하는 열 가지 후회'라는 글인데 소개하면 다음과 같습니다.

1. 不孝父母 死後悔

부모에게 불효하면 돌아가신 뒤에 후회한다.

2. 不親家族 疎後悔

가족에게 친절치 않으면, 즉 가족을 잘 부양치 않으면 멀어진
뒤에 후회한다.

3. 少不勤學 老後悔

어려서 부지런히 공부하지 않으면 늙어서 후회한다.

4. 安不思難 敗後悔

평안할 때 어려운 지경을 생각지 않으면 실패한 후에 후회한
다.

5. 富不儉用 貧後悔

부자일 때에 검소히 아껴쓰지 않으면 가난해진 뒤에 후회한다.

6. 春不耕種 秋後悔

봄에 씨를 뿌리지 않으면 가을에 후회한다.

7. 不治垣牆 盜後悔

담장을 고치지 않으면 도둑맞은 뒤에 후회한다.

8. 色不謹愼 病後悔

색을 삼가지 않으면 병들고 나서 후회한다.

9. 醉中妄言 醒後悔

술 취해서 망령된 말을 하면 술깬 뒤에 후회한다.

10. 不接賓客 去後悔
부 접 빈 객　거 후 회

손님을 대접하지 않으면 간 뒤에 후회한다.

사랑하는 여러분!

오늘도 하늘과 땅에 한 점도 부끄럼없이 후회하지 않는 하루
가 되기를 기원합니다.

추석과 염 키퍼

어젯밤 수요 예배를 마치고 집을 향하여 가면서 중천에 둥실
뜬 둥근 달을 바라보았습니다.

아, 추석이구나! 새삼스레 경탄하게 되었습니다.

> 야! 가을인가, 가을인가 봐!
> 물동에 떨어진 버들잎 보고
> 물긷는 아가씨, 고개 숙이지.

가을의 노래가 제 입가에서 새어나왔습니다. 우리같이 정든
고향을 떠나 먼 이국 땅에 사는 나그네들은 가을이 오고 추석 같
은 명절이 다가오면 가슴속 깊이 파고드는, 뭔가 표현할 수 없는
계절의 감각이 있습니다. 바로 내일이 추석입니다. 어릴 때 추석
날 아빠 손 잡고 따라가던 그 때가 그립습니다. 가을엔 추석이

있어서 우리 민족의 얼을 느낄 수가 있습니다.

봄에 씨 뿌리고 여름 동안 땀 흘려 가꾼 오곡백과를 거두어 들이고 햇곡식으로 송편을 빚어 먼저 조상들께 다례를 지내는 날이 신라시대 '가배(嘉俳)'로부터 유래된 추석입니다. 모든 것을 조상의 은덕으로 믿었던 우리 선조들의 신앙이었다고 생각됩니다. 그래서 한국의 몇몇 교회들은 하나님께 드리는 추수감사절 예배를 추석절을 기해서 지키기도 합니다. 물론 우리가 오늘 존재하는 데는 조상들이 계셨기 때문이지만, 기독교 신앙은 조물주 하나님의 은혜임을 믿기 때문에 이런 명절 때도 하나님의 은혜에 감사하게 되는 것입니다.

저는 우리 고유의 명절을 지낼 때마다 마음에 떠오르는 것이 한 가지 있습니다. '비록 이국 땅에 살고 있지만 우리도 함께 이 날을 축제일로 지킬 수가 없을까?' 하는 점입니다.

바로 엊그제 23일, 유대인들은 '욤 키퍼(Yom Kippur)'를 지냈습니다. 새해맞이를 하는 그들의 대대적인 종교 축일입니다. 그런데 놀라운 것은 대부분의 서버브의 공립학교들이 이 날을 공휴일로 하고 문을 닫았다는 사실입니다. 물론 1백여 종족이 섞여 사는 미국 속에서 모든 민족의 명절이나 축제일을 공휴일로 제정할 수는 없을 것입니다. 그러나 유대인들의 파워라 할까요? 그들의 축제일만을 유일하게 공휴일로 하는 것이 부럽기만 한 것은 저만의 심정이 아닐 줄 압니다.

그들이 나라를 잃고 디아스포라로서 세계 만국에 흩어져 살면서도 어디서나 자기의 전통과 문화, 종교 의식을 철저히 지키고 있다는 데에 경의를 표하지 않을 수가 없습니다. 그러기에 그 민족은 꺼질 듯 꺼질 듯한 한 자루 촛불 같은 민족처럼 보였지만 다시 일어나 독립국을 이루고 2000년대를 이끌어가는 세계적인 민족이 된 것입니다. 노벨상 수상자의 25%를 차지하는 놀라운 민족이 되었습니다.

어떻게 보면 동방의 조그만 나라, 그러나 여명이 비치는 나라 우리 대한민국과 많은 유사점을 가진 민족이기도 합니다. 우리 민족도 5천년의 역사를 가진 민족이지만 얼마나 많은 대적들의 침략을 받고 수난을 당했습니까? 한 번도 남의 나라를 침공해 보지 않은 순진한 민족입니다. 그럼에도 불구하고 우리보다 강했던 주변의 민족들이 망하고 이 땅에서 사라져 갔지만 쓰러지지 않고 오뚝이처럼 다시 일어선 민족이 아닙니까?

그러나 이 추석절에 가슴아픈 사건이 있습니다. 지난 주간 조국의 강릉 앞바다를 침공해 왔다 좌초된 북한 잠수함에서 26명의 공비들이 육지로 올라왔다가 일부는 사살되고 생포되는가 하면 아직도 남은 5명의 공비를 소탕하기 위하여 전군이 비상망을 좁혀가고 있다는 슬픈 소식입니다.

언제까지나 한 민족이 이렇게 총칼을 마주 대고 죽이며 살아야 한단 말입니까? 우리가 만들지도 않은 38선을 누가 어떻게 무너뜨린단 말입니까? 기아와 헐벗음으로 죽어간다는 이북의 동포들에게 쌀 보내기 운동을 펴던 해외 동포기관들이나 조국의 여러 교회, 단체들도 손을 놓고 망연자실하고 있다는 소식입니다. 그래도 조국에선 벌써 1천 2백만의 국민 대이동이 시작되었다는 중추절, 한가위에 먼 이국 땅에 사는 우리들도 이날만은 한마음으로 조국의 통일을 위하여 기원했으면 하고 바라는 바입니다.

가을과 노인
-무르익은 과일처럼

원고지에 '가을과 노인'이란 제목을 써놓고 다시 '무르익은 과일처럼'이라는 부제를 붙여 놓은 지가 이틀이 지났습니다.

좀 앉아서 글을 쓰려면 전화 벨이 울리고 또 펜을 잡으면 그동안 모든 영감과 착상이 사라져서 펜을 놓고 다시 명상을 해야 하는 일이 반복되었습니다.

지난 화요일엔 우리 교회의 노인 선교회에서 가을 동산으로 나아가 즐거운 시간을 가졌습니다. 소풍가는 어린이들처럼 각자가 한 보따리씩 맛있는 음식과 과일, 사탕들을 싸들고 마냥 즐거워하시는 어른들의 환한 모습이 가을 햇볕에 아름답게 반사되었습니다.

교회에서 멀지 않은 함스우드 공원(Hams Wood Park)에 가서 빙 둘러 앉아 기쁜 찬송을 부르고 하나님께 예배를 드렸습니다.

참 아름다워라 주님의 세계는
저 솔로몬의 옷보다 더 고운 백합화
주 찬송하는 듯 저 맑은 새소리
내 아버지(하나님)의 지으신 그 솜씨 깊도다

참 아름다워라 주님의 세계는
저 산에 부는 바람과 잔잔한 시냇물
그 소리 가운데 주 음성 들리니
주 하나님의 큰 뜻을 내 알 듯하도다(찬송가 78장 1, 3절)

목소리 가다듬어 함께 찬양을 불렀습니다.

"하늘이 하나님의 영광을 선포하고 궁창이 그 손으로 하신 일을 나타내는도다 날은 날에게 말하고 밤은 밤에게 지식을 전하니 언어가 없고 들리는 소리도 없으나 그 소리가 온 땅에 통하고 그 말씀이 세계 끝까지 이르도다 하나님이 해를 위하여 하늘에 장막을 베푸셨도다 해는 그 방에서 나오는 신랑과 같고 그 길을 달리기 기뻐하는 장사 같아서 하늘 이 끝에서 나와서 하늘 저 끝을 운행함이여 그 온기에서 피하여 숨은 자 없도다"(시 19 : 1~6).

일찍이 일본의 명문 동지사(同志社) 대학을 설립한 니히시마 교수는 "성경 창세기 1장 1절의 '태초에 하나님이 천지를 창조하시니라' 는 한 구절을 믿기만 하면 성경 66권 전체를 하나님의 말씀으로 믿을 수 있다." 라고 그의 신앙관을 피력했습니다.

찬양과 경배를 드리고 난 어른들은 손에 손을 잡고 율동과 운동을 하였습니다. 눈을 들어 하늘을 보시며 모두 합창하듯 소리치셨습니다. "저 높은 하늘, 구름 한 점 없이 푸르고 푸른 하늘이

구나!" 감탄사를 연발하시었습니다.

저는 그런 노인들을 보면서 '무르익은 가을 과일처럼 참으로 훌륭하신 어른들이구나.' 하고 마음에 느꼈습니다. 어른들을 무르익은 과일이라니 혹시 섭섭해 하실 분도 있으실지 모르지만 사실은 봄의 꽃이 제아무리 아름다워도 쏟아지는 소나기나 세차게 부는 바람에 찢기거나 떨어져 어디론지 흔적도 없이 날아가 '화무십일홍(花無十日紅, 꽃은 아무리 붉어도 열흘을 가지 못한다)'이 되고 맙니다.

떨어진 꽃은 발에 밟힐 뿐입니다.

다행히 열매가 맺었다 해도 벌레들이 갉아먹어 상처가 나면 낙과하여 썩고 맙니다. 오히려 썩은 과일은 추한 냄새만 풍길 뿐입니다.

그런데 이런 풍상을 다 견디고 끝까지 나무에 붙어 있던 과일이 여름의 작열하는 햇볕에 붉게 물들고 무르익어 가을이 되어 주렁주렁 달려 있는 모습은 참으로 경이롭고 아름다운 것입니다.

저는 들녘, 공원에서 하늘을 보며 손을 펼치고 노래하시는 어른들의 모습에서 그와 같이 아름답게 무르익은 가을 과일의 모습을 본 것입니다.

아직 북풍한설이 몰아치는 겨울이 오기 전 무르익은 과일은 가을 햇볕에 유난히도 아름답게 찬란히 빛나고 있었습니다.

"참 아름다워라 하나님 세계는……."

찬양이 계속 입가에 울려퍼지는 계절입니다.

가을 포도같이 익은

저는 지난 주간 91세로 이 세상을 떠나 하나님 나라로 가신 교
우님의 장례식을 집례하였습니다. 그 할머님이 출생한 1905년
은 조선 고종황제 때였습니다. 더군다나 1905년은 을미사변이
일어나 민비가 일인의 손에 살해되고 단발령이 선포되어 민심이
극도로 악화된 때였습니다. 그러다가 왜적들의 야수가 1910년
한일합방이라는 국치일을 가져오게 하였으니, 이 할머님의 일생
이 얼마나 파란만장하고 한많은 세월이었을까 가히 짐작이 가고
도 남습니다.

이 할머님의 본래 이름은 유동례 씨입니다. 미국에 오셔서는
남편의 성을 따라 '박동례'로 불렸습니다. 바로 유동례 할머님
은 기미년 3 · 1 독립만세 운동에 18세의 꽃다운 처녀 대학생의
몸으로 순국한 유관순 열사의 조카입니다. 본인은 그것을 밝히
는 것을 좋아하시지 않았으나 애국자 집안의 딸이었습니다. 유

할머니의 자손들에 의하면 3·1운동 당시 천안 근교에 살던 유씨 집안들은 호적을 다 파 없앨 정도로 일본 사람들로부터 심한 핍박을 받았다고 합니다.

유 할머니는 39세 때 부군을 여의고 혼자의 힘으로 아들 둘 딸 둘, 4남매를 기르고 가르쳐 성가를 시켰습니다. 그러면서도 아비 없는 '후레자식' 소리를 들어서는 안 된다며 딸들이 나이가 위임에도 불구하고 바깥일은 맡기지를 않고 열세살 된 큰아들과 함께 똥지개를 져가면서 가정을 꾸려갔다고 합니다. 그러면서 자식들에게 "어른들에게는 누구든지 머리를 숙여 공손히 인사를 드려야 한다."라고 가르쳐 주셨습니다. 큰아들이 물었습니다. "그러면 거지들에게도 절해야 되나요?"라고 하니 "물론 공손히 인사를 해야 하느니라."라고 가르치셨습니다.

하루는 큰아들이 똥지개를 지고 가다가 동네 산마루의 상여집이 있는 곳 옆에 움막을 짓고 사는 거지 노인을 만나서, 그 노인에게 큰절을 한다는 것이 그만 등에 진 똥지개가 엎질러져 똥을 뒤집어 쓰고 넘어졌다고 합니다. 그 후부터는 그곳에 사는 거지들이 이 아들을 대신하여 똥지개를 져주고 농삿일도 돌봐주었다고 합니다.

저는 유 할머님의 장례식을 집전하면서 얼마나 큰 감동을 받았는지 모릅니다. 그분의 둘째딸 되시는 분이 외국인과 결혼하여 다섯 명의 손주들을 보았습니다. 이 할머니는 그 동안 줄곧 그 따님 댁에서 따님과 손주들의 병간호를 받으시다가 돌아가셨습니다. 전해 들은 이야기로는 그분의 큰손자가 텍사스에서 MCI 사장을 한 사람인데, 할머니의 약을 줄곧 대어 드리고 여기에 있는 사위를 비롯해서 손자 손녀들이 극진히 할머니를 보살펴 왔다고 합니다. 물론 다른 아들딸들 손주들도 인디애나에 계신 어머님을 수시로 찾아와 극진한 효성을 다하였습니다.

그런데 놀라운 것은 외국인 사이에서 낳은 외손자 외손녀들이 한결같이 한국말을 잘하는 사실이었습니다. 그것은 어려서부터 할머니와 함께 살고 사랑을 주고받았기 때문입니다. 이 손주들이 할머님의 장례식장에서 얼마나 슬피 우는지 보는 모든 사람들의 마음을 찡하게 하였습니다. 어떻게 보면 3~4년 동안 할머님의 똥, 오줌 받아내면서도 손주들이 불평도 할 만한데, 한마디 불평도 하지 않고 오히려 할머니 방에서 같이 자고, 식사도 하며 말동무가 되어주곤 했다는 것입니다.

요즘은 우리 한국의 손자 손녀들도 할아버지, 할머니를 냄새 난다며 멀리하고 어떤 때는 부모님까지도 박대하는 자들이 많은데 외국인 사이에서 낳은 손자 손녀들이 그렇게 할머님을 극진히 모셨고 할머님의 장례식에서 슬피 우는 모습을 보면서 참으로 큰 감동을 받았습니다.

91세로 세상을 떠나신 할머님이 참으로 복되게 느껴졌습니다. 41명의 유자녀 손주들이 마치 가을 포도원의 무르익은 포도송이들 같았습니다.

능력의 종

작년 여름, 우리 미국 장로교 한인교회협의회 총회(N.K.P.C)가 조국 광복 50주년을 맞아 희년(禧年)대회로 서울 소망교회 수양 관에서 개최되어 한국을 방문하였을 때입니다. 바쁜 일정 가운데서 친구 목사의 청을 받아 친구가 담임하고 있는 교회에 가서 주일 설교를 하였습니다. 신학교 재학시절, 교수님들은 "목사는 항상 세 가지 준비를 하고 다녀야 한다." 하고 가르쳐 주셨습니다.

첫째로 설교 준비를 하라고 하셨습니다. 언제 어디서 설교 부탁을 받든지, 설교할 처지가 되면 설교해야 하기 때문입니다.

둘째로 이사갈 준비를 하라고 하셨습니다. 하나님께서 언제, 어디로 가라고 명하시든지 "아멘"으로 순종하고 보따리를 싸들고 이사할 준비를 하고 있어야 한다는 것입니다.

세 번째는 죽을 준비를 하고 살아가라는 것입니다. 목회자는 순교적인 각오로 목회를 해야 하기 때문에 복음을 전하다가, 혹은 강단에서 설교를 하다가도 하나님의 부르심을 받으면 '한 점의 부끄러움 없이 세상을 떠날 준비'를 하라는 것입니다.

잠실에 있는 친구의 교회에서 설교를 하고 나니 목사님과 장로님들이 당회장실에서 함께 모여 이야기를 나누면서 제게 부탁 하나를 하셨습니다. "우리 목사님께서 이 교회를 개척하시고 15, 6년간 휴가도 변변히 못 가셨는데 내년에는 안식년을 드리려고 합니다. 이 목사님께서 강의하시는 맥코믹 신학교에 가서서 공부하실 수 있도록 도와주세요."라는 청이었습니다. 저는 최선을 다해 보겠노라고 약속을 하고 돌아와 학교와 상의하여 서 목사님께서 금년 봄에 오시도록 하였습니다.

이곳에 오신 서달수 목사님은 기숙사에서 여정을 풀고 열심히 공부하기 시작하였습니다. 그 동안 놓았던 영어공부를 하기 위해서 손에는 영어책과 사전이 떨어지지 않았습니다. 물론 우리 교회에 오셔서도 몇 년 전에 한 번 설교해 주셨고 이번에도 은혜로운 말씀을 전해 주셨습니다.

오시자마자 우리 교회의 전도폭발 훈련을 개강하는 시간에 그 날 밤 설교 부탁을 하였습니다. 설교 직전 기도 순서 맡으신 장로님께서 강사 목사님을 위해 기도하기를 "하나님, 우리 서 목사님은 비록 키는 작사오나 능력의 종이오니 오늘 말씀을 선포할 때 큰 은혜 받게 하여 주십시오."라고 기도하였습니다. 사실은 우리가 하나님께 기도할 때는 거룩하고 엄숙한 시간임에도 불구하고 여기저기서 '낄낄' 대며 웃음을 터뜨리는 소리가 들려왔습니다.

정말 서 목사님은 장로님의 기도대로 키는 작습니다. 그러나 '하나님의 능력의 종'입니다.

지난 주간에는 우리 교회에서 가진 '추계 부흥성회'에서 강사로 말씀을 선포하시었는데 온 교우들이 얼마나 큰 은혜를 받았는지 모릅니다. 성령이 충만하고 큰 은사를 받은 능력의 종임을 확인하게 되었습니다.

하나님께서는 "사람을 외모로 보지 말라. 나 여호와는 사람의 중심을 보느니라."라고 말씀하셨습니다. 성경에 나오는 삭개오는 얼마나 키가 작았으면 군중 사이에 계신 예수님을 보고 싶어서 어른의 몸으로 뽕나무 위에 올라갔겠습니까? 그 때 예수님은 그를 향하여 "내려오라 내가 오늘 밤 너희 집에서 유하겠다."라고 하셨습니다.

서 목사님도 키는 작으신 분입니다. 그러나 하나님의 성령으로 충만하게 되니 그의 전하는 말씀이 얼마나 귀하고 권세가 있는지, 그리고 그가 받은 능력과 은사가 얼마나 큰지 말씀을 듣는 모든 자들이 깊은 감동과 큰 은혜를 받았습니다. 중국 12억의 백성을 이끈 등소평 주석은 얼마나 단구입니까? 그럼에도 불구하고 중국의 현대화의 문을 연 위대한 지도자가 아닙니까?

저는 서 목사님과 학창시절 함께 웅변도 한 친구로서 얼마나 감사한지 모릅니다. 우리처럼 연약하고 보잘것없는 자라도 하나님께서 성령의 사람으로 쓰신다는 데 감사할 뿐입니다. 호흡이 있는 동안 우리 하나님께 영광과 찬양을 드릴 뿐입니다.

제10부

기쁨으로 단을 거두리로다

성수대교, 인생다리

지난 21일 새벽기도회를 인도하기 위해 차를 운전하면서 시카고 무디 방송의 뉴스를 들었습니다. "사우스 코리아 서울에서 다리가 붕괴되어 시내 버스 등 많은 차량이 한강으로 떨어져 30여 명이 죽고, 구조작업중이나 날이 어두워져 수색작업에 어려움을 겪고 있습니다." 하는 소식이었습니다. 핸들을 잡은 손에서 힘이 쭉 빠져나가는 느낌이었습니다.

서울을 방문할 때마다 수없이 건넜던 성수대교, 2년 전에도 김포와 행주산성을 잇는 신행주대교가 건설 도중 붕괴되어 교각만 앙상하게 남아 있는 것을 지나가면서 본 기억이 납니다.

"우째 이런 일이 또 일어났노?" 하고 대로할 김 대통령의 음성이 귀에 생생히 들려오는 것만 같습니다.

한강 철교, 인도교는 우리 국민들의 애환이 가득 담긴 곳입니다. 옛날엔 남쪽 시골에 사는 선비들이 과거를 보려고 상경하려면 도보로 혹은 말을 타고 불원천리 달려와 한강 나루터에 이르러 배를 타고 입경을 하곤 하였었습니다. 일본이 나라를 빼앗고 총독부를 서울 중앙에 두고 호남 곡창지대의 오곡백과, 그리고 북한의 철, 금광 등을 빼내어 가기 위해 놓은 다리가 한강 다리요, 군산항, 제물포항, 진남포항 등은 이 물품들의 집결지였습니다.

해방과 더불어 대한민국 정부가 수립되고 난 한참 후까지도 한강다리 제1인도교 하나에 의존하여 왔습니다. 6 · 25의 한국전쟁이 일어나자 제일 먼저 한강다리부터 폭파해서 인민군들의 남하를 막으려 했지만 오히려 피난 못 간 많은 국민들이 도강을 하다가 수장되는 원한의 다리가 되기도 했습니다. 미처 피난 못 가고 장안에 묶여 있던 서울 시민 등 많은 우익 인사들이 납치되어 죽음을 당하기도 했습니다.

그뒤에 4 · 19의 혁명으로 민주당에 정권을 통째로 선물하였으나 신구파의 싸움으로 자폭하고 말더니 군사 독재자들에게 정권을 눈뜬 채 넘겨주고 말았습니다.

'애국 충정'의 정신으로 나라를 위해 일어선 박정희 정권은 비록 군사독재, 장기집권이라는 낙인이 찍히고 종국엔 자기 부하의 총에 비운을 맞아야 했지만 그가 이룬 우리 나라의 산업화와 경제부흥은 역사가들에 의해 재해석되고 있음은 기정사실입니다.

그런데 아이러니컬하게도 금번 붕괴된 성수대교는 그가 집권하던 1977년에 건설된 다리라는 것이 마음을 씁쓸하게 합니다. 그렇게도 치밀하게 철권정치를 하여 왔는데 그 속에서 파렴치한들에 의해서 많은 공사비가 뇌물로 깎여 먹히고 부실 공사를 하게 되었다니, 우리 국민들은 배신감 같은 것을 느끼게 되는 것입니다.

더군다나 '신한국 창조'를 케치 프레이즈로 내세운 문민정부가 왜 이렇게 어이없게도, 김 대통령의 말대로 '우째 이런 일이' 또 일어나야 하는지…….

전문가들이 모인 대한토목학회에서 지난 신행주대교 붕괴를 계기로 1992년 12월에서 올 7월까지 진단 대상 17개 교량을 조사한 바 있습니다. 그 가운데 안전상 문제 없는 다리는 세 곳뿐이라고 진단되었음에도 불구하고 정작 관리를 맡은 행정당국은 무사안일주의로 일관하다가 이런 참변을 당한 천인이 공노할 사실이 밝혀진 것입니다.

우리 속담에 "돌다리도 두드려 보고 건너라."고 했습니다. 이미 문제가 발견되었는데도 수많은 사람들이 차를 타고 왕래하는 생명의 다리를 어이없이 붕괴시키고 만 것입니다.

예수님께서는 "말씀(산상수훈)을 듣고 준행하는 자는 마치 집을 반석 위에 지은 지혜로운 사람과 같아 창수가 나고 바람이 불어도 쓰러지지 않고, 그 말씀을 듣지 않고 준행치 않는 자는 그 집을 모래 위에 세운 어리석은 사람과 같아 창수가 나고 바람이 불면 그 무너짐이 심하다."라고 경고하셨습니다(마 7 : 24 ～27).

사랑하는 여러분!

우리 인생의 집을 든든한 믿음의 반석 위에 세워 나가시기를 바랍니다.

산상수훈

"예수께서 무리를 보시고 산에 올라가 앉으시니 제자들이 나아온지라 입을 열어 가르쳐 가라사대 심령이 가난한 자는 복이 있나니 천국이 저희 것임이요 애통하는 자는 복이 있나니 저희가 위로를 받을 것임이요 온유한 자는 복이 있나니 저희가 땅을 기업으로 받을 것임이요 의에 주리고 목마른 자는 복이 있나니 저희가 배부를 것임이요 긍휼히 여기는 자는 복이 있나니 저희가 긍휼히 여김을 받을 것임이요 마음이 청결한 자는 복이 있나니 저희가 하나님을 볼 것임이요 화평케 하는 자는 복이 있나니 저희가 하나님의 아들이라 일컬음을 받을 것임이요 의를 위하여 핍박을 받은 자는 복이 있나니 천국이 저희 것임이라 나를 인하여 너희를 욕하고 핍박하고 거짓으로 너희를 거스려 모든 악한 말을 할 때에는 너희에게 복이 있나니 기뻐하고 즐거워하라 하늘에서 너희 상이 큼이라 너희 전에 있던 선지자들을 이같이 핍박하였느니라"(마 5 : 1~12).

이상은 성경 마태복음에 나오는 예수님의 산상수훈 가운데 팔복의 말씀입니다. 예수님께서 그의 열두 제자들에게 산에서 가르친 말씀이기에 산상수훈으로 불립니다.

독일의 유명한 정치가였던 비스마르크는 이 산상수훈을 기초로 하여 독일의 민주주의를 수립하였다고 합니다. 인도의 독립을 이룩한 국부(國父) 마하트마 간디도 이 산상수훈을 근본으로 하여 무저항주의, 비폭력 운동으로 인도를 독립시켰습니다. 그는 힌두교인이었지만 "인도에서 영국인들, 그리고 모든 선교사들은 다 몰아내야 하지만 예수와 그의 산상수훈만은 남겨 놓아야 한다."라고 역설하였습니다.

예수님께서 말씀하신 복의 개념은 오늘날 우리들이 추구하는 복과는 아주 다르고 역설적인 면을 보게 됩니다. 우리들은 무엇을 많이 가져야 복인 줄로 여기는데, 예수님의 교훈은 '비우는 데서 얻는 복'을 말씀하고 있습니다. 마음이 가난한 자, 애통하는 자, 마음이 청결한 자들이 복이 있다고 가르쳐 주십니다.

성경 마태복음 5장에서 7장에 걸쳐 하신 예수님의 산상수훈 가운데는 주옥 같은 말씀들이 강론되어 있습니다.

"너희는 세상의 소금이니 소금이 만일 그 맛을 잃으면 무엇으로 짜게 하리요 …… 너희는 세상의 빛이라 산 위에 있는 동네가 숨기우지 못할 것이요 사람이 등불을 켜서 말 아래 두지 아니하고 등경 위에 두나니 이러므로 집안 모든 사람에게 비취느니라"(마 5 : 13~15).

오늘날 우리 모두가 이 세상의 소금의 역할을 할 수만 있다면 얼마나 살기 좋은 세상이 될 수 있을까요? 소금은 음식의 맛을 내게 합니다. 염분은 환자들에게 약으로도 쓰였습니다. 인생의 맛, 의미들이 한 통의 소금이 되어 저들에게 인생의 참맛을 내어 준다면 이 세상이 얼마나 의미 있는 일로 가득 차겠습니까?

소금은 방부제 역할을 합니다. 세상 사람들이 온갖 범죄로 마음과 육체, 정신이 썩어가고 있는데 우리들이 소금이 되어 몸을 녹여 희생함으로써 저들의 썩어 문드러져 가는 심령을 치료할 수 있다면 이 사회가 얼마나 건강한 사회가 되어 가겠습니까?

그리고 우리 한 사람 한 사람이 한 자루의 촛불이 되어 빛을 발할 수만 있다면 죄악으로 어두워진 이 세상이 얼마나 밝아지겠습니까?

인생의 갈 길을 못 찾아 절망 속에 빠진 자들에게 등대가 되어 비춰준다면 저들의 인생호가 난파되지 않고 바르게 목적지에 도달할 수가 있을 것입니다. 험한 인생 바다에 표류하는 이들에게 한 줄기 빛이 되어 갈 길을 밝혀 봅시다. 여러분들의 빛을 보고 어둠에 처한 인생들이 길을 찾을 것이요, 여러분의 후손들이 삶의 바른 방향을 찾아 나아가게 될 것입니다.

여인의 행복, 두 아들을 죽인 엄마

구약성경 잠언은 삶의 지혜를 가르쳐 주는 하나님의 말씀으로, 유대인들에게 가장 많이 읽혀지는 책입니다. 잠언 31장에는 르무엘이라는 왕의 이름이 나오는데, 성서학자들은 그가 이스라엘의 지혜의 왕 솔로몬이었을 것이라고 합니다.

거기에 보면 왕이 되어 나라를 다스리는 솔로몬에게 그의 어머니가 훈계하는 잠언이 다음과 같이 기록되어 있습니다.

"내 아들아 내가 무엇을 말할꼬 내 태에서 난 아들아 내가 무엇을 말할꼬 서원대로 얻은 아들아 내가 무엇을 말할꼬 네 힘을 여자들에게 쓰지 말며 왕들을 멸망시키는 일을 행치 말지어다 르무엘아 포도주를 마시는 것이 왕에게 마땅치 아니하고 …… 독주를 찾는 것이 주권자에게 마땅치 않도다 술을 마시다가 법을 잊어버리고 모든 간곤한 백성에게 공의를 굽게 할까 두려우니라 독주는 죽게 된 자에게, 포도주는 마음에 근심하는 자에게

줄지어다 그는 마시고 그 빈궁한 것을 잊어버리겠고 다시 그 고통을 기억지 아니하리라 너는 벙어리와 고독한 자의 송사를 위하여 입을 열지니라"(잠 31 : 2~8).

"누가 현숙한 여인을 찾아 얻겠느냐 그 값은 진주보다 더하니라 그런 자의 남편의 마음은 그를 믿나니 산업이 핍절치 아니하겠으며 그런 자는 살아 있는 동안에 그 남편에게 선을 행하고 악을 행치 아니하느니라 …… 그 자식들은 일어나 사례하며 그 남편은 칭찬하기를 덕행 있는 여자가 많으나 그대는 여러 여자보다 뛰어난다 하느니라"(잠 31 : 10~29).

어느 철인은 "세상에서 가장 성공한 여인은 한 남편의 아내로서 아이들을 훌륭하게 기른 현모양처이다."라고 말하였다고 합니다.

그런데 오늘날 '현모양처'란 말은 옛날 도덕경에서나 읽어 볼 수 있는 고전어에 불과한 단어가 되어버렸습니다.

지난달 25일 저녁 뉴스에는 스물세 살 난 수잔 스미스 여인이 자동차로 납치당한 세 살짜리 아들과 14개월 된 아들을 되돌려 달라고 눈물로 호소하는 장면이 보도되었습니다.

사우스 케롤라이나의 유니온 카운티의 조용한 마을에 사는 이 여인이 세 살 난 아들 마이클과 14개월 된 아들 알랙스와 함께 1990년형 마즈다 차를 타고 가다가 총을 든 흑인 강도에게 차를 빼앗기고 강도가 아이들을 태운 채 달아났다는 것이었습니다. 이 사건이 전국적으로 방영되고 신문에 보도되자마자 유니온 카운티의 1만여 주민들은 물론 미국민 전체가 이 아이들 찾기에 대대적인 운동을 펴기 시작했습니다.

각 교회에서는 이 아이들의 무사 귀가를 위한 촛불 기도회가 열리고, 주민들은 자원 봉사자로 나서서 그 일대를 밤을 지새면서 수색 작업을 폈습니다.

그런데 지난 3일, 아기의 엄마인 스미스 여인은 경찰에게 자신이 자기 아들들을 죽였다고 범행 사실을 자백하고 말았습니다. 아이들의 시체가 카잭킹을 당했다는 장소 근처인 D. 롱 호수 속에 가라앉은 그 여인의 차 속에서 발견되었습니다.

이 사실이 전국에 방영되자 온 국민들은 경악을 금치 못했고, 이 아이들을 찾기에 밤을 지새운 주민들은 허탈감에 빠지고 말았습니다. 세상에 이럴 수가……

이 스미스 여인은 그 지방의 유니온 고등학교 재학시엔 우등생이었고, 졸업식에서는 'Friendliest Female(가장 친절한 여인)' 상을 탔으며, '수학 클럽' 멤버로 잘 알려진 모범생이었다고 합니다. 그런 여인이 파트 타임으로 슈퍼마켓에서 일하다가 일찍 남자 친구를 만나 결혼하여 아이 둘을 낳았는데 그만 남편과 별거를 하고 이혼 수속을 하는 과정에서 이 같은 사고가 발생하였다고 합니다.

짐승도 '모성애'가 강하여 아무리 연약한 암탉이라도 새 중의 왕인 독수리가 자기 새끼병아리를 채려고 덤벼들면 품에 앉고 피투성이가 되도록 싸워 새끼를 보호한다는데, 오늘날 탈도덕화된 인간들은 짐승만도 못하게 전락하는 현실이 슬프기만 합니다.

사랑하는 여러분!

어떻게 우리들은 바른 인간 사회를 구현해 갈 수 있을까요? 함께 관심을 가지고 노력해 보시지 않겠습니까?

기쁨으로 단을 거두리로다

가을에서 겨울로 접어드는 추수감사의 계절이 오면 생각나는 한 가족이 있습니다. 그분들은 6·25 한국전쟁 때 황해도에서 우리 동네로 피난 온 장씨 성을 가진 여섯 식구였습니다. 50대 후반에 과부 된 어머님께서 25세 된 장남을 필두로 20세 전후의 아들만 다섯 명을 둔 가정이었습니다. 그야말로 괴나리봇짐만 달랑 싸가지고 피난 온 나그네들이었습니다. 이들을 불쌍히 여긴 저의 당숙네가 사랑방을 내주어 서너 평 남짓한 좁은 방에서 그들의 피난 생활이 시작되었습니다.

그들은 피난 짐을 풀자마자 막내아들만 제외하고 모두 다 남의 집 머슴으로 들어갔습니다. 제가 기억하기로 그들은 고향에서 꽤나 부유한 살림을 하던 사람이었던 것 같습니다. 왜냐하면 풍기는 인품이며 교양, 그리고 그들이 쓰는 필적이 매우 아름다웠던 것으로 보아 그렇게 짐작할 수 있었습니다.

큰형 되는 분은 어린아이들을 좋아해서 일하고 피곤한 몸인데도 저녁엔 곧잘 우리들에게 옛날 이야기며 동화 등을 들려주곤 했습니다.

이듬해 가을이 되었습니다. 네 사람의 장정들이 머슴살이에서 받아온 쌀가마니가 20여 개 되었습니다. 그들은 그 쌀가마를 가지고 논밭을 몇 마지기 사는 것이었습니다. 그 다음해에도 온 식구가 부지런히 일하였습니다. 동네의 애경사에는 빠짐없이 가서 봉사하면서 동네 사람들의 본이 되었습니다. 4~5년이 지났을까? 그들은 우리 동네에서 논, 밭 20여 마지기를 가지고 좋은 집도 장만한 부자가 되었습니다.

세월이 흘러, 막내아들이 동네에서 가까운 강경 상업고등학교를 우등으로 졸업하더니 서울의 어느 은행에 취직이 되는 경사를 맞게 되었습니다. 그들은 가산을 정리하기 시작하더니 1년 후엔 서울로 이사를 갔습니다. 서울에 올라간 그들은 조그마한 사업을 시작하고 은행에 다니는 막내는 야간 대학에 들어가 공부하기 시작했습니다.

그뒤에 명절이 되면 가끔씩 우리 동네를 제2의 고향처럼 찾아와서 동네 어른들께 인사도 하고 서울의 형편도 전해 주곤 했습니다. 참으로 모범적인 가족들이었습니다.

그들은 전쟁의 참화 속에서 피난길에 빈손 들고 낯선 동네에 들어와 제2의 고향을 이룬 성공한 사람들이었습니다.

성경에 보면 "눈물을 흘리며 씨를 뿌리는 자는 기쁨으로 거두리로다 울며 씨를 뿌리러 나가는 자는 정녕 기쁨으로 그 단을 가지고 돌아오리로다"(시 126 : 5~6)라고 하였습니다.

우리 이민자들도 낯선 외국 땅에 와서 피와 땀과 눈물을 흘리며 씨를 뿌리고 살아가고 있습니다. 기쁨으로 그 단을 거두며 사는 자들도 있지만 아직도 우리 1세들은 눈물의 씨앗을 더 많이 뿌리지 않을 수 없는 형편들입니다.

예수님께서는 인생을 씨 뿌리는 비유를 들어 여러 차례 말씀하셨습니다.

"한 알의 밀이 땅에 떨어져 죽지 아니하면 한 알 그대로 있고 죽으면 많은 열매를 맺느니라"(요 12 : 24).

또 성경은 "심는 대로 거둔다. 많이 심는 자는 많이 거두고 적게 심는 자는 적게 거둔다."라고 가르쳐 주고 있습니다.

금번 미국의 중간 선거에서 공화당은 40년 만에 그 동안 맺힌 한을 풀고 압승을 하여 국회 상하 양원에서 다수당이 되는 영광을 누리게 되었습니다. 반면 클린턴 대통령이 속한 민주당은 참패를 하고 초상집이 되었습니다. 미국의 중간 선거는 대통령의 임기 2년이 되는 때마다 실시하여 현 정부를 평가하는 바로미터 역할을 하는 것이기도 합니다. 금번 선거는 클린턴 대통령이 심은 대로 거둔 결과입니다.

사랑하는 여러분!

우리들은 이민 1세로서 지금 이 미국 땅에 무슨 씨를 어떻게 얼마나 뿌리며 살아가고 있습니까?

한 알의 밀알처럼 땅에 떨어져 이름 없이 희생하며 살아갈지라도 우리의 대를 이어갈 2세들이 이 땅 위에서 각 방면에 아름다운 꽃을 피우고 풍성한 결실을 이룰 희망찬 내일이 있을 줄로 확신하는 것입니다.

추수감사절 단상

사랑하는 여러분!

오늘은 1995년도 추수감사절입니다.

여러분들은 무엇을, 누구에게 감사해야 한다고 생각하십니까? '내가 땀흘려 일해서 번 돈으로 내가 먹고 입고 좋은 집에서 살고, 좋은 차 타고 다니고 있는데 누구에게 감사한단 말인가? 나에겐 별로 감사할 조건도, 감사해야 할 대상도 없다.' 라고 느끼며 사는 사람도 있을 줄 압니다.

그러나 한편으로 생각해 보십시오. 참으로 감사할 일뿐입니다. 감사해야 할 사람들이 이 세상에 가득 차 있습니다.

옛날 그리스의 철학자 플라톤은 다음과 같은 네 가지를 감사했다고 합니다.

첫째, 소나 개, 돼지 그리고 곤충으로 태어나지 않고 만물의 영장인 사람으로 태어난 것을 감사했습니다. 이 감사는 사람으로 태어난 우리 모두가 똑같이 드려야 할 감사입니다. 20세기의 첨단과학의 혜택을 만끽하며 살고 있는 우리들은 누구보다도 많은 감사를 하며 살아가야 할 것입니다.

둘째, 플라톤은 자신이 문명국인 그리스에서 태어난 것을 감사했습니다. 그 당시 그리스야말로 철학과 문명이 최고로 발달한 나라였습니다. 그렇다면 우리들도 유구한 문화와 역사를 지닌 저 동방의 해뜨는 곳, 고요한 아침의 나라 대한민국에서 태어난 것을 감사해야 합니다. 뿐만 아니라 우리가 20세기 세계 제일의 부강국 이 미국에 와서 살고 있다는 것도 감사해야 할 일입니다.

셋째, 남자로 태어난 것을 감사했다고 합니다.

플라톤이 살던 시대는 남존여비의 시대였습니다. 여자들은 인구조사에서도 제외될 정도로 무시를 받고 비하되던 시대였으니 그가 남자로 태어난 것이 얼마나 감사한 일인가를 생각했던 것이지요. 오늘날 플라톤이 그와 같은 발언을 했다면 여성운동가들에게 몰매를 맞고도 남았을 것입니다.

넷째, 플라톤은 자기가 소크라테스 시대에 태어나 소크라테스의 제자가 된 것을 감사했습니다.

우리를 가르쳐 주신 훌륭한 스승들이 많이 있을 것입니다. 또 우리들이 속한 종교의 지도자들에게 감사를 드릴 수도 있을 것입니다.

저는 이 플라톤의 감사의 조건들을 읽으면서 남자로 태어났기 때문에 감사하다는 대목에선 어쩐지 여성들에게 미안스러운 마음을 가지지 않을 수가 없었습니다. 저를 낳아 주신 어머님의 은혜가 얼마나 크고 귀합니까? 머리털을 뽑아 어머님의 신발을 삼아 드려도 못 다할 감사가 아닙니까? 사랑하는 아내도 고맙고 귀한 사람이잖습니까? 물론 아버님의 그 크신 은혜는 말할 것도 없지요.

저는 우연히 지난 주말 차를 타고 가다가 한국방송을 듣게 되었는데 시인 배미순 기자의 '살아가는 이야기'를 듣게 되었습니다. 그의 단상 가운데 '여성 예찬'을 듣고 혼자 웃기도 하면서 역시 여성들의 고귀한 점들이 잘 그려져 있다고 생각했습니다.

> 흙으로 만든 남자보다
> 남자의 갈비뼈로 만든 당신이 더 강한 이유는
> 원료가 뼈이기 때문
> 남자보다 2~3년씩 더 빨리 성숙해
> 남자보다 7~8년씩 세상을 더 향유하는
> 새털처럼 포근하면서도 깊고 투명한 존재
> 가슴속 고뇌 훤히 보이나
>
> 너무 단단해서 바늘 끝 하나
> 들어가지 않는 당신은 원초의 생명력으로
> 세상을 건지고 또 건지며
> 마지막 고통의 순간까지 내어주며 사랑하는
> 보석처럼 반짝이는 아름답고 소중한 존재여라.

플라톤의 남자로 태어난 감사가 배미순 시인의 '여성 예찬론'에 무색해진 것 같습니다.

그러나 우리가 남자로든 여자로든 이 세상에 태어나게 하신 하나님, 특별히 '당신의 형상'으로 지어 주시고 오늘도 사랑으로 살게 하시는 그 조물주 하나님께 한없는 감사와 영광을 돌리는 감사절이 되어야 할 줄로 믿습니다.

2000년대를 이끌 미국의 지도자들

　1994년 12월 첫 주 시사주간지 타임지에 2000년대 미국의 새로운 시대를 이끌어갈 지도자 50명을 선정하여 소개하였습니다. 편집인 Barrett Seaman씨가 지난 여름부터 시작한 프로젝트로 장차 미국과 세계를 이끌어갈 지도자들을 정치, 경제, 과학, 종교, 예술 등 각 방면에서 추천된 수많은 인재 가운데 먼저 137명을 선정하고, 그 가운데서 50명을 최종 정선하여 그들의 사진과 현재 하고 있는 일들을 기술하였습니다.

　그들은 모두 다 40세 이하의 사람들로 인종도 백인, 흑인, 황인, 아메리칸, 인디언 등 다양합니다. 설정 기준도 그들의 야망과 비전, 그리고 공동체 정신(Community Spirit)까지 구체적으로 조사하여 새로운 세대를 이끌어갈 수 있는 자질이 얼마나 큰가를 보여 줍니다.

　그들 가운데 14명이 여성이고, 그중 조지 부시 대통령 재임시

국가 보안국(National Security) Staff로 있다가 현재 스탠포드 대학의 학장으로 있는 콘도리자 라이스(Condoleezza Rice, 40)도 있습니다. 그녀는 스탠포드 대학 역사상 최연소 학장이라고 합니다. 그녀는 40세의 흑인 여성으로 19세에 댄버 대학을 졸업한 영재입니다. 존 홉킨스 대학의 마이클 멘델바움(Michael Mandelbaum) 같은 교수는 그녀를 장차 미국의 국무장관감이라고 극찬을 아끼지 않았습니다.

그들 중에 아시아인으로는 월남계 조각가인 35세의 마야 린(Maya Lin) 한 분만이 소개되었습니다. 그녀는 예일 대학 건축과 출신으로 국립묘지의 월남 참전용사비를 디자인한 유망주라고 합니다.

정치가로는 최연소 주지사인 인디애나 주지사 이반베이(Evan Bayh)가 선정되었습니다. 그는 36세에 주지사에 당선되어 재선의 영광을 안은 자로서 장차 백악관을 차지하게 될 것으로 전망했습니다.

그도 그럴 것이 1975년에 타임지가 특집으로 낸 새로운 세대를 이끌 지도자로 선정되었던, 당시 32세의 최연소로 아칸소 주지사에 당선되었던 빌 클린턴이 오늘 미국의 대통령이 된 것을 보면 이 관측이 얼마나 정확한지 알 수가 있습니다. 그 당시 미국을 이끌 30대와 40 전의 인물들이 바로 클린턴을 비롯해서 금번 워싱턴 DC의 시장에 재선된 흑인 매리언 베리(Marrion Barry), ABC TV 방송국의 20/20의 인도자요 앵커인 바바라 월터, 정계의 테드 케네디(Ted Kennedy), 지난 선거에 낙선되었지만 대통령에 도전한 로스 페럿(Ross Perot) 등이었습니다.

물론 고 존 F. 케네디 대통령의 장남 존 F. 케네디 주니어도 50인 중에 포함되어 이 미국을 이끄는 케네디가(家)의 진면목을 과

시하고 있습니다.

사랑하는 여러분!

우리 Korean- American들 가운데 오는 2000년대를 이끌 젊은 이, 2세들은 과연 누구일까요? 지난 11월 선거에서 미 하원의원에 재선된 김창준 의원은 한인 1세로서 미국의 의정 단상에 선 유일한 분으로 우리 교포들의 자랑입니다. 우리 모두가 끝까지 그에게 후원을 아끼지 말아야 할 것입니다.

김 의원께 부탁하고 싶은 것 한 가지는 제2의 김 의원이 우리 2세 가운데 계속 배출되고 이어서 상원의원뿐만 아니라 장관들, 그리고 각계에서 두각을 나타내는 리더들이 많이 배출될 수 있도록 후배들을 양성해 달라는 것입니다.

저는 목사로서 어서 속히 2세 목사들이 많이 배출되어 2000년대의 이민교회를 새롭게 더 부흥하는 교회로 이끌어 가기를 바라고 있습니다.

우리 나라에서나 이 교포 사회에도 쉬운 일은 아니지만 주도적인 언론이나 시사주간지 또는 여론 조사 등 연구기관에서 새 시대를 이끌 30대의 지도자의 발굴에 앞장서서 소개해 주고 그들을 후원하고 양성하는 데 힘썼으면 하는 바람이 있습니다.

예수님께서도 자신의 사역 중 열두 제자를 기르는 일에 전념하여 그들로 하여금 전세계에 복음전도 사업을 펴가도록 하셨습니다.

사랑하는 여러분!

2000년대의 지도자들을 기르는 데 우리 모두 앞장서 봄이 어떨까요?

뒤로 미루는 자들에게

    정신과 의사이며 심리상담학의 권위자인 M. 스콧 박사의 글에 '즐거움을 뒤로 늦추라' 는 장(章)이 있습니다. 그를 찾아온 서른 한 살 된 한 여성 재정분석가는 자신은 일할 때 자꾸 일을 뒤로 미루는 경향이 있다고 말하더란 것입니다.

    스콧 박사는 그녀에게 케이크를 좋아하느냐고 물었습니다. 그렇다고 대답했습니다. 다시 스콧 박사는 "그러면 설탕 덮인 부분과 그렇지 않은 부분 가운데 어느 쪽을 더 좋아하세요?" 하고 물었습니다. 그녀는 "물론 설탕 덮인 부분이지요."라고 힘주어 말했습니다. 다시 그녀가 어떤 식으로 케이크를 먹는지 물었습니다. 그녀는 "물론, 설탕 덮인 부분을 먼저 먹지요."라고 대답했습니다. 케이크를 먹는 습관에서 나아가 다시 그녀가 일하는 습관을 조사했습니다. 예상했던 대로 그녀는 항상 일 가운데 보다 즐거운 반쪽 부분에 한 시간을 투여하고, 나머지 반쪽의 지겨운 부분에 여섯 시간을 그럭저럭 소모한다는 사실을 알아냈습니다.

스콧 박사는 그녀에게 처음 한 시간 동안에 그녀의 일 가운데 재미없는 부분을 해치울 수 있다면 나머지 여섯 시간을 즐길 수 있을 것이라고 제시해 주었습니다. 먼저 한 시간을 고통스럽게 보내고 나머지 여섯 시간을 즐기는 것이 한 시간을 즐기고 나머지 여섯 시간을 고통스럽게 보내는 편보다 나을 것이라고 충고했습니다. 그녀는 박사의 제안을 받아들여 더 이상 일을 뒤로 미루거나 연기하지 않게 되었다고 합니다.

사람은 누구나 고통스러운 일은 피하든지 뒤로 미루려고 합니다. 그러다 보면 가장 중요한 일을 못하든지 그르치기가 쉽습니다. 금년 1994년에도 새해를 시작하면서 많은 일들을 계획하고 출발하였을 것입니다. 그런데 12월 마지막 달이 된 이 시점에 얼마나 많은 일들이 뒤로 미뤄져서 미완성으로 남아 있는지 모릅니다.

저 자신도 금년 말 안으로 완성해야 될 성경 교재가 있습니다. 당장 해야 할 일들이 많다 보니 차일피일 뒤로 미뤄온 것이 이제는 막다른 골목에 이르렀습니다.

내년도 9월부터 우리 교단 내의 교회들이 사용할 공과이기 때문에 곧 출판사로 원고를 넘기지 않으면 안 될 단계에 이르렀습니다. 이제 더 이상 미룰 수가 없으니 하루 일과중 가장 중요한 시간을 여기에 할당하게 되는 것입니다.

스콧 박사는 이렇게 말합니다.

"즐거운 일을 뒤로 미루는 것은 삶의 즐거움과 고통을 시간적으로 조절하는 일이다. 이렇게 함으로써 우리는 먼저 고통을 대면하여 경험하고 그것을 극복함으로써 즐거움을 더하게 할 수 있다. 이것은 멋진 생활을 할 수 있는 유일한 길이다."

옳은 말이라고 생각합니다. 우리들이 무슨 일을 할 때 쉬운 일부터 해나가는 경향이 있는데 그것은 어려운 일을 뒤로 미루거나 미완성으로 남기게 되는 잘못된 습관을 낳습니다. 스콧 박사가 앞에서 만난 어느 여인의 사례에서 본 대로 오히려 달지 않은 부분부터 먹어가면 나중에 그 달콤한 부분을 만끽하면서 케이크를 다 먹을 수가 있습니다.

이 이론처럼 우리의 일과에서도 어려운 일, 고통스러운 일을 먼저 처리하면 뒤의 쉬운 부분을 통해 더 많은 즐거움을 가지고 목적을 쉽게 달성할 수 있다는 것입니다.

혹시, 여러분뿐만 아니라 여러분의 자녀들 가운데 일을 뒤로 미루는 습관을 가지신 분들이 있습니까? 먼저 고통스럽고 어려운 일부터 시작하는 습관을 익히도록 해주십시오. 중요하고 귀한 일일수록 어렵고 하기에 고통스러운 것입니다.

'고진감래(苦盡甘來)'란 말이 있습니다. 어려움이 지나면 달콤한 일(행복)이 찾아온다는 뜻입니다.

사랑하는 여러분!

금년도에 아직 미완성으로 남은 일들이 있습니까? 남은 며칠 동안 고통스러울지라도 다 마무리하고 새해를 맞는 기쁨을 누릴 수 있으시기를 바랍니다.

크리스마스 단상

크리스마스가 다가오는 이 계절, 온 천지에 흰 눈이 내리어 화이트 크리스마스를 기대하는 즐거움이 넘쳐나고 있습니다.

지난번에 말씀드린 대로 연말이 되면서 아직도 미진된 글들이 저의 마음을 바쁘게 만들어 이번 주간만은 새벽기도회도 부교역자들에게 맡기고 조용한 기도원에 들어가 집필을 완성하려고 작정하고 있었습니다.

그러나 "사람이 마음으로 자기의 길을 계획할지라도 그 걸음을 인도하는 자는 여호와시니라"(잠 16 : 9)라는 성경의 말씀대로 저의 계획을 바꾸지 않을 수가 없게 되었습니다.

월요일에 짐을 정리하여 꾸리려고 하는데 교우 한 분이 위독하다는 전화가 걸려왔습니다. 이 교우는 우리 교회에 두 달 전에 등록한 새 신자입니다. 72세 된 이분은 미국 오신 지 30년이 훨씬 넘었으나 이제껏 교회를 나가 보지 않았다고 합니다. 그런데 우리 교회의 전도폭발 훈련 팀들을 통해서 복음 제시를 받고 결신(決信)하여 교회에 첫 발을 들여놓으셨습니다.

그분이 위독하다는 소식이었습니다. 교회 묘지에 장지도 하나 준비해 달라는 부탁이었습니다. 참으로 난감하였습니다. 교회 묘지가 전부 분양되어 여분이 없을 텐데…… 바로 경조위원장에게 연락을 취해 비상수단을 써달라고 했습니다. 얼마 후에 묘한 기(基)가 다른 교우의 양보로 준비되었다고 경조위원장 되는 장로님의 연락을 받게 되었습니다. 그래서 새해엔 100기의 묘지를 구입할 예산도 세웠습니다.

저는 기도원 행을 포기하고 집에서 대기하는데, 밤 11시에 스웨디쉬 병원에서 전화가 걸려왔습니다.

이번엔 64세 된 어느 집사님이 임종할 것 같다는 전갈이었습니다. 작년 11월에 간암 진단을 받고 1년 넘게 투병해 오던 분이었습니다. 한국에서는 미8군에서 Civil Service Man으로 종사하며 젊은 날을 보내다가 도미하여 신앙생활을 시작하여 교회의 집사직을 받은 분입니다.

결국 앞의 72세의 노인분은 그날 밤 11시에 돌아가시고, 64세 된 집사님은 그 이튿날 새벽 0시 45분에 타계하셨습니다.

저는 그들의 임종 예배와 장례 절차를 준비하고 새벽 2시에야 집에 돌아왔습니다. 잠자리에 들기 전 하나님 앞에 머리숙여 감사의 기도를 드렸습니다.

주님이 오시는 이 성탄의 계절에 저들을 구속하시어 천국의 본향으로 불러가셨으니 그곳에서 주님과 더불어 영생복락을 누릴 것을 믿으며 드리는 감사의 기도였습니다.

참으로 다행스러운 것은 앞서 가신 72세의 성도는 일생에 처음으로 복된 소식을 듣고 처음으로 기독교의 신자가 되어서 돌아가셨기 때문입니다. 그분은 철학을 전공하신 엘리트였습니다. 그러나 일생 동안 철학적인 물음만 계속한 것입니다.

그러다가 일생 동안 이룬 모든 일들보다도 가장 귀중한 삶을 두 달 동안 이루고 가신 것입니다.

예수님께서는 "온 천하를 얻고도 제 목숨을 잃으면 무엇이 유익하리요?"라고 질문하셨는데 이분은 천하보다 귀한 영생을 예수 이름으로 얻는 복음을 듣고 가신 것입니다.

예수님께서 십자가에 돌아가실 때 그의 우편에 있는 강도가 예수님께 "당신의 나라(天國)에 이를 때 나를 기억하여 주소서"라고 부탁하였던 일이 있습니다. 그 때 예수님께서는 "네가 오늘 나와 함께 낙원에 있으리라" 하고 약속하시고 그 강도를 구원해 주셨습니다.

사랑하는 여러분!

생명을 구원하는 일은 뒤로 미룰 수 있는 사항이 아닙니다. 성경은 "너희는 먼저 그의 나라(천국)와 그의 의를 구하라"(마 6 : 33)라고 가르쳐 줍니다.

삶의 우선 순위는 우리 생명의 구원에 있습니다. 먼저 해야 될 일이 바로 영생을 얻는 일이란 뜻입니다.

예수님의 성탄, 이 크리스마스는 바로 여러분과 저를 죽음의 문제로부터 해결하여, 구원하기 위해 오시는 메시아 예수님을 맞이하는 때입니다.

이 구원을 받으시지 않으시렵니까?

아듀! 1994년

또 한 해가 저물었습니다.

1994년도가 3일밖에 남지 않았습니다. 마지막 잎새가 세 잎밖에 남지 않았는데 나의 건너편 담장에 마지막 잎새를 묶어 놓을 자가 누가 있겠습니까?

이제 1994년이란 해도 역사의 뒤안길로, 영겁 속으로 사라져 갑니다. 그런데 이 해 마지막 날의 망루에서 우리가 심은 인생의 나무엔 무슨 열매가 얼마나 맺혀 있습니까? 한 번 깊이 바라보지 않을 수 없습니다. 이제는 결산을 해야 합니다. 부지런히 놓던 주판알을 다 털고 다시 하나 둘 놓아가야 할 때가 이르렀습니다.

누가복음 13장 6~9절을 보면 예수님께서 다음과 같은 비유를 말씀하신 내용이 나옵니다. 어떤 사람이 포도원에 무화과나무를 심어 놓고 몇 년 동안을 있다가 와서 열매를 구했으나 얻지를 못하였습니다. 과원지기에게 이르기를 "내가 삼 년을 와서 이 무화

과나무에 실과를 구하되 얻지를 못하니 찍어버리라. 어찌 땅만
버리느냐?"라고 하였습니다. 그 때 과원지기가 주인에게 대답하
기를 "금년에도 그대로 두소서 내가 두루 파고 거름을 주리니
이후에 만일 실과가 열면이어니와 그렇지 않으면 찍어버리소
서." 하였습니다.

사랑하는 여러분의 인생 나무엔 과연 열매들이 맺혀 있습니
까? 어떤 열매를 맺으셨습니까?

성경에 보면 하나님의 영으로 사는 사람들의 열매는 "사랑과 희
락과 화평과 오래 참음과 자비와 양선과 충성과 온유와 절제니 이
같은 것을 금지할 법이 없느니라"(갈 5 : 22~23)고 하였습니다.

여러분께서는 '사랑' 이란 열매를 맺고 사셨습니까? 부부간에
서로 사랑하며 살고 계십니까? 지치고 피곤한 이민의 삶이 어느
때는 짜증스럽지만 그래도 피곤에 지쳐 돌아오는 남편에게 활짝
웃는 얼굴과 따뜻한 손길로 맞아주는 아내의 사랑이 있기에 행
복한 가정이 이뤄지고들 있지 않겠습니까?

맞벌이 부부로 더러는 공장에서 또는 세탁소에서 열두어 시간
씩 일하고 돌아와 식사 준비에, 빨래에, 자녀들 양육에 피곤에
지친 아내를 등뒤에서 안아 주고 "여보! 당신을 사랑하오!"라며
진정한 사랑과 위로를 보내는 남편들이 있는 가정에, 사랑의 열
매로 맺은 자녀들은 그 사랑 속에서 무럭무럭 자라날 것입니다.
그런 가정이 행복한 가정입니다. 그뿐만 아니라 그런 행복한 가
정들이 모인 사회가 행복과 평화가 있는 사회가 되는 것입니다.

다음으로 여러분들은 평화의 열매를 맺었는지 한 번 살펴보시
기 바랍니다. 예수님께서는 "화평케 하는 자는 복이 있나니 저희
가 하나님의 아들이라 일컬음을 받을 것임이요"(마 5 : 9)라고
말씀하셨습니다.

인류 역사상 평화가 존재한 때는 겨우 8%의 날밖에 없었다고 합니다. 형제와 형제, 이웃과 더불어, 그리고 나라와 나라가 평화를 이루며 살아가야 하겠습니다.

우리 민족의 숙원인 남북통일이 하루속히 이루어져 평화의 나라가 세워지기를 간절히 소원하고 있습니다.

또한 우리 인생의 나무에 맺어야 할 열매는 자비와 양선의 열매입니다. 세상이 아무리 각박해도 우리의 마음에 자비심과 양선이 있으면 이 세상은 아름다운 세상이 될 것입니다. 지금도 우리 이웃에는 직장을 잃고 사랑하는 사람을 여의고 하루하루를 슬픔 속에 살아가고 있는 이들이 많이 있습니다. 노숙자(Homeless People)들이 추운 동절기에 거리에서 방황하고들 있습니다. 저들에게 자비의 손길을 뻗쳐서 더불어 살아가는 사회를 이뤄야 합니다.

마지막으로 우리에게 필요한 것이 절제의 열매입니다. 우리들이 사는 이 시대는 풍요로운 시대요 이 나라는 부강한 나라입니다. 그렇다고 우리들의 삶이 무절제하면 그것은 자신과 사회를 파괴하는 누를 범하는 것입니다. 너무 먹고 마시고 허영과 사치로 삶을 일관하면 망합니다.

무절제한 음주 운전자들이 얼마나 많은 사람들을 죽음으로 내몰고 있습니까? 절제하며 살아야 합니다.

사랑하는 여러분!

이 한 해의 열매를 결산하며 또 한 해의 유예기간을 부여받는 이때에 우리의 다짐이 새로워진다면 내년은 창조적인 새해가 되지 않겠습니까?

판권
소유

이민자의 5분 명상

절망을 넘어선 사람들

•

2002년 7월 15일 인쇄
2002년 7월 20일 발행
지은이 / 이 종 민
발행인 / 이 형 규
발행처 / 쿰란출판사
서울 종로구 연지동 1-1 여전도회관 1005호
TEL/745-1007, 745-1301~2
영업부/747-1004, FAX/745-8490
본사평생전화번호/0502-756-1004
0505-745-1007
홈페이지 : http://www.qumran.co.kr
E-mail : qumran@hitel.net
qumran1@hosanna.net
등록/제1-670호(1988. 2. 27)

•

값 9,000원
책임교열 : 김영미 · 오완

ISBN : 89-7434-734-2 03230